# IMPONDÉRABLES

## DU MÊME AUTEUR

*La Liberté surveillée*
Thésaur, 1993

*La Trahison des ayatollahs*
Jean Picollec, 1995

*Mission ou Démission*
*Le Prix de la Défense*
Jean Picollec, 1996

*Lettre à une Algérienne*
La Boîte à documents, 1998

*Contre-espionnage,*
*mémoires d'un patron de la DST,*
Calmann-Lévy, 2000

*De qui se moquent-ils ?*
Flammarion, 2001

*La Cour des miracles*
*Que font les juges*
Flammarion, 2002

YVES BONNET

# IMPONDÉRABLES

*Roman*

CALMANN-LÉVY

© Calmann-Lévy, 2003

ISBN 2-7021-3358-4

# 1

C'est d'abord un bruit énorme qui explose dans sa tête, qu'une monstrueuse gifle projette en arrière ; c'est ensuite l'enchaînement précipité des bruits et des coups, crissement de l'acier longuement torturé, hurlement des pneus arrachés par la chaussée, enfin, l'éternité d'une lente, très lente décélération ; le silence de l'arrêt.

Plus tard, bien plus tard, on lui a raconté l'accident ; sa Lancia, brusquement balancée par un énorme poids lourd qui se déporte vers la gauche, tangue, puis redresse sa course. La petite boule bleue que l'énorme masse projette comme d'une pichenette contre la double glissière grise, qui se tord comme un monstrueux spaghetti. Brutalement tiré de sa somnolence, le chauffeur du camion, debout sur le frein, les bras durcis dans un effort désespéré, maintient le mastodonte sur sa ligne, dans l'âcre odeur de la gomme brûlée, le stoppe. Il saute de toute la hauteur de la cabine sur la chaussée, court en agitant les bras au-devant des voitures, heureusement clairsemées, qui se déportent docilement sur leur droite, de plus en plus loin de l'accident, dans le clignotement des feux de détresse. La première, une Laguna, s'est arrêtée à hauteur de la carcasse tordue, deux hommes en jaillissent, le chauffeur se précipite sur le coffre et se saisit d'un extincteur ; une poignée de secondes et il submerge l'épave d'une mousse blanchâtre ; le passager, sans nul souci d'être aspergé, a ouvert la portière de gauche, côté conducteur ; une jeune femme, maintenue par l'airbag, le regarde, hébétée, sans un mot, sans un cri ; il dégrafe la ceinture, la tire doucement, l'allonge sur l'herbe du terre-plein central ; le conducteur de la Laguna jette l'extincteur vide et s'affaire auprès de l'homme assis à la place du mort, qui respire à grand-peine, le visage barbouillé de sang. La portière droite refuse de se laisser faire, mais le sauveteur improvisé a pu passer la tête et les bras par le côté. Il lui palpe le cou, la nuque, ressort le buste de l'habitacle et hoche la tête, dubitatif.

Un groupe d'une demi-douzaine de personnes s'est formé qui questionnent gentiment ; le chauffeur de la Laguna s'est redressé, cheveux grisonnants, la cinquantaine sportive, en manches de chemise, il rassure :

« Laissez-moi faire, je suis médecin ; il ne faut pas le bouger, je vais lui faire un tonicardiaque. »

Il est resté étrangement calme, à la limite de l'indifférence.

« Il faut le désincarcérer, ajoute-t-il, en désignant le blessé demeuré dans la voiture, surtout ne pas le bouger ».

À quelques mètres, son compagnon de route, manifestement plus jeune, est agenouillé auprès de la jeune femme ; il lui parle, sans lui laisser le temps de s'inquiéter du sort de son passager :

« Ce n'est rien ; vous êtes hors de danger ; ne bougez pas, restez tranquille, on s'occupe de vous, détendez-vous, respirez doucement. »

Quelques minutes plus tard, les pompiers sont là. Ils coupent les tôles, sortent avec mille précautions le passager.

C'est la chronique habituelle d'une autoroute française, un des huit mille épisodes d'une tragédie sans fin ; dans quelques instants, le blessé, extirpé par les pompiers de sa carcasse maltraitée, va mourir dans l'ambulance qui l'emmène vers le centre hospitalier de Poissy.

Hélène de Tavernon est veuve, à trente et un ans ; ils n'avaient pas eu le temps d'avoir un enfant.

## 2

Ils sont restés tous les trois au bord de l'autoroute, réduite à une voie, tandis que les CRS tentent de faire circuler les voitures en accélérant les moulinets de leurs bras ; le camion est rangé un peu plus loin, sur la bande d'arrêt d'urgence ; c'est le médecin qui est appelé le premier à monter dans le minibus :

« Asseyez-vous, monsieur. »

Le CRS, trois galons en V sur l'épaule, lui désigne un tabouret à l'intérieur de la fourgonnette blanche dont la rampe tricolore clignote sans arrêt.

« Excusez-nous de vous retenir un moment, mais nous avons besoin de votre témoignage ; avez-vous vu l'accident ?

— Oui, enfin... plus ou moins ; je roulais sur la voie de gauche ; la Lancia bleue, une cinquantaine de mètres devant moi. Je la suivais pour dépasser une file de camions.

— Le camion belge, en particulier ?

— Oui, c'était le dernier de la file, un peu décroché, d'ailleurs.

— La Lancia l'a doublé ?

— Oui, enfin, presque, parce qu'au moment où elle arrivait à la hauteur de la cabine du chauffeur, le camion s'est mis à tanguer, enfin, à zigzaguer ; je l'ai vu venir, il l'a touchée, pas très fort, mais vous savez, un quarante tonnes, ça fait une sacrée poussée quand il vous touche.

— À votre avis, qu'est-ce qui explique que le camion se soit déporté sur sa gauche ?

– Je ne sais pas vraiment, mais je pense que le chauffeur a eu un petit coup de fatigue ; d'ailleurs, quand il a réalisé, il a parfaitement joué le coup, il a freiné sans se mettre en travers, de sorte que la remorque n'a pas dépassé la voiture et l'a protégée sur l'arrière.

– Et vous ?

– Moi, j'ai déboîté, et j'ai pu éviter de les percuter.

– Après ?

– Après, nous nous sommes précipités avec mon passager, et j'ai tout de suite pensé à l'incendie ; un de mes parents est mort comme ça, carbonisé. Alors j'en ai une peur panique.

– Vous avez fait vite, félicitations.

– J'ai fait comme j'ai pu, malheureusement, je ne suis pas sûr que cela suffise.

– Vous voulez parler du passager ?

– Exactement ; il a dû prendre un sacré choc. »

Le CRS le fixe :

« Pourquoi dites-vous que ça n'a pas suffi ?

– Par habitude. Vous savez, je n'exerce plus la médecine, mais je crois tout de même qu'il a dû faire une hémorragie interne. C'est classique, dans ce genre d'accident.

– J'espère que vous vous trompez et qu'il va s'en tirer.

– J'espère aussi. »

Le CRS se tait, pianote à deux doigts sur le clavier posé devant lui, affiche un formulaire sur l'écran de son portable et commence son interrogatoire de routine :

« Nom ?

– Berthaud Frank.

– Autres prénoms ?

– Armand.

– Date et lieu de naissance ?

– 5 octobre 1944 à Illkirch, Bas-Rhin, Illkirch, avec deux l, ajoute-t-il en voyant le policier hésiter.

– Domicile ?

10

– J'en ai deux ; le plus souvent à Vienne, Prater-
allee, 234 ; sinon à Paris, rue de la Baume.

– Numéro ?

– 4.

– Téléphone ? »

Les réponses tombent, précises ; le CRS note soigneusement puis s'attaque à l'essentiel ; il relate à voix
haute l'accident, quêtant d'un léger mouvement de
tête l'approbation du témoin.

« "Je circulais sur l'autoroute A13 en direction de
Rouen venant de Paris"...

– D'Orly, rectifie Frank Berthaud.

– Si vous voulez, "d'Orly, dans ma Laguna".

– C'est une voiture de location.

– "Dans une Laguna", immatriculée ?

– Je ne sais plus bien, je peux aller chercher les
papiers, si vous voulez.

– Je compléterai ; donc "dans une Laguna de location, immatriculée, un blanc, que j'avais prise à
l'agence" ?

– À Orly, chez Hertz.

– "À l'agence d'Orly de la société Hertz. Je circulais
en compagnie de monsieur... ?

– ... Limonet, Jean-Pierre Limonet.

– ... "de M. Jean-Pierre Limonet". »

Un bon quart d'heure plus tard, Frank Berthaud sort
du minibus, qu'il désigne d'un coup de tête à son
compagnon de voyage.

« C'est à vous.

– Monsieur Berthaud ? »

Il se retourne. C'est le CRS qui l'interpelle :

« Comment avez-vous su qu'il y avait un extincteur
dans le coffre de votre voiture de location ?

– Je l'avais demandé

– Ah oui ! la peur panique ! »

Berthaud ne répond pas. Il descend du fourgon.

## 3

Le téléphone, enfin un client. Elle s'étire doucement, longuement, laisse sonner trois fois, tend le bras
pour saisir son portable et interrompre les premières
mesures de la musique du *Pont de la rivière Kwaï* qui
vont déclencher le répondeur :

« Allô, Marion ? »

« Mince, c'est Sarah ! »

« Oui, maman. »

Elle doit enrager, là où elle est ; elle a horreur qu'on
l'appelle ainsi, que « ses filles » l'appellent ainsi.

« Je ne suis pas ta mère, merde. »

« Tiens, elle devient grossière », pense Marion en
souriant.

« La prochaine fois, je te mets à l'amende. Bon,
écoute-moi, je t'envoie un client très spécial.

— Un sadomaso ?

— Non, non, pour ça, il est normal ; enfin, je crois ;
non, c'est autre chose, je ne veux pas t'en dire davantage, mais je crois que ça peut être très bien pour toi,
alors soigne-le.

— Il faut que je te dise merci ? que je t'embrasse ?

— Plus tard ; contente-toi pour l'instant de les satisfaire, lui et son ami.

— Et son ami ? Pourquoi ? Tu m'envoies un bataillon ?

— Tu vas pas me dire que deux mecs, ça te fait peur.
Rassure-toi, ma chérie, je ne t'enverrai jamais des
malades. »

Le « ma chérie » ne rassure guère Marion ; elle
connaît sa Sarah sur le bout des doigts, c'est une
vorace, qui aime le fric. Elle touche sans doute deux
fois, son pourcentage sur chacune de ses filles, et un
petit quelque chose sur le client.

« Bah, si ça peut l'arranger... Elle a déjà vécu
ses meilleures années », songe la jeune femme, qui,
retrouvant un geste de petite fille, fait glisser ses doigts

dans la longue chevelure blonde qui court devant elle, s'attarde sur les derniers centimètres, redresse lentement la poitrine qui émerge des draps, somptueuse et pure.

« Oui, ma Sarah, répond-elle en baissant la voix d'un ton pour la rendre plus langoureuse, ne laissant percer qu'un soupçon d'ironie, je sais que tu m'envoies toujours tes meilleurs clients ; je vais les combler, tes amis ; quand viennent-ils ?

— Dans deux ou trois heures, à peu près.

— Oh ! à peine le temps de me préparer. À plus tard, ma chérie ; je te raconterai.

— J'espère bien, tu sais que j'adore. »

Marion coupe la communication, calcule mentalement : si c'est la nuit complète, cinq mille, dont mille pour Sarah ; mais au fait, s'ils sont deux, ça double ; ils vont vouloir discuter, mais, de toute façon, ça va faire plus ; bon, il faut être en forme et en beauté ; à trente-cinq ans, c'est chaque jour un peu plus long, mais, Dieu merci, elle se maintient bien, avec ses séances de gym et de natation ; en d'autres temps, elle aurait été athlète, elle qui courait si vite qu'elle battait tous les garçons ; sauf ce petit blondinet de Martial qui, en plus, raflait tous les prix en classe ; elle en était secrètement amoureuse, mais jamais elle n'avait osé le lui avouer. C'était peut-être mieux comme ça...

Elle promène son regard dans le boudoir agencé avec ce goût exquis qui fait l'envie de toutes ses copines ; chaque meuble, chaque bibelot, jusqu'à ce chef-d'œuvre de mauvais goût, bizarre, incongru, inexplicable, qui trône sur une étagère, juste devant l'édition précieuse des *Contes* de Perrault, cette boule de verre avec un père Noël, ridicule dans son manteau rouge trop court et ses bottes de *feldgrau* de l'Occupation. Un cadeau de son petit frère, il y a longtemps.

Il faut se préparer ; elle se lève.

# 4

Sarah repose le combiné. Elle affiche le sourire satisfait d'un représentant de commerce qui vient de vendre un aspirateur à un client de hasard. Elle croise les jambes, laissant entrevoir par la fente de sa robe d'intérieur un genou dont elle est encore très fière. Nulle ne sait son âge parmi ses obligées, les supputations allant d'une petite cinquantaine à une bonne soixantaine. La question est sur toutes les lèvres, mais elle est seule à connaître la réponse. Marion, plus malicieuse, prétend que Sarah, à force de mentir, n'en sait plus rien elle-même, et celle-ci, quand quelqu'un se hasarde à le demander, lance une de ces réponses qu'elle a dû trouver dans un film : « Mais ma chère, j'ai l'âge de Sarah Bernhardt, à sa meilleure époque. »

À peine plantureuse, elle n'a pas son pareil pour mettre en appétit, et cette fois encore, elle ne peut se retenir de prendre une pose, les yeux mi-clos, un petit bout de langue gourmande venant caresser des lèvres soigneusement habillées de carmin.

« Marion vous attend, quand vous le souhaiterez, messieurs, et je peux vous assurer que vous passerez un agréable moment. »

Le plus jeune des deux hommes, assis en face d'elle, un blondinet à peine sorti de l'adolescence, blouson de cuir véritable et pantalon de flanelle sombre, se hasarde :

« Et vous pensez qu'elle saura nous... euh, nous contenter ? »

Il regarde son compagnon, la cinquantaine bien sonnée, qui pose sa tasse de café avec précaution et qui, sans perdre cet air pète-sec qui a tout de suite frappé Sarah, le rappelle à l'ordre :

« Voyons, François... madame ? »

Il s'arrête, et la maquerelle s'empresse de compléter :

« Sarah, appelez-moi Sarah.

– Eh bien, Sarah connaît son monde, et sait de quoi elle parle.

– Si je le sais ? Vous ne croyez pas si bien dire. C'est toujours un plaisir que de faire l'amour à trois. Et Marion est ma meilleure élève. Au point que je me demande si elle ne me surpasse pas. »

Le jeune homme rosit un peu et, subitement enhardi, lance :

« Vous, Sarah ? »

Il n'ose pas ajouter :

« Vous faites encore l'amour ? »

Elle devrait sursauter, mais elle ne cille pas. Au contraire, son sourire se fait plus enjôleur, et elle laisse tomber, en coquette accomplie :

« Ne me tentez pas ! J'aime tellement l'amour.

– Eh bien, je vous tente. »

C'est le quinquagénaire qui intervient.

« Je sens que François est en appétit. Alors avec votre permission, Sarah, je lui offre un petit divertissement avec une vraie courtisane. Disons, combien ? »

La machine à calculer qui occupe les trois quarts du cerveau de Sarah s'est mise instantanément à tourner. Elle jauge à toute vitesse la fortune supposée du « vieux » – probablement plus jeune qu'elle –, son complet veston taillé sur mesure, ses Church, la gourmette du « petit », et lance :

« Deux mille, parce que je choisis mes clients. »

Il baisse la tête en signe d'assentiment.

« Ne sois pas trop long, François. »

Quelques instants plus tard, alors que les réjouissances sont largement entamées, le quinquagénaire se glisse dans la salle de bains, avec toute la discrétion que méritent les ébats de son protégé.

Sarah aime faire l'amour et saisit chaque occasion avec un plaisir plus gourmand. Pour François, qui ne se débrouille pas mal du tout, elle utilise toutes les facettes de son art, tantôt passionnée, tantôt caressante. Elle met un point d'honneur à disputer à distance un vrai challenge avec Marion qui, tout à l'heure, devra faire mieux qu'elle, si elle le peut.

Vient le grand silence de l'apaisement où les corps s'écartent doucement, pour retrouver chacun son identité et ses misères. C'est François qui se glisse le premier hors du lit :

« Je fais couler un bain et je t'y attendrai », glisse-t-il à Sarah, effleurant ses lèvres d'un léger baiser.

Elle ne se retient pas de joie. Que ce garçon est délicat, qui lui demande encore de la tendresse. Doucement, comme pour se persuader qu'elle ne rêve pas, qu'elle reste désirable, elle caresse ses seins, son ventre.

Dans la salle de bains, elle retrouve François, déjà sorti de l'eau.

« Tu ne m'as pas attendue ?

— J'ai peur d'être un peu en retard, si je me laisse aller. Mais, pour me faire pardonner, je vais te laver le dos. »

Il le fait longuement, puis, sous le jet de la douche, lui masse délicatement la tête.

« As-tu un sèche-cheveux ?

— Bien sûr, dans le tiroir, là.

— Je fais attention, plaisante-t-il, je ne vais pas te faire la sortie de Claude François.

— Aucun risque, chéri, la baignoire a une prise de terre. »

Elle n'en dira pas davantage. Le sèche-cheveux est tombé dans l'eau, et une grande secousse raidit le corps de Sarah.

« Il y a décidément trop d'accidents domestiques, en France », murmure François.

## 5

C'est un peu à l'écart de l'hôpital, un petit bâtiment que rien ne distinguerait si un panneau discret, au bord de la route, ne mentionnait « morgue ».

Alexandre arrête sa voiture le long de l'allée, s'en extirpe laborieusement, laissant retomber la portière ; il marche à présent d'un pas alourdi par la douleur, la sienne, bien sûr, de perdre ce gendre, ce chic type, si gai, à la fois copain et respectueux, qui aurait même pris dans son cœur la place de son fils Guillaume s'il n'y avait pris garde, discrètement ; mais il traîne aussi le désespoir d'Hélène, sa fille, prostrée depuis cet accident qu'elle se reproche, qu'elle revoit sans cesse, cherchant où était la faute, comment elle aurait pu éviter l'énorme masse qui se rapprochait, l'écrasait ; elle se souvient seulement du dernier regard échangé avec Jean-Louis, la terreur dans leurs yeux, mais aussi l'amour, comme un dernier adieu, si bref et éternel.

Alexandre n'a pas voulu qu'Hélène l'accompagne ; comme à chaque fois qu'il rencontre la mort, il veut être seul ; il frappe à la porte de bois qui, bientôt, s'ouvre doucement :

« Je viens pour M. Jean-Louis de Tavernon.

– Je sais, monsieur, on m'a prévenu ; je vous en prie. »

Déjà, l'employé en blouse blanche lui tourne le dos, l'invitant à le suivre ; la première porte à droite ; les deux hommes entrent ; Alexandre ne s'attarde pas à regarder la pièce : sur la table, Jean-Louis, un drap remonté jusqu'au cou, figé, pâle. Un long frisson parcourt l'échine du visiteur, dont les mains se crispent, comme malgré lui.

« Pouvez-vous me laisser seul un instant avec lui ?

– Prenez votre temps, monsieur, je vous attends dehors. »

La porte s'est refermée ; il pousse un soupir, inspire

lentement, comme s'il voulait partager encore avec Jean-Louis un peu de cet air qu'ils ont si souvent ensemble empoisonné de leurs cigares ; il s'approche doucement de la statue de cire, mais n'ose toucher le visage endormi. C'est clair, il n'aime pas la mort ; aimerait-il lui qu'on l'embrasse, qu'on le touche, quand ce sera son tour de gésir ainsi, dans une chambre d'hôpital ou dans un funérarium ?

Son regard revient vers le corps, vers le visage qui, déjà, n'est plus tout à fait celui de Jean-Louis. Il a bien fait d'interdire à Hélène de l'accompagner. Qu'aurait-elle pu dire à cet étrange masque qui semble le toiser d'un imperceptible sourire ?

« Monsieur, voulez-vous que nous récitions une prière ? »

L'invitation, douce, ne le fait même pas sursauter. À ses côtés s'est glissée, sans qu'il y prenne garde, une silhouette frêle. Il tourne la tête. Elle sourit gentiment :

« Pardonnez-moi, je viens ici chaque jour accompagner les défunts. Voulez-vous prier ? »

Il hoche la tête, ému d'une si pure compassion. C'est elle qui prononce les premiers mots, qu'il reprend un ton au-dessous :

« Notre père qui es aux cieux… »

Les mots défilent, qu'il a si souvent récités sans leur attacher la conviction qu'il ressent aujourd'hui. C'est sûr, Dieu ne peut ignorer Jean-Louis, Dieu existe, Dieu est ici dans cette pièce aseptisée, aux relents de formol.

« Donne-nous aujourd'hui notre pain quotidien. »

Il reprend la vieille formule huguenote que sa mère psalmodiait obstinément, sous le nez du curé de sa paroisse, par fidélité à sa propre mère.

« Car c'est à toi qu'appartiennent… »

C'est fini ; quand il se redresse, une larme perle sur l'aile de son nez, roule, toute seule, qu'il ne cherche même pas à essuyer ; son regard embué se porte une dernière fois sur le mort, il lui sourit ; un calme étrange l'a envahi.

« Merci », dit-il simplement à la vieille dame.

Quelques minutes plus tard, ce ne sont plus que des images qui défilent en lui : le corps allongé, Jean-Louis étendu, si pâle, le cou bien droit, avec cette tache sombre juste sous l'oreille ; maintenant qu'il y pense, il revoit cette marque, un peu comme une grosse piqûre, mais y était-elle seulement ? Il ne sait plus, il ne va tout de même pas retourner à la morgue, il serait ridicule.

## 6

« Patron, je peux entrer ? »

Demi lève la tête, c'est Jean-Charles, son adjoint, en polo comme d'habitude, un sourire radieux accroché à sa belle gueule de « Richard Gere des claques », comme il aime à se surnommer lui-même, sans illusion sur sa célébrité ; elle réprime un rictus d'agacement.

Il tombe toujours quand il ne faut pas, ce con.

Et puis, cette façon de s'imposer, sous de faux airs de politesse, ça l'horripile.

Elle pose son stylo, le fixe :

« Je bosse, figure-toi. Ça peut pas attendre ?

— À toi de voir, hasarde-t-il.

— Bon, assieds-toi une minute. Je finis pendant que j'ai l'inspiration. »

Jean-Charles s'installe face à elle. Ou plutôt, il se vautre, presque allongé, les fesses sur le rebord du fauteuil.

« On n'a jamais dû lui apprendre les bonnes manières », bougonne-t-elle intérieurement, la belle Demi.

Commissaire de son état, numéro deux de l'Office de répression du trafic des êtres humains, la brigade VIP de la mondaine, VIP comme *very impressive penis*, les gros calibres, ceux qu'on surveille par-dessus tout.

19

Du coin de l'œil, elle observe Jean-Charles qui se gratte machinalement l'entrejambe en la lorgnant par en dessous, plus vulgaire que paillard.

« Décidément, je ne me ferai jamais à ce type. Con, grossier et dragueur ! Quelle poisse de le traîner ! »

Elle se replonge dans sa rédaction, le stylo court en petits tressautements sur la feuille à demi noircie ; enfin, elle s'arrête, pose doucement sa plume, se renverse en arrière.

« Alors, qu'est-ce qui se passe ? Tu as découché et tu as besoin d'un alibi ? ou tu as dégotté la malheureuse qui veut bien repasser ton linge ? »

Il rougit : sa chemise froissée atteste de son célibat.

« Tu sais bien que je me suis acheté une conduite…

— Et qu'elle te coûte bien cher, oui, mon petit Jean-Charles. Alors qu'est-ce que tu m'as trouvé ?

— Eh bien, c'est au sujet de Marion. »

Demi, à son tour, se sent rosir ; elle espère seulement que son fond de teint tient le coup. Parce que Marion, c'est son truc à elle.

Une chic fille que tout le monde adore et cajole ; fine, intelligente, elle fait son métier de callgirl avec tant de classe et de gentillesse que beaucoup la soupçonnent de n'être pas une vraie professionnelle, mais plutôt une bourgeoise nympho ravie de joindre l'utile à l'agréable, ou alors une auxiliaire de quelque service secret déguisée en pute pour les besoins de la cause. Tout le monde la respecte, les truands qui se tiennent à carreau, les barbeaux qui n'essaient même pas de la « protéger », les toxicos qui savent qu'elle n'y touche pas. Demi soupire longuement et fixe le plafond de ce bureau sans âme, où le mobilier métallique se confond avec le bleuté des murs, dont on se demande toujours s'il a été fourni par les excédents de peinture des CRS. Elle fait grincer son fauteuil tandis que Jean-Charles s'installe sur l'une des deux chaises tubulaires qui n'accueillent pas que du beau monde.

« Qu'est-ce qu'elle a, Marion ?

— Elle intéresse la DST.

— Quoi? »

Elle a presque rugi, se reprend aussitôt, en baissant de plusieurs décibels.

« La DST? Marion? Mais qu'est-ce qu'ils peuvent lui vouloir?

— J'sais pas. Mais c'est Dacourneau qui m'en a parlé, un copain de promo à Cannes-Écluses. Il paraît qu'elle fait dans l'Arabe malfaisant. Alors forcément, ça les branche.

— Et c'est à toi qu'ils s'adressent?

— Officieux, patron, officieux. Dacourneau m'a dit qu'on allait t'en parler en direct. Il voulait seulement savoir si on la connaissait bien.

— Et tu as dit? »

Il a un geste évasif, comme s'il s'en fichait complètement.

« J'ai dit qu'on la connaissait, bien sûr, mais qu'elle était réglo et tenait sa langue. »

Il glousse.

« Oh pardon! Celle-là, j'l'ai pas faite exprès. »

Marion ne relève pas. Une sourde inquiétude est montée en elle.

« Elle est branchée? »

Il hoche la tête :

« J'ai vérifié; il y a pas longtemps, mais ils sont sur elle. »

Ça ne lui plaît pas du tout, à Demi, de savoir que sa petite protégée est sur écoute. Marion est une fille bien, propre, surtout si on passe sur ses fredaines à 5 000 francs la nuit. Surtout, elle ne voudrait pas qu'on lui fasse du mal, ni même qu'on l'ennuie. Elle réfléchit à toute vitesse.

« Je m'en occupe; mais personne sur le coup, compris?

— Reçu cinq sur cinq, patron. »

Il déploie sa grande carcasse.

« Tiens, il ne se gratte plus », note-t-elle.

21

## 7

L'Airbus roule doucement jusqu'à la plate-forme du bout de piste ; la roulette avant pivote, l'énorme cigare tourne lentement avec un grondement rentré et repart à contresens, vers la masse agglutinée des bâtiments de Houari-Boumediene, l'aéroport d'Alger ; deux voitures vertes se détachent du premier pavillon et filent à toute vitesse sur la large bande d'asphalte, gyrophares clignotants ; parvenus à la hauteur du mastodonte, elles se laissent croiser, virent derrière la queue, remontent le long du fuselage rouge sur lequel courent les lettres « Tunis Air » ; le petit cortège oblique vers la droite, sur le tarmac, s'immobilise enfin.

Plus rien ne survient durant de longues minutes, jusqu'à ce qu'apparaisse la passerelle traînée par un tracteur poussif ; le temps de l'apposer à hauteur de la porte, celle-ci s'efface lentement sur le côté, comme à regret, juste ce qu'il faut à une demi-douzaine de ninjas encagoulés pour avaler à grandes foulées l'escalier, et disparaître à l'intérieur de l'appareil.

L'homme assis au second rang de la classe affaires, hagard, hébété, s'est laissé faire sans opposer de résistance ; en fait, tout s'est joué à l'escale de Tunis, quand Aïcha, l'hôtesse, l'a remarqué au bord de l'allée centrale, ou plus exactement l'a reconnu ; c'est lui, elle en est sûre, qui a froidement abattu son frère, à Hussein Dey, il y a trois ans ; leurs regards s'étaient alors croisés, celui du tueur comme halluciné, le sien bouleversé de terreur ; cent fois, elle a revécu la scène, réentendu l'effroyable explosion, revu le corps de Rachid tourner sur lui-même, en spirale, les jambes qui se plient lentement, les bras qui battent l'air, inutilement.

Elle ne veut pas se tromper ; elle ne dit rien, garde son secret pour elle, retourne voir « son » passager, le dévisage à nouveau, sans lui délivrer le plus mince sourire, ça, elle ne le peut pas ; elle entre dans les toilettes, s'enferme, pose les mains sur le rebord de la petite cuvette, saisie de nausées ; mais le temps n'est pas aux états d'âme ; elle doit se forcer à réfléchir, à penser, à organiser toutes ces pensées qui se bousculent dans sa tête.

Quand elle ressort, tout est clair ; bien qu'Algérienne elle a été recrutée par Tunis Air parce que son père est tunisien ; il faut qu'elle se débrouille seule ; heureusement que la chance lui sourit, que ce salaud d'islamiste a demandé un jus d'orange ; elle va lui en servir, du jus d'orange.

Deux minutes plus tard, elle lui apporte le gobelet qu'il a demandé, mettant un soin extrême à ne pas le renverser. Elle n'a pas pris de plateau, ce serait trop risqué. Elle lui tend le breuvage, le dévisage longuement, pour bien s'assurer qu'elle ne se trompe pas. Manifestement, il a la tête ailleurs ; ce type se shoote, pense-t-elle, pendant qu'elle suit du regard sa déglutition, attendant de lui reprendre le verre de carton. Il a tout bu, un coup d'œil furtif le lui assure. Il ne reste plus qu'à faire disparaître toute trace de sa bonne action et prévenir Alger ; vite, les toilettes, décidément providentielles ; le gobelet dans la cuvette, tant pis si elles se bouchent ; elle prend son portable, compose le numéro que lui a laissé l'officier de la SMA, un numéro qui ne répond jamais, mais où elle peut laisser un message.

« Il y a un corbeau dans le vol 293 de la Tunis Air qui arrive à 14 h 15 ; il dort ; l'équipage n'est pas au courant. C'est Aïcha. »

Cela n'a pas été bien difficile ; le commandant de bord a, bien sûr, obtempéré aux signaux des deux voitures de police ; intrigué, il s'est demandé ce qui se passait ; manifestement, les quelques passagers qui avaient pu voir par les hublots, en bas, le clignotement des gyrophares, ne comprenaient pas davantage.

L'homme, lui, dort, assommé par la copieuse ration de Valium qu'Aïcha lui a fait boire, rajoutant du sucre

23

pour dissimuler une possible amertume. Aussi, quand les ninjas font irruption dans la cabine, Aïcha, placée au plus près de la porte, se contente-t-elle de murmurer « rang trois, place 32 ».

Du beau travail.

## 8

Hélène se retourne dans son lit ; le somnifère a cessé d'agir ; les yeux grands ouverts dans l'obscurité, elle réalise, une fois de plus, que ce n'était pas un mauvais rêve ; l'obsession lancinante lui revient de ne pas avoir fait ce qu'elle aurait dû, de ne pas avoir donné suffisamment vite le coup de volant qui, peut-être, aurait permis à la Lancia de se faufiler entre le poids lourd et la glissière ; sur le coup, elle n'a pas prêté suffisamment d'attention à tous les détails qui lui restituent, dans chacun de ses rêves, un film étrange et ralenti où chaque séquence reprend sa place, retrouve son importance ; c'est comme un puzzle dont elle retrouverait les pièces éparses au fond de sa mémoire ; chacun de ses réveils, chacune de ses plongées, consciente ou inconsciente, lui fait retrouver un peu de la cohérence et de l'enchaînement des événements.

Au plus profond d'elle-même, elle se retrouve plus inquiète, moins assurée, comme si, peu à peu, le doute inévitable grossissait, se fortifiait quant à la fatalité de l'accident.

Une image lui est réapparue récemment, qui non seulement ne la quitte plus, mais se précise, s'imprime sur ce qu'elle imagine être le disque dur de son cerveau ; c'est la brusque montée de peur qui l'a submergée quand elle a réalisé que le camion se déportait sur sa gauche au moment précis où elle arrivait à hauteur de la cabine, trop tard pour qu'elle freine, suffisamment tôt pour que le chauffeur ait visionné la petite voiture bleue dans son énorme rétroviseur d'aile ; pourtant, comme elle le faisait systématiquement à chaque fois qu'elle doublait, elle avait émis un appel de phares avant de commencer à le dépasser. Elle avait lu tant de récits d'effroyables tragédies provoquées par des mastodontes écrabouillant de leurs dizaines de tonnes de petites voitures ou s'embrasant en torrents de flammes ; elle avait vu tant d'enchevêtrements de tôles, tant de corps allongés au long de ces autoroutes qu'elle parcourait quotidiennement, qu'elle prenait toutes les précautions pour fuir la proximité de ces engins de mort. Elle avait une fois de plus répété ces manœuvres de prudence qui lui paraissaient suffisantes pour prévenir tout danger, et s'était engagée sans méfiance pour remonter le plus vite possible la lourde et menaçante colonne. Elle avait vu la masse sombre se précipiter sur le côté et, dans la seconde qui suivait, ce type qui ouvrait la portière et lui tendait la main.

Aujourd'hui, elle réalisait que ce trou de plusieurs minutes dans sa mémoire devait fourmiller de détails. Désespérément, elle les cherchait, en vain. Pourtant, il lui semblait bien que Jean-Louis, tourné vers elle, lui avait parlé ; elle aurait presque juré qu'il était conscient. Mais non, le médecin des pompiers était formel, Jean-Louis était dans le coma quand on l'avait extirpé de la voiture.

Hélène aperçoit au bas de la porte un rai de lumière ; c'est son père, sans doute, qui s'est levé comme il le fait chaque nuit pour aller ouvrir le réfrigérateur, sans forcément y prendre quoi que ce soit, mais souvent, tout de même, pour se servir un grand verre de jus d'orange ou se rafraîchir d'un yaourt ; depuis qu'elle est venue s'installer chez Alexandre, qu'elle refuse de retourner chez elle, elle s'est habituée à ces virées nocturnes et a appris à respecter la discrétion voulue de son vieux papa ; elle ne s'est donc jamais levée, se contentant d'attendre que disparaisse avec le petit bruit sec de l'interrupteur le mince trait brillant au bas de sa porte.

Jusqu'à présent ; car aujourd'hui, elle se lève.

## 9

« Décidément, la mondaine n'est plus ce qu'elle était, tu vires sordide, ma vieille », marmonne-t-elle pour elle-même. Un sourire pourtant lui vient aussitôt : elle vient de penser à Marion, à laquelle ces gandins de la DST ont l'air de s'intéresser.

« Vous allez voir de quel bois se chauffe Demi », ajoute-t-elle en conclusion.

Demi n'est pas longue à ranger ses affaires après le départ de Jean-Charles ; comme toutes les femmes soigneuses, elle est maniaque. Chaque soir, elle entre dans son ordinateur portable tous les éléments qu'elle a amassés durant la journée : coupures de presse, rapports, photos, adresses, tout y passe, scanné, répertorié selon un ordre connu d'elle seule. Même la copie des PV du service, les fiches de ses « clients » et de ses « clientes », pas un mac, pas une pute ne lui échappe. Il n'y a guère que les nouvelles des boulevards, les Albanaises qui tapinent dans l'Est parisien, qu'elle ne connaît qu'en partie. Ça l'énerve, d'ailleurs, ces gamines à peine nubiles qui s'exhibent et se vendent pour des pipes à cent balles. Elle flaire que cette viande-là pue le faisandé. Que bien des embrouilles et des emmerdes vont venir avec cette mafia d'un nouveau genre, pire que la russe.

Demi, ce surnom lui va bien et la flatte ; depuis qu'elle sait qu'on l'appelait ainsi, déjà à l'école des commissaires de Saint-Cyr-au-Mont-d'Or, elle s'applique à ressembler à la sculpturale actrice américaine,

26

jusqu'à poser nue devant sa glace dans l'immortelle posture de la célèbre comédienne, assise les jambes haut posées suggérant des hanches généreuses, les bras croisés dissimulant une poitrine qu'on devine splendide et excitante, sans le moindre soupçon de vulgarité ou d'exhibitionnisme. Ça, c'est son intimité, son petit péché narcissique ; elle se plaît à s'aimer quand elle se voit ainsi, qu'elle se caresse lentement, sentant sous la pulpe des doigts glisser les poils fins et soyeux de ses avant-bras. Elle sait se trouver belle aussi quand elle sacrifie à la mode sportive, arborant un short qui souligne l'impeccable arrondi des fesses ; c'est qu'elle a de belles jambes, la bougresse, au point de ne porter que le pantalon quand elle est au travail, par un souci très méticuleux, celui de ne pas risquer un coup d'œil coquin, celui de garder pour elle et pour ses tout proches la perfection de son corps.

Elle a fini de pianoter sur son clavier, tape la combinaison de sauvegarde, s'étire longuement, ferme les tiroirs où elle ne laissera que des papiers sans importance. Elle part un peu plus tôt que d'habitude. Pourtant, elle est déjà seule. Enfin presque. Un coup d'œil en passant dans les bureaux ; seul le vieux Barzi, qui s'ennuie chez lui, traîne encore à relire des procédures.

« Je m'en vais, Barzi, tu fermes ?

— Oui, patron, ne vous en faites pas, et amusez-vous bien.

— Sait-on jamais ? » lâche-t-elle avec un grand sourire.

Dehors, la douceur du soir lui paraît comme une belle promesse ; elle y plonge avec délices.

## 10

Le parcours n'est pas bien long jusqu'au 125 *bis* de l'avenue Émile-Zola, où Marion a choisi de « recevoir ». L'aspect extérieur de l'immeuble ne laisse pas espérer l'adorable bonbonnière où la capiteuse jeune femme fait doucement fortune. Demi trouve une place à quelques pas de la brasserie où elles se retrouvent parfois devant un échafaudage de fruits de mer. Elle claque la portière, se dirige d'un pas décidé vers la porte cochère. Elle connaît le digicode par cœur, l'emplacement de l'interrupteur électrique. L'ascenseur l'attend, elle demande le dernier étage.

D'un coup, quand la vieille caisse de bois s'immobilise au sixième, sa bonne humeur l'abandonne. Une drôle de sensation l'étreint, qu'elle n'aime pas du tout. Elle sonne à la porte de droite. Un long moment de silence. Cette fois elle insiste, le doigt maintenu sur le sifflement aigrelet qu'elle entend distinctement se propager dans tout l'appartement. Aucun glissement souple sur le parquet ne lui répond. Apparemment Marion est absente.

C'est du moins ce que devrait se dire Demi. Mais ce silence l'agace, il lui semble qu'il n'est pas vide, et son instinct de flic lui recommande la prudence. Elle sonne une troisième fois, sans plus de succès. Machinalement, elle tourne le gros bouton de bronze. La porte s'ouvre.

Cette fois, le confus pressentiment se change en inquiétude. Sans hésiter, elle entre, redevenue professionnelle, sans rien toucher, sans rien effleurer. Le regard aiguisé d'une longue pratique repère la place des objets, des meubles, fouille les recoins, l'entrée, le salon, deux verres sur le guéridon chinois où elle a si souvent posé les pieds, un large creux dans le canapé comme si un éléphant s'y était assis. Elle appelle :

« Marion ? »

Rien, que les craquements qu'elle tire elle-même du parquet. La chambre à coucher, à présent ; le lit n'est pas défait, mais le dessus de cachemire n'est pas tiré impeccablement comme Marion se fait une fierté de le laisser quand elle s'absente. Toujours pas de Marion, et dans chaque pièce cette impression de laisser-aller, d'à-peu-près, qui ne ressemble en rien à son amie. Dans la salle de bains, les parois de la douche laissent apparaître des traces translucides de calcaire ; elles n'ont pas été essuyées après la dernière ablution. Un léger frémissement la parcourt au souvenir de leur étreinte sous l'eau chaude, voici presque un an.

Au début, ce fut comme un jeu.

« Je vais me doucher, lâcha Marion, et, comme un défi : Si tu veux te joindre à moi...

– Pourquoi pas ? »

Ç'avait été comme un réflexe irréfléchi ; elle la suivit dans la chambre, ôta un à un pantalon, pull et, les deux mains dans le dos, dégrafa son corsage pour offrir à Marion ce qu'elle ne réservait qu'à Philippe, son « actuel », deux seins parfaits, dessinés dans l'albâtre, deux aréoles de pucelle. Comme intimidée, Marion avait murmuré ;

« Que tu es belle, Demi ! Et désirable.

– Si tu me désires », commença Demi en enlaçant Marion et en prenant sa bouche, longuement.

La douche avait été un long gémissement de plaisir.

Elle secoue ses longs cheveux, revient à elle. Elle est bien seule dans la petite pièce adorablement carrelée, toute pleine de senteurs épicées comme les aime Marion. Pourtant, bizarrement, si elle reconnaît la savante alchimie de sa protégée, elle y trouve autre chose, un relent un peu âcre, un peu pharmaceutique ; son nez ne la trahit jamais, enregistre les odeurs comme son œil mémorise les couleurs et les formes.

Par acquit de conscience, elle fait glisser les portes des armoires, un Kleenex au bout des doigts ; rien d'anormal. Elle ne compte pas les chaussures, ni les manteaux, s'applique seulement à regarder, ne déplaçant que lentement son champ de vision ; il ne lui reste plus qu'à vérifier les clés.

Surprise ! elles sont là, dans le tiroir de la petite table, mais bien au fond, dans cette cachette dérisoire, mais pas si sotte, parce qu'on ne va jamais jusque sous cette pile de gants dont le savant désordre ne doit rien au hasard. Elle sait que Marion prend cette petite précaution pour ne pas risquer de se les faire voler par le premier venu.

Marion n'est pas là, mais il y a deux choses qui clochent, la porte ouverte et les clés. Demi ne sent pas bien tout cela. Sans doute y a-t-il une explication simple à ce petit problème. Elle a besoin d'un avis, d'un conseil ; de son portable, elle appelle le service.

Cinq sonneries pour entendre une voix ; c'est celle de Barzi.

« Barzi, tu es toujours là ?

— Oui, patron ! »

Il rit et se met à tousser

« Vous savez bien que je couche ici ! et que j'y baise ! »

Elle entre dans son jeu :

« Oui, je sais ; mais là, ce soir, j'ai besoin d'un avis. As-tu un moment ?

— Pour quoi faire, pour causer ou pour picoler ?

— Ni l'un ni l'autre, pour passer dans l'appartement d'une jolie femme.

— Ouaf ! J'accours, je vole, filez-moi l'adresse. »

Brave Barzi ; dommage qu'il soit poissard à ce point.

Le command-car de la sécurité algérienne fonce vers les hauts d'Alger ; les treillis bleu marine encagoulés qui ont pris place à l'arrière n'échangent pas un mot ; sous leurs rangers, le passager du vol 236 de la Tunis Air, menotté dans le dos, la tête enfouie dans un sac, gémit doucement, sans se débattre. Ce sont des vétérans aguerris, ces gamins des Nementchas ou de Tlemcen, à peine plus âgés que les égorgeurs du GIA, leurs frères ou leurs cousins ; ils ont déjà les habitudes méticuleuses qu'exige leur survie, savent démonter et remonter leurs armes les yeux bandés, communiquer par gestes, sauter du troisième étage, courir en silence ; la voiture tangue dans les virages, s'arrache à la force centrifuge, se relance à coups d'accélérateur ; sur le véhicule de tête, juste devant eux, clignote silencieusement le gyrophare bleu qui creuse un mince sillon dans la houle chaotique de la circulation de ce milieu d'après-midi.

El Mismari n'est pas revenu de sa surprise ; réveillé en sursaut par les ninjas, aussitôt menotté, une poire d'angoisse dans la bouche, un sac opaque jeté sur la tête, il n'a même pas eu à marcher pour sortir de l'appareil et descendre la passerelle ; il s'est senti porté, presque gentiment, jeté dans la voiture, et aussitôt maintenu au sol par une bonne demi-douzaine de godasses. À présent qu'il n'a rien d'autre à faire, il gamberge. Ça lui épargne la trouille. Alors, comment l'ont-ils découvert, qui l'a balancé, pour que ces salauds d'Algériens l'aient identifié tout de suite ? Il n'était venu qu'une fois à Alger, pour un contrat sans risque à Hussein Dey sur un jeune lieutenant de la Sécurité militaire. Personne ne l'avait identifié, il en était sûr, et depuis, il vivait à Khartoum. Alors, qu'est-ce qui s'était passé ?

Une chose l'inquiète ; ils ne l'ont pas tabassé, comme

c'est la règle, ni injurié, à peine malmené ; surtout, ils ne l'ont pas fouillé ; ils ont simplement vérifié qu'il n'était pas armé ; mais la question revient : « Comment ont-ils su ? qui m'a trahi ? »

Le command-car a ralenti ; à présent il roule doucement, il n'encaisse plus les cahots de la route, juste un glissement qui s'arrête bientôt. El Mismari entend des bruits de portière au niveau de ses oreilles, il se sent tiré vers l'extérieur, remis sur pieds.

« *Amchi\*!* »

Le ninja qui lui donne cet ordre parle en arabe dialectal ; il obéit, dans le noir, tenu sous chaque aisselle par une poigne vigoureuse ; il compte les pas, cent trente-deux, un escalier de dix-huit marches, encore vingt et un pas, une porte, un escalier de trente-six marches ; c'est une maison française, songe-t-il, des volées de dix-huit marches. Cela ne l'avance guère, il y en a tant, à Alger.

Enfin, on lui retire les menottes. Deux hommes, dont il sent l'haleine, commencent à le déshabiller, complètement ; il est à poil, le sac toujours sur la tête ; on lui remet les menottes.

Il se sent guidé jusqu'à quelque chose sur quoi on le force à s'asseoir. Il sent que la chaîne qui retient ses mains, par-derrière, se tend ; il se laisse un peu aller, comprend. Il est assis sur une chaise anthropométrique.

Les ninjas n'ont toujours pas desserré les dents.

* « Marche ! »

32

# 12

El Mismari a perdu la notion du temps, du moment, du lieu ; il a beau s'efforcer de compter pour mesurer les heures et les minutes, comme on le lui a enseigné, de temps à autre il laisse courir son imagination, afin d'anticiper sur les questions qu'on va lui poser, inévitablement, et alors il perd pied avec la réalité.

Un bruit de porte, on vient vers lui ; toujours sans une parole, on le détache et on l'entraîne ; soudain, la lumière le déchire ; d'un geste rapide, un ninja a arraché la cagoule, à la seconde précise où jaillit un éclair énorme, celui d'un projecteur à halogène braqué en pleine figure ; c'est bien pire que l'obscurité, cette avalanche de feu qui le brûle. Il ferme les yeux, baisse la tête, mais rien n'y fait, l'éblouissement a été trop violent, il se sent un mal de tête monstrueux.

« Assieds-toi, mon frère. »

La voix qui s'adresse à lui, la première, la seule depuis des heures, est douce ; l'homme dont il distingue la silhouette au-delà de sa prison de lumière s'exprime en arabe classique, en égyptien, sans le moindre accent ; le ton est donné, aimable, quoique sans réplique.

« Dis-moi qui tu es, ce que tu faisais dans cet avion, ce qui t'amène à Alger ; prends ton temps, mais n'oublie pas, ne mens pas, sinon Allah te châtiera. Vas-y, je t'écoute.

— Je m'appelle Hussain al-Rawi, je suis fonctionnaire au ministère irakien du Commerce extérieur, et je vais à Paris rencontrer les dirigeants des entreprises qui sont autorisées à exporter dans le cadre de la résolution "pétrole contre nourriture" ; et j'ajoute que je ne comprends pas ce qui m'arrive, pourquoi vous m'arrêtez sans explications, pourquoi vous m'amenez ici.

— Peut-être attends-tu des excuses, mon frère.

« – Non, non, je pense simplement qu'il y a méprise, que vous me prenez pour un autre ; je le comprends, d'ailleurs, avec tout ce que vous subissez.

– Avec ces salauds d'islamistes.

– Tout à fait, avec ces salauds d'islamistes…

– Que tu ne connais pas ; aussi vrai que tu es irakien. »

Un hurlement poussé dans son dos le fait sursauter.

« Irakien, toi ? Tu nous prends pour des cons. »

Cette fois, c'est en dialectal que rugit une voix énorme, derrière lui, et le mot « con », c'est en français qu'« il » le braille.

« Je te jure. »

L'ombre en face de lui reprend :

« Réfléchis bien avant de me jurer ; c'est vrai que ton passeport irakien est authentique, et le visa aussi ; c'est vrai qu'il y a bien un Hussain al-Rawi au ministère du Commerce, et c'est vrai qu'il devait partir aujourd'hui pour Tunis ; l'ennui, c'est qu'il a eu un petit empêchement, et que nos amis du Moukabarat* avaient quelques questions à lui poser ».

Le Moukabarat ! El Mismari ne peut réprimer un tressaillement : il les connaît, les tortionnaires de la rue Qadisiya, à deux pas du parc Sawra, dévoués corps et âme à Saddam et à son fils Ouddeï, incorruptibles, insensibles, impitoyables, dont aucun, jamais, n'a trahi, dans ce pays où tout s'achète. Il faut qu'il se reprenne, très vite :

« Je ne sais pas ce que tu dis ; je te répète que je suis bien Hussain al-Rawi.

– D'accord, je note que c'est ta version ; dès demain, nous saurons la vérité. »

L'homme de l'ombre se fait insistant :

« J'espère de toutes mes forces que tu as raison ; sinon, tu iras t'expliquer à Bagdad, et ce sera tant pis pour toi. »

* Les services spéciaux irakiens.

34

Il se tait. Le silence s'installe. El Mismari s'attend à une nouvelle question, ou à des cris, ou à des coups ; rien ; même le gueulard de derrière se tait. Vite, vite, il calcule ; il sait que s'il parle l'opération s'écroule, tout de suite ; qu'il faut donc gagner du temps, jusqu'à ce qu'« ils » comprennent qu'il lui est arrivé quelque chose ; oui, mais que peuvent-« ils » faire pour lui ? comment le récupérer ici ?

Il va lui falloir beaucoup de chance, cette fois-ci, sur-tout avec ces Algériens, qui étaient quand même les meilleurs élèves de la classe, en Union soviétique.

Il se retourne, une main vient de se poser sur son épaule ; c'est le gueulard de tout à l'heure ; il sursaute. L'homme est à visage découvert, comme s'il se foutait qu'El Mismari, alias Hussain al-Rawi, le reconnaisse un jour, à son tour. C'est un vieil homme déjà, la chevelure courte et blanche, le visage marqué de rides profondes, pas très grand, mais manifestement costaud ; ses yeux éclatent de fureur contenue :

« Regarde-moi bien et devine qui je suis. »

Le sourd grondement glace El Mismari.


## 13


Alexandre voit venir Hélène sans manifester de sur-prise ; il pose le verre d'eau sur l'évier de la cuisine et plaisante, d'un petit rire contraint et à voix basse, comme s'il fallait éviter de réveiller la maisonnée :

« Décidément, c'est l'heure où les animaux viennent boire.

— Si tu veux, papa ; pour moi, c'est plutôt le moment des remords.

— Qu'y a-t-il, ma chérie ? Tu as du mal à dormir, n'est-ce pas ? »

Les beaux yeux bleus se noient de larmes.

« Papa, c'est atroce ; je n'arrête pas d'y penser.

— Je comprends, Hélène, et c'est tout à fait normal ; si tu le permets, je crois que tu n'en parles pas suffisamment ; tu gardes tout pour toi, et ce n'est pas bon pour ton équilibre psychique. »

Il la prend par l'épaule avec toute la douceur dont il est capable.

« Viens, nous allons discuter.

— À cette heure-ci ? Mais tu dois retourner te coucher, papa. »

Il sourit gentiment, s'efforçant de dissimuler sa tristesse :

« Mais à quoi crois-tu que je passe mes nuits ? À penser, Hélène, à revoir ma vie, nos joies, ta maman, elle surtout.

— Maman ? Mais pourquoi vous êtes-vous quittés ?

— Pour peu de chose, si tu veux mon avis, mais ceci est une autre histoire dont je ne veux pas parler. »

Ils sont au salon, assis, Hélène sur le canapé, Alexandre dans son fauteuil ; il se penche et lui prend les mains.

« Dis-moi tout, si cela doit te faire du bien. Explique-moi ce qui te tracasse. »

Elle le regarde ; elle le découvre ; elle ne l'avait jamais vu ainsi, ce père un peu lointain, presque intimidant, sûr de lui, fort et rassurant, devant lequel tous s'inclinaient avec force « monsieur le directeur », « monsieur le conseiller » qu'il acceptait d'un geste de la tête et d'un léger sourire ; d'un coup, c'est son papa qu'elle retrouve, le vieux copain des matches de foot sur la pelouse de leur maison de Maintenon, des sorties en mer lors de leur séjour en Guadeloupe, des soirées lourdement parfumées de Moroni ; ce regard posé sur elle n'est qu'amour et bonté ; débarrassé de sa chemise claire et de sa cravate stricte, seulement attifé d'un pyjama hors d'âge aux poignets élimés, c'est un vieux monsieur, ému et implorant, qui insiste gentiment :

« Parle, ma Nanou, je suis là pour ça. »

36

Nanou, cela faisait des années qu'il ne l'avait pas appelée ainsi, Nanou, la fillette espiègle, la petite dernière qui faisait marcher et valser la maisonnée à coups de caprices et de câlineries.

« Papa, j'ai une affreuse sensation. »

Elle s'arrête, étouffe un sanglot qui monte, avale sa salive et reprend.

« J'ai sûrement tort, je me fais sûrement tout un cinéma, mais je ne peux m'empêcher de trouver bizarre la manière dont l'accident est survenu.

— Bizarre?

— Oui, bizarre; tu connais ma hantise des poids lourds, ma trouille de les voir se déporter ou bien d'être écrasée entre deux de ces bahuts quand ils se suivent de près et qu'il faut se faufiler entre eux; à chaque fois, je préviens que je vais doubler, je fais des appels de phares, et quand Jean-Louis ne dort pas, je klaxonne.

— Alors?

— C'est ce que j'ai fait, cette fois-ci, j'en suis sûre.

— Et?

— Et le camion m'a brutalement poussée dès que je suis arrivée à l'arrière de la cabine; je crois bien que ce sont les premières roues de la remorque qui ont percuté la Lancia, et si violemment qu'il a fallu que le camion se déporte brutalement sur la gauche.

— Comme s'il avait voulu déboîter?

— Peut-être, en tout cas, pas comme si le chauffeur s'était endormi.

— C'est pourtant ce que pensent les gendarmes. »

Elle corrige :

« Les CRS, oui, papa. »

Elle se tait, il la regarde sans la voir, manifestement ailleurs; puis sa pensée revient vers elle.

« Je vais en parler à Maier. Il faut enquêter sur le chauffeur du camion.

— Papa, je ne suis sûre de rien, c'est seulement une impression.

37

– Herrmann est un vieux copain ; s'il n'y a rien d'anormal, il me le dira.

– Discrètement ? »

Il sourit comme si la question était totalement incongrue :

« Discrètement ? Maier est une tombe. »

Il lui revient alors d'un coup l'image de l'éraflure sur le cou de Jean-Louis ; il faut vraiment qu'il voie Maier.


## 14


La foulée se fait plus facile, il se sent gagné par l'euphorie du coureur de fond ; la sueur qui perle sur son visage le confirme dans sa certitude : il a bien retrouvé ses jambes d'avant l'opération, et même si le souffle est un peu plus court, la machine fonctionne bien. À ses côtés, imperturbable, indifférente aux chiens qu'elle croise, Juvénia, son imposante berger allemand, trottine, appliquée à ne pas lâcher son maître d'une semelle.

Tout en courant, il organise sa journée, sa visite quotidienne à sa vieille maman, une ou deux heures pour écrire, le déjeuner avec Mathilde, la sieste, moment délicieux entre tous, et à nouveau son face-à-face avec la page blanche ; enfin, dans la soirée, ce rendez-vous avec Alexandre, ce pauvre Alex qui vient de perdre son gendre. C'est bien, ni trop ni trop peu, il va pouvoir avancer le tri de ses dossiers, entassés dans les trois malles qui encombrent son bureau et font hurler Mathilde quand elle est de méchante humeur.

« Commissaire ! »

S'il ne courait pas, il aurait sursauté ; surpris tout de même, il se retourne à demi sans ralentir la cadence. À peine à deux mètres de lui, une silhouette en survêtement, capuchon sur la tête, une bouille souriante et sympa, il le reconnaît, c'est Blachon, son ancien inspecteur de la surveillance de CIII, le service de surveillance de la DST, quand il en était lui-même patron ; un bon gars, amateur de vins de Bourgogne et fou de tennis, qui ne comptait ni son temps ni ses amis.

« Blachon ? Toujours en piste ? »

Il se limite à quelques mots, voulant économiser son souffle pour ne pas faire mauvaise figure auprès de ce sportif consommé ; Blachon est venu à sa hauteur.

« Oui, patron ; je continue à faire des tournois, alors, forcément, à mon âge, les jambes, c'est ce qui départage.

— Je sais, c'est pour ça que je ne joue plus.

— Ça a pourtant l'air d'aller ; vous courez souvent ?

— Presque tous les jours. »

Il hoche la tête en direction de Juvénia.

« Elle a besoin de courir. »

Comme si elle avait tout compris, la chienne s'est rapprochée de son maître, les oreilles bien droites, épiant chaque geste de l'intrus, qui n'a pas intérêt à trébucher.

« Je comprends, patron ; et à part ça, vous écrivez toujours ?

— Toujours. »

Cette fois, il ne lâche qu'un mot à l'expiration.

« J'ai bien rigolé en lisant votre dernier livre ; et j'aime bien votre héros. Comment s'appelle-t-il déjà ?

— Norpois.

— C'est ça, Norpois ; vous allez continuer avec lui ?

— Bien sûr.

— Et à part ça, pas de regrets, patron ? Vous n'avez pas envie de faire comme vos collègues, de vous reconvertir dans la sécurité ?

— Aucun risque. »

Ils courent ensemble encore un moment puis, sans autre forme de procès, Blachon lance :

« Bon, j'arrête, j'ai ma dose.

— Salut, Blachon. »

Et l'alerte quinqua poursuit sa route ; qu'est-ce qu'il voulait, à la fin, le pas-très-malin Blachon ? Il secoue l'idée comme s'il se fût agi d'une vieille chaussette.

« Allons, ma Juvénia, tu es la plus belle. »

Ravie du compliment, la chienne esquisse une gambade et reprend sa course, appliquée et vigilante.


## 15


On frappe. Sans se retourner, elle a reconnu son pas, traînant, son souffle, un peu filant, et même senti cette odeur rance de tabac et de frites froides qu'il traîne avec lui.

« Entre, Barzi.

— J'ai fait aussi vite que j'ai pu, sans oublier que je pouvais être suivi.

— Suivi ? mais par qui et pourquoi ?

— Oh, ça, je n'en sais rien, mais c'est une vieille manie chez moi, ricane-t-il, je me prends pour James Bond... (Et il ouvre sa parka douteuse pour montrer son calibre passé dans la ceinture.)... alors forcément, j'attends toujours qu'on me fonce dessus.

— Barzi, je t'ai déjà dit de ne pas te balader avec ton arme comme ça ; un jour, il va partir...

— ... Et me bousiller les couilles, oui, je sais ; tandis qu'avec votre holster sous l'épaule et votre pétard pointé vers le haut, vous irez vous inscrire au club des amputés du bras gauche. »

Elle sourit ; elle l'aime bien, ce vieux bougon qu'elle soupçonne de se masturber dans les toilettes, ce qui est exact, avec cette nuance que c'est avec sa photo à elle, le jour du cross de la police, qu'il se convainc de sa virilité. Les cuisses fuselées de Demi, il les connaît par cœur. Sur le papier.

« Alors, patron, qu'est-ce qui se passe ?

– Justement rien. C’est l’appartement de Marion.

– Marion ?

– Un callgirl que j’aime bien, une chic fille.

– La pute ?

– C’est pas si simple, Barzi, elle ne fait pas n’importe quoi, elle choisit ses clients.

– À la bonne heure ! Voilà qui me rassure ; et elle sélectionne comment, votre copine ?

– Bon, Barzi, c’est pas le sujet ; dis-moi plutôt ce que tu penses de ça : quand je suis arrivée ici, la porte était ouverte…

– C’est son habitude ? coupe-t-il.

– Non, pas du tout, et les clés étaient cachées dans le tiroir.

– Là où vous savez les trouver », insinue-t-il.

Elle ne daigne pas relever :

« Exactement.

– Bon, alors on va chercher, et je vais vous dire, moi, si votre chérie est partie toute seule comme une grande ou si on l’a embarquée. »

Tout en parlant, il fouille dans sa parka, en extrait une lampe torche et, passant de pièce en pièce, éteint toutes les lampes de l’appartement.

« Barzi, tu crois que… ?

– Je ne crois encore rien du tout, mais je balise ; si quelqu’un passe par ici, c’est pas forcé qu’il sache que nous y sommes, nous ou d’autres », corrige-t-il.

À la vérité, vieille habitude de cambrioleur légal héritée de son séjour dans une autre direction, Barzi préfère « se faire un appart à la torche », c’est-à-dire le balayer centimètre par centimètre avec son pinceau lumineux qui rend mieux les reliefs et concentre l’attention. Méticuleux à l’extrême, il n’épargne rien, partant de l’idée que nul ne peut entrer et sortir d’un appartement sans y laisser quelque chose ; et ce quelque chose, lui, il le trouve. Ses visites à lui, ce ne sont pas les perquisitions à la « mords-moi-le » de la financière ; il est vrai qu’il prend son temps, que per-

41

sonne ne l'attend pour dîner, et qu'il se fout bien des 35 heures.

Il siffle, admiratif :

« Chapeau, patron, vous n'avez rien touché.

— Tes leçons, Barzi, sourit-elle.

— Continuez, vous êtes sur la bonne voie. Mais tenez, puisque vous êtes là, faites la salle de bains, c'est le plus facile ; à cause du carrelage.

— J'ai pas de lampe, objecte-t-elle.

— Si. »

La réponse lui vient en même temps qu'une seconde lampe, sortie sans doute de sa boîte au trésor. Elle la prend ; plus rien ne l'étonne de ce petit rondouillard aux gestes précis.

Un long moment, ils inspectent, chacun dans sa pièce, sans un mot, sans une exclamation, même quand Barzi sort une enveloppe de sa poche, y glisse une chiure de mouche ou quelque chose d'approchant, cueillie avec une pince à épiler. Demi ne semble pas non plus être bredouille.

Reste la chambre ; pour ne pas se mélanger, c'est Barzi qui s'en charge, pendant que Demi se tape le rebutant, les toilettes et les poubelles. Deux bonnes heures se sont passées ; tout à son ouvrage, elle ne sent qu'au dernier moment Barzi derrière elle, qui, avant qu'elle ait eu le temps d'ouvrir la bouche, place un doigt sur la sienne et lui souffle dans le nez d'une haleine empuantie par l'horrible alcool serbe à l'odeur de vomi dont il ne se sépare jamais.

« Je crois qu'on vient ».

Sans souci des convenances, il la pousse doucement au fond des toilettes, où elle se régalait de quelques poils pubiens tombés à côté de la cuvette, ferme la porte sur eux et éteint les torches.

Le silence, pour le cas où l'intuition de Barzi se vérifierait, où quelqu'un viendrait dans l'appartement. L'étroit réduit où ils sont cachés s'emplit du mélange de leurs odeurs. En dépit des prodiges de suavité du

Chanel n° 5, c'est le *sui generis* à base de transpiration d'aisselles et de hareng fumé de Barzi qui domine. Pour échapper à une insupportable promiscuité, la jeune femme s'est assise sur le siège.

Barzi, tout à son écoute, lui offre un profil bedonnant, le pistolet dans la main droite, le pied gauche calant la porte.

Un léger bruit, celui de la clenche de la porte d'entrée. Puis plus rien.

## 16

El Mismari a retrouvé sa cellule; en dépit de la chaleur, il est parcouru de frissons; ce type qui n'a pas craint de lui montrer son *wejhabou\** tout à l'heure, il ne l'a jamais vu, ça, c'est sûr; et en même temps, le fait de se laisser « photographier » est lourd de menaces; cela veut dire qu'on ne le laissera pas sortir vivant de sa prison, sauf miracle, et les miracles, il n'en a jamais vu.

Attaché comme il l'est, il ne peut risquer le moindre mouvement; les ordures, ils savent s'y prendre. L'ankylose gagne ses membres, il a beau contracter ses muscles les uns après les autres pour faire circuler le sang, il sait que la douleur va devenir atroce quand la tétanisation se fera sentir. Que faire d'autre que réfléchir, que se préparer à mourir?

Ce qui le préoccupe, c'est de situer ses ennemis et ses amis. En principe, tout est clair : ses amis, ce sont ceux qui le paient, qui lui ont confié cette mission, ce raid sans risque, cette promenade de santé en mer, comme le lui a promis en rigolant Abou Georges. Mais est-ce que ce type ne s'est pas foutu de lui? Est-ce qu'il ne l'a pas envoyé au casse-pipe, pour d'obscures raisons qu'il ne perçoit pas bien?

* « Visage. »

43

Cet Abou Georges n'est pas arabe, cela, il en est sûr ; sa parfaite connaissance de la langue pue le Mossad ou l'Intelligence Service, à moins qu'il ne vienne de la CIA. D'ailleurs, son passé est invérifiable, ses références incontrôlables, tous les noms qu'il donne de ses anciens chefs ou de ses copains correspondent à des morts, sauf un, le fameux Cheir qui vit à Paris, dans une suite au Ritz ou au Crillon, et monte des coups financiers juteux avec les ministres de la Défense de tous les pays. Curieusement insoupçonnable, ou en tout cas insoupçonné, c'est lui qui, en sous-main, finance le FIS, ce qui ne veut rien dire, puisqu'une bonne moitié de la planète a intérêt à déstabiliser l'Algérie. À commencer par les Américains, qui voudraient bien faire payer à « Boutef » son soutien affiché à l'Irak de Saddam Hussein.

El Mismari a un peu le tournis en ressassant tout ça. Il sent bien qu'on ne lui a pas tout dit, qu'il y a quelque part dans le montage de l'opération un élément, un détail, qui peut tout faire rater ou, pire, lui coûter la vie. Oui, mais quoi ?

Bien sûr, Abou Georges lui a promis de passer l'éponge sur son passé, d'oublier Munich et le Drakkar, d'autant plus facilement que ce sont les Boches et les Francaouis qui ont morflé ; bien sûr, c'est sa dernière mission, et après, à lui la belle vie. Mais en attendant, cela tourne au vilain.

Il a faim, il a soif, il a mal partout, et toujours cette obscurité, ce sac sur la tête qui fait couler le long du nez une sueur dont il récupère les gouttes en sortant la langue. Les séances d'entraînement de Peshawar, c'était de la rigolade à côté de tout cela, surtout qu'il savait alors que ce n'était qu'une mise en condition. Tenir, encore tenir, oui, mais jusqu'à quand ? Oui, mais pour qui ? Et ce type qui le menaçait, tout à l'heure, qui est-ce, au juste, que veut-il ?

Un léger souffle d'air, d'un coup, lui annonce une visite ; « on » est revenu le chercher, « on » le détache,

« on » le met debout ; il s'effondre ; les ninjas, impassibles, le regardent tomber ; il se trouve presque bien par terre, il n'a pas envie de se relever.

« *Awgaf\*!* »

La voix est rauque, un peu sourde.

Il ramasse ses jambes sous lui, esquisse un mouvement qui, manifestement, ne contente personne, puisqu'il ressent d'un coup une décharge électrique au bas du dos, atroce, qui raidit encore plus ses muscles tétanisés ; il crie.

« *Awgaf* », répète la voix.

Cette fois, il rassemble toute son énergie, écrase sa douleur, et d'un coup de reins se redresse ; ses jambes tremblent, il a conscience de n'être qu'une pauvre chose, mais en même temps imagine qu'il ne peut inspirer aucune pitié à ses geôliers. Il se redresse, par défi plus que par conviction, et part vers l'interrogatoire.


## 17


Un coup de sonnette discret. Willy Maier ouvre lui-même, Juvénia sur ses talons ; pourtant peu porté à la plaisanterie, Alexandre siffle :

« Eh bien ! tu ne risques rien, avec ton clebs ! C'est un chien policier, je suppose ? »

Alexandre balance à son vieil ami :

« D'abord, mon chien est une chienne, et puis, je reçois tant de gens douteux… »

C'est lâché ; comme d'habitude quand ils se rencontrent, les premières phrases sont pour les vannes, plutôt gentilles ; cela dispense des « comment vas-tu ? » ou des « ravi de te voir » sans intérêt ni réplique.

Willy est en chaussettes, c'est aussi simple que de por-

* « Debout. »

45

ter des pantoufles ou des escarpins d'intérieur comme les bourges de Neuilly ; Alexandre se déchausse sans façon, ce qui lui donne l'impression d'être un peu chez lui ; son vieil ami le pousse gentiment par l'épaule jusqu'au salon, où Juvénia a déjà repris sa place, au pied du fauteuil Régence dans lequel Willy s'adonne, le soir venu, à la télévision.

« Whisky ?

— C'est un peu tôt, non ?

— Comme tu veux, alors un café ?

— C'est toujours ce qu'on prend quand on ne sait pas choisir ; non, Willy, aurais-tu plutôt un verre de vin ? »

Il en a ; et c'est en regardant son verre comme s'il allait y trouver la solution de ses problèmes qu'Alexandre expose à l'ancien contrôleur général de la police, Maier, les doutes qui l'assaillent au sujet de l'accident et de la mort de son gendre, Jean-Louis.

Le vieux policier note soigneusement les propos de l'ancien ingénieur de l'aéronautique, ne l'interrompt pas, notant les questions que, tout à l'heure, il va lui poser.

À présent, Alexandre ne quitte plus des yeux le crâne grisonnant, immobile pendant que la main court sur le papier.

Willy lève enfin la tête, fixe son ami :

« Tu me demandes un service, Alex, je vais te le rendre ; franchement, j'aurais aimé t'être d'un autre secours, mais je comprends que tu veuilles la vérité. »

Il marque une pause :

« À tout prix ? C'est ça ?

— C'est ça, et je l'ai aussi promis à Hélène…

— Hélène, coupe Willy soudain devenu pensif, comment supporte-t-elle tout cela ?

— Mal, très mal, même.

— On va l'aider, mon vieux, je ne vais pas la laisser comme ça, elle non plus. Bon, j'aurai quand même quelques questions à te poser, à toi, et sûrement à Hélène. Je commence ? »

Un hochement de tête, et Maier, de ce ton neutre, impersonnel qu'il retrouve d'un coup comme s'il replongeait des années en arrière, engage l'interrogatoire.

« Rappelle-moi la position professionnelle de Jean-Louis de Tavernon.

— Tu le sais, puisque c'est toi qui l'avais fait embaucher.

— Oui, mais j'ai un peu perdu tout cela de vue.

— Il était ingénieur aux Chantiers navals du Cotentin, chargé du développement et des constructions militaires.

— Cela signifie-t-il qu'il était concerné par les programmes de vente à l'étranger ?

— Tout à fait ; à ce titre, il avait participé aux négociations avec Oman, l'Afrique du Sud et le Koweït, pour la vente de patrouilleurs rapides.

— Son dernier contrat ?

— Le Koweït, justement.

— Était-il responsable de la construction jusqu'à la livraison incluse ?

— Oui, il devait aussi former les équipages. Mais pourquoi me demandes-tu tout cela ? »

Willy ne répond pas ; il poursuit, toujours de cette voix sans inflexion :

« Hélène, quant à elle, s'est-elle occupée des affaires de son mari ?

— Professionnellement ? »

Herrmann confirme la question d'un hochement de tête.

« Non, cela aurait pu se faire, mais ni l'un ni l'autre n'y tenaient. »

Toujours aussi neutre, le policier poursuit :

« Pas de problèmes de couple ? d'infidélités ?

— Non, ils sont, ils étaient exemplaires.

— Pas de difficultés financières, de dettes ?

— Tu sais que les Tavernon sont riches ; et je ne suis pas pauvre. Nos enfants auraient pu s'adresser à nous s'ils s'étaient trouvés dans le besoin, mais jamais Hélène ne m'a soufflé mot à ce sujet.

— En somme, un couple BCBG banal, comme on en croise des dizaines chaque jour dans les rues de Passy?

— Tout à fait; à une nuance près, ils n'étaient BCBG ni l'un ni l'autre; Hélène a toujours été un peu originale, tu sais qu'elle vote à gauche… »

Willy, pour la première fois depuis le début de l'interrogatoire, esquisse un sourire:

« Oh! ça, je connais des foules de bourgeois qui votent à gauche.

— C'est vrai, mais elle a vraiment la générosité en elle, et les illusions. Quant à Jean-Louis, il avait une fascination pour les prisons et le bagne.

— Le bagne? Bigre, et pour la torture, peut-être aussi?

— Exactement, pour la torture. Il possédait tout ce qui s'est écrit sur le sujet, collectionnait les instruments de torture; je crois même qu'il écrivait quelque chose. »

Maier se retient de plaisanter sur le registre sado-maso et change de voie:

« Je connais à peu près les circonstances de l'accident. Peux-tu me procurer le procès-verbal de gendarmerie?

— Oui, en fait, ce sont les CRS qui l'ont fait.

— Et le résultat de l'autopsie?

— Il n'y a pas eu d'autopsie. »

Willy, toujours impassible:

« Pourquoi?

— Ses parents ont refusé, et Hélène n'était pas en état de donner son accord.

— Bien. Je vais avoir besoin de consulter les agendas, de revoir la voiture, bref, il me faut tout ce que vous possédez, Hélène et toi, sur l'accident.

— C'est entendu. Au fait, Willy…

— Oui?

« — C'est sans doute idiot, mais à la morgue, quand je suis allé voir Jean-Louis, il m'a semblé voir comme une marque derrière son oreille. »

## 18

Les arcades de la rue de Rivoli grouillent d'une foule nonchalante et désœuvrée en cette fin d'après-midi ; le mois d'août livre Paris aux Japonais, d'autant plus repérables qu'ils circulent en formations compactes, et aux Américains, qui se fondent dans le tout-venant des Parisiens déjà rentrés de vacances ou des provinciaux que rebute la frénésie méditerranéenne. Rien ne distingue l'homme en chemisette grise qui remonte de la place de la Concorde, un sac de cuir en bandoulière. Il est reproduit à des centaines d'exemplaires dans la cohue bon enfant qui s'entrecroise sur le trottoir, au plus près des étalages de pièges à touristes, coussins, cartes postales et casquettes à visière ; son pas assuré semble cependant le diriger vers quelque destination précise ou quelque rendez-vous important, puisqu'il ne se retourne jamais, indifférent aux frôlements, aux coups d'épaule involontaires dont il laisse les excuses sur les lèvres étonnées de leurs auteurs.

Il ne voit donc pas venir derrière lui l'ado en rollers qui, profitant d'un trou dans la foule, se lance brusquement sur ses patins d'un coup de jarret nerveux et, parvenu à sa hauteur, lui arrache sa sacoche. L'homme en gris a seulement senti un choc à hauteur du triceps, mais son temps de réaction est très court. Sans un cri, il se lance à la poursuite du rollerman qui a sauté sur la chaussée, dans le couloir des bus, qu'il remonte à contresens à toute vitesse, les roulettes s'arrachant du macadam en foulées longues et souples.

La foule, comme un monstre qu'on dérange pendant sa sieste, se retourne et maugrée au spectacle de la poursuite inégale, l'avance du jeune type, rapidement portée à dix mètres, le rendant déjà inaccessible ; encore quelques foulées, et l'ado ne sera plus visible, avalé par le serpent bigarré et ondulant qui ne s'écarte plus devant l'homme en gris. Il poursuit néanmoins sa course, mesurant son souffle, espérant quelque secours providentiel, la chute du voleur, un flic intelligent et courageux.

Un cri, un bruit, il ne sait pas au juste, droit devant lui ; un saut de côté, un nouveau sprint, et le voici au bord du trottoir de la rue de Castiglione ; le jeune homme est étendu sur la chaussée, de tout son long, sur le dos, hoquetant, les yeux révulsés, le sang coulant par les oreilles et le nez. Le regard de l'homme en gris balaie la chaussée, remonte jusqu'aux jambes et aux mains de la demi-douzaine d'assistants effarés : pas de sacoche.

Il sent alors un lancement à son bras droit ; tout son flanc semble pisser le sang, la main, le pantalon ; juste au-dessous de l'épaule, un sillon béant laisse deviner une petite traînée blanchâtre. Il a été tailladé jusqu'à l'os.


19


« Je crois que c'est bon, patron. »

Le souffle de Barzi, exhalant une lointaine réminiscence de saucisson à l'ail et de maroilles, submerge Demi, soudain prise d'un fou rire auquel elle s'abandonne sans retenue, hoquetant en petits gloussements aigus. Elle parvient à grand-peine à lui lâcher : « Mais ouvre, bon Dieu ! », et le poussant presque hors du réduit, à retrouver les senteurs autrement délicates de la bonbonnière.

Barzi n'a pas de ces préoccupations olfactives ; avec une rapidité silencieuse qui surprend chez un homme de sa corpulence, il bondit vers la porte d'entrée, tourne la poignée et, se retournant presque triomphant vers la jeune femme :

« Je m'en doutais ; quelqu'un est revenu fermer la porte.

— On ne nous a donc ni vus ni soupçonnés.

— Tu l'as dit, bouffi », sourit-il de toutes ses dents jaunes auxquelles la torche rallumée donne presque de l'éclat.

Il se reprend aussitôt :

« Oh, pardon, patron ! C'est une chance qu'on croie l'appartement vide ; cela nous laisse tout le temps de tout vérifier.

— Et cela prouve que notre visiteur sait que Marion ne rentrera pas de sitôt, donc qu'on l'a enlevée.

— Dans ce cas, ce n'est pas lui qui a fait le coup, sinon il ne serait pas revenu en risquant de se faire piquer. Mais alors qu'est-ce qu'il est venu faire ici ? bougonne Barzi.

— Fais marcher tes neurones, Barzi. Ou c'est un ami de Marion qui a reniflé qu'il lui était arrivé des bricoles. Ou c'est un malfaisant qui ne fait pas trop confiance à ses chaouchs et qui est venu vérifier quelque chose.

— Oui, mais quoi ?

— Ça, Barzi, c'est ton boulot. Alors on s'y recolle, et on va bien finir par trouver ?

— Patron ? Laissez-moi tout seul. J'aime autant. J'irai plus vite, d'autant que ce n'est pas si grand. »

Elle le regarde, fronce un peu les sourcils, ce qui la rend encore plus belle. Elle a compris que le vieux Barzi prend son pied dans ce boudoir exquis, à humer les effluves de l'hétaïre qui l'habite, à tripoter ses flacons, à fouiner dans son lit.

« Si ça peut le défouler », concède-t-elle *in petto*. Alors elle lui susurre :

« Prends ton temps, je descends au bistrot, en bas. »

La station a duré deux bonnes heures. Sous l'œil faussement indifférent du garçon, Demi s'est plongée dans la lecture du *Monde*. Tout y est passé, Milosevic, Sharon et les affaires. Il ne lui reste plus que les sports quand Barzi lui signale par téléphone qu'elle peut monter.

Une poignée de secondes plus tard, ils sont assis côte à côte au bord du canapé. Barzi sort son attirail de prospecteur, enveloppe et pince à épiler, et dispose soigneusement sur la table basse, dépoussiérée d'un revers de manche, les fabuleux trésors de sa fouille : quelques brins de tabac blond et un morceau de crayon à papier portant les mots « cy Palace Hôtel ».

Barzi questionne :

« Elle fume, votre copine ?

– Pas que je sache. C'est quoi, ce tabac ?

– Sais pas. Je vais le faire analyser.

– Et le bout de crayon, d'où sort-il ?

– Entre deux coussins du canapé.

– C'est tout ? »

Demi fait la moue en lâchant sa déception.

« Non, patron. Mais il faut venir voir. »

Il se lève, la commissaire à sa suite, gagne en quelques pas la salle de bains et braque la torche sur un petit trou dans le mur.

« Qu'est-ce que c'est ? »

Il souffle :

« Un trou de balle ! Enfin, sans la balle. »

Demi ouvre bien grands les yeux :

« Tu veux dire qu'on a retiré la balle ?

– Oui, et c'est même récent. Regardez. »

Il se baisse. Elle suit le mouvement. Effectivement, quelques infimes morceaux de carrelage, à peine visibles, jonchent le sol.

« Vous voyez, ça ne m'étonnerait pas que le scrupuleux de tout à l'heure soit revenu pour reprendre la balle "oubliée" par un autre.

— Ce qui veut dire que c'est un ami du ou des ravisseurs de Demi. Si elle a bien été enlevée.

— Probable, patron. Parce que... regardez. »

Il soulève dans la penderie un déshabillé de soie dont il désigne le bas :

« Tenez, regardez ce trou, la balle est passée par là. »

Effectivement, juste au bas de la manche, un double trou atteste que le vêtement a été transpercé de part en part.

« Qu'est-ce que vous en dites ? Tenez, sentez cette robe, il y a pas bien longtemps qu'on l'a portée, elle renifle encore le parfum.

— Calèche d'Hermès. »

Elle a lâché ça machinalement, sans bien réfléchir. Barzi en reste baba. Il siffle :

« Chapeau, patron ! Comment faites-vous ? »

Elle fait la modeste :

« Le flair, Barzi ! C'est le cas de le dire. Comme toi pour la balle. »

Elle oublie de dire qu'elle connaît l'intimité de Marion au point d'échanger avec elle ses précieux petits flacons. Mais elle se reprend, soudain inquiète :

« Tu penses qu'on lui a tiré dessus ?

— C'est sûr. Mais là où c'est placé, ça m'étonnerait qu'elle ait été blessée. D'ailleurs, il n'y a pas une goutte de sang et la robe...

— ... Le déshabillé.

— Si vous voulez, le déshabillé n'a pas été lavé. »

Demi acquiesce. Et redevient chef :

« Barzi, on va analyser tout ça, reprendre toutes les communications téléphoniques de la demoiselle et, si nous ne trouvons rien, interroger nos amis des RG, qui s'intéressent à elle. Mais pas un mot à quiconque sans que je te le dise.

— Patron ? »

– Oui ?

– Et si je restais ici toute la nuit, histoire de voir ce qui va se passer ?

– C'est pas con. Mais fais gaffe, Barzi, je t'aime trop pour te perdre. »

C'est beaucoup plus qu'il n'en faut pour le faire fantasmer.


## 20


El Mismari vacille face à son interrogateur invisible derrière son projecteur. D'une voix toujours aussi calme, mesurée, les questions tombent, précises ; le « violent » n'est pas là et le prisonnier en est presque désemparé. Il ne sait plus depuis combien de temps il est ici. Tout ce qu'il ressent, c'est une soif atroce ; son geôlier semble s'en apercevoir :

« Peut-être as-tu faim ou soif ?

– Oui, murmure-t-il.

– Alors bois. »

Une main surgie du noir pousse vers lui, sur la table, un verre empli d'un liquide sombre. El Mismari s'en saisit, avale une rasade qu'il recrache avec dégoût.

« Mais c'est du vin, beugle-t-il.

– Qui t'a dit le contraire ? Moi, je ne bois que ça, et c'est bon pour le moral. Nos amis français nous ont laissé de bons vignobles. »

Il a dit cela d'un ton détaché, comme un dîneur repu à la fin d'un bon repas.

« Vos amis français ? Vous osez parler de vos amis français ? »

L'homme sans visage éclate de rire :

« Et alors ? On a les amis qu'on veut, et c'est mon cas, ou bien ceux qu'on peut, et c'est le tien. Les séjours à Peshawar, c'est bien, mais les relations qu'on s'y fait sont douteuses et dangereuses. N'est-ce pas, El Mismari ? »

À l'évocation de son nom, le prisonnier se sent inondé d'une sueur froide, âcre, poisseuse. Ils l'ont repéré, cette fois, il est fichu. D'autant que son interlocuteur poursuit, toujours sur ce ton égal, presque détaché :

« Tu veux que je te récite la liste de tes fausses identités, de tes relations, de tes comptes en banque ? Tu veux aussi que je te dise ce qui va t'arriver ? Aussi vrai que je m'appelle Abou Kir, tu vas en chier, l'Afghan ! »

C'est fini, en deux noms, Abou Kir, le chef des ravisseurs, l'Afghan, le prisonnier, la sentence est tombée : la mort, forcément.

Pas la peine. El Mismari sait qu'il va mourir ; mais il ignore l'essentiel, comment, et c'est ce qui l'inquiète. Il va en baver, et s'il ne tient pas le coup, il va parler, il va cracher ce qu'il sait. L'ombre grandit brusquement devant lui. Le type s'est levé. Placé comme il est, le projecteur en pleine face, il ne peut que distinguer une longue silhouette, supposer un visage ; vaguement, il croit voir un geste, mais surtout, il entend :

« Je vous le laisse ; et puisqu'il a soif, donnez-lui à boire. »

Des mains solides se saisissent de lui ; la tête brutalement tirée en arrière et attachée à ce qui lui semble être un pieu, serrée au niveau du cou et du front juste ce qu'il faut pour qu'il ne puisse plus risquer le moindre mouvement ; il ose un cri, qu'étouffe aussitôt le froid du métal qu'on introduit sans ménagement entre ses dents qui craquent dans sa bouche ; c'est un spéculum. En un éclair, il se remémore ce qu'on lui a enseigné : ne pas résister, ne pas se contracter, parce que ses tortionnaires vont lui faire avaler des dizaines de litres de flotte.

Les fumiers, ils ont bien retenu la leçon de ces ordures de paras français ; c'était bien la peine de leur filer du fric pour s'acheter des armes et des bonnes consciences.

## 21

« Patron, c'est Willy Maier qui vous demande.

— Au téléphone ?

— Non, non, il est dans mon bureau. »

Le gentleman très british qui griffonne des notes au fur et à mesure qu'il lit un volumineux dossier pose son stylo et lève enfin le nez sur Monique, sa secrétaire ; debout devant lui, moulée dans une robe grenat qui laisse éclater une poitrine opulente, elle prend l'air coupable de l'enfant aux doigts pleins de confiture ; elle a toujours eu un faible pour ce sacré Willy, et peut-être davantage, mais le gentleman s'en moque bien ; d'abord parce qu'il a d'autres soucis, ensuite parce que Monique n'est pas du tout son genre.

« Monique, je vous ai déjà dit… »

Il s'interrompt et, sans savoir pourquoi, sourit ; ou plutôt si, il le sait ; il lui revient d'un coup cette phrase qu'il balance à tout-va à ses collaborateurs.

« Allez, mon vieux, ce que j'ai déjà dit n'a aucune importance ; seul compte ce que je vais dire. »

Miss Loloche – c'est un des surnoms de sa secrétaire – se joint à son sourire ; l'engueulade doucement susurrée sera pour plus tard ; le patron a rendu ses défenses.

« Qu'est-ce qu'il veut, Monique ?

— Je l'ignore, mais il a son air "boule de gomme". »

C'est vrai, il avait oublié ce tic verbal de Willy, « mystère et boule de gomme », qu'il balançait si souvent que, quand on le voyait, soucieux, arpenter les couloirs, on murmurait dans son dos « le Willy a l'air boule de gomme aujourd'hui ».

Le gentleman repousse les feuillets épars sur la table et ferme le dossier, qu'il fait tomber dans un profond tiroir ; son ancien collègue a beau être discret, il n'a aucune raison de lui faire partager ses secrets. Il se lève.

Il est grand, Verson, le chef du contre-espionnage, grand et sec, mais sa courtoisie est à peine affectée, dans ce bureau qui lui ressemble, confortable, les murs tendus de tissu clair, les fauteuils et le bureau Empire, la moquette grenat.

Dans une vitrine, photos et médailles résument sa carrière, et rien ne le ravit davantage que de s'entendre dire : « Tiens, c'est le juge Webster qui vous a donné la médaille du FBI ? »

Alors, forcément, ça lui fait du bien de vivre ses dernières années de fonction dans l'immeuble de la rue des Saussaies, et pas rue Nélaton, comme la plupart de ses collègues.

« Allons voir ce vieux Willy. Vous m'apporterez des rafraîchissements, Monique. »

Jayne Mansfield sur les talons, il pénètre dans le petit bureau attenant où les initiés font antichambre avant d'être admis dans le saint des saints. Willy, qui attendait debout le retour de Monique, se sent subitement bien ; son copain Verson ne l'a pas oublié ; la poignée de main est chaleureuse, les regards rayonnants.

« Combien de temps ?

— Deux ans, vieux Pierre, c'était à la réunion des anciens où tu étais venu plancher, sur…

— … Échelon.

— C'est ça, sur Échelon, la tarte à la crème des journalistes.

— Et le bâton merdeux des Anglais, qui continuent à vouloir nous balader.

— Ah bon ?

— Tu parles, ils nous expliquent qu'ils nous donnent toutes leurs écoutes.

— … et c'est pas vrai.

— Si, si, c'est vrai, si on laisse de côté tout ce qui concerne la Palestine, l'Afrique orientale et l'ex-Empire britannique ; par contre, ils nous inondent d'infos sur les Balkans, la Tchétchénie et Monaco. »

Willy laisse échapper un sourire.

« Que veux-tu, ils ne peuvent pas trahir leurs bailleurs de fonds. »

Monique s'est remise au clavier, indifférente à l'entame de la conversation, d'autant que Verson a pris Willy par l'épaule et l'a gentiment poussé à l'intérieur de son bureau.

Le visiteur siffle :

« Rien de changé, ici, à part cette antiquité. »

Du pouce, il montre la kalachnikov posée derrière lui sur une étagère.

« Souvenir de l'ETA, répond le gentleman, nous la leur avons piquée il y a vingt ans, tu dois t'en souvenir ?

— Tu parles si je m'en souviens ! Mais tu ne vas pas me dire que c'est celle qui a sulfaté ce pauvre Denis ?

— Si, justement ; nous l'avons récupérée après le procès ; les juges de l'antiterroriste ont suffisamment de pièces à conviction, et comme ils n'ont jamais voulu admettre que Denis avait été flingué par des Basques, elle a atterri ici.

— Mais la balistique ?

— La balistique a prouvé que l'arme avait bien tiré, et que Denis a été transformé en écumoire, mais ces cons de gendarmes n'ont retrouvé aucune balle. Comme en plus les salopards de l'ETA avaient des alibis béton, il y a eu non-lieu.

— Je m'en souviens ; c'est le scandale du siècle.

— Je les aurai, Willy, je les aurai, et c'est pour ça que j'ai ce petit rappel toujours sous les yeux… Mais on s'égare ; qu'est-ce qui t'amène ici ? des remords ou des regrets ?

— Je ne sais pas au juste, Pierre ; disons un énorme soupçon, une chose que mon gros nez me dit être importante, un accident de voiture bizarre, une mort bizarre, un cadavre bizarre.

— Le monde n'est fait que de choses bizarres, n'est peuplé que de gens bizarres, mon vieux Willy ; entre nous, ça m'étonne que tu te mettes en frais pour si peu.

– Je te l'ai dit, c'est surtout mon gros nez qui m'a conseillé de venir te voir.

– J'ai toujours apprécié ton gros nez. Allez, je t'écoute. »

Verson allonge les jambes, vautré plus qu'assis sur le petit fauteuil vert bronze dont le pendant est occupé par Herrmann.

Qui se racle la gorge, et commence son récit.


## 22


La douleur monte enfin, on l'interpelle.

« Monsieur, c'est vous qui conduisiez ?

– Non, non, je suis à pied, j'arrive juste.

– Et votre bras ? Qui vous a fait ça ?

– C'est rien, laissez-moi. »

À grand-peine, il s'extirpe du magma humain, fait quelques pas, s'appuie contre un pilier.

De sa main valide, il sort son portable, pianote sur le clavier :

« Allô ?

– J'ai eu un problème. »

Le silence lui répond.

« J'en ai pour dix minutes et je vous rejoins.

– Non, attendez. Où êtes-vous ?

– Rue de Castiglione, devant une pharmacie.

– Dans cinq minutes précises, devant le 75, rue de Rivoli. »

C'est coupé, c'est fini ; il entre dans l'officine :

« Il faut aller à l'hôpital vous faire recoudre, le muscle est sectionné et le pansement compressif n'est pas suffisant ; alors si vous ne voulez pas rester estropié…

– Je vous dois combien ?

– Le prix du pansement et de la bande, soixante-cinq francs ; mais ne restez pas comme ça. »

Il pose un billet de cent francs sur le comptoir et, d'un ton sans réplique :

« Merci. »

Il est déjà parti, reprend la rue de Rivoli, ses pensées bien au-delà de la souffrance que lui cause son bras droit, tenu sur le ventre par une écharpe. Chaque frôlement d'un passant inattentif le rappelle à son handicap, chaque pas le lance jusqu'au vertige. Il marche cependant d'une allure assurée, s'appliquant à conserver cette allonge souple qui lui vaut son surnom de « Félin ».

Le 75, enfin, il sait sans consulter sa montre qu'il est à l'heure, ralentit insensiblement, longeant la bordure du trottoir. Devant lui, à cinq ou six mètres, une portière s'ouvre, il se baisse, pénètre dans le véhicule qui démarre presque sans bruit.

« Que vous est-il arrivé au juste ? La sacoche ?

— Volée, souffle-t-il à l'homme qu'il voit enfin, assis au fond de la Safrane, brun, très brun, costume et chemise noirs.

— Vous plaisantez ?

— Et ça ? »

Il lève légèrement l'écharpe et poursuit :

« Un type m'est tombé dessus en rollers, me l'a arrachée, et le bras avec.

— Racontez-moi exactement. »

Il explique, le jeune type qui fonce en patinant, remonte à contresens le couloir de bus, sa course, et le voleur gisant cent cinquante mètres plus loin, la sacoche envolée. Une voix sort d'un haut-parleur placé dans la portière du chauffeur. Ce sont des flics qui parlent. La communication est branchée sur Police Secours. L'homme en noir écoute, sans un mot, se penche vers l'avant du véhicule qui file le long de la Seine :

« Un tué à l'angle de la rue de Rivoli et de la rue de Castiglione. Patrouille sur les lieux. Pas d'identité. »

Il se retourne vers le blessé.

« À quelle heure ?

– À 16 h 12. »

L'homme en noir ne prend même pas la peine de répéter.

« Je veux savoir qui est ce type. La totale. »

Devant, une tête hoche un assentiment.

Il se retourne vers son voisin de droite :

« Maintenant, on va s'occuper de vous. Je vous emmène à l'hôpital. »

La Safrane vient de passer sur le périphérique ; à cette heure où la circulation est affichée « fluide », elle avale le viaduc qui enjambe la Seine et le tunnel de Saint-Cloud, bien au-delà des 90 km/h prescrits.

« Quel hôpital ?

– Un ami, sérieux, compétent et discret. C'est profond ? demande l'homme en noir, subitement prévenant.

– D'après le pharmacien qui m'a pansé, oui.

– Eh bien, ça vous fera une cicatrice de plus. »

Et il déplie un journal sans plus se préoccuper du blessé.

Un quart d'heure plus tard, Saint-Quentin-en-Yvelines, une succession de petites routes, une grille, une allée cavalière, un château. Pas la moindre indication.

« Venez. »

Docile, il descend de voiture, suit le basané, qui ne se retourne même pas, pénètre dans l'entrée, manifestement pas celle d'une clinique. Mais ses idées sont moins claires, le cachet que lui a donné le pharmacien contre la douleur lui brouille un peu la vue.

Il est enfin dans une sorte de cabinet médical ; en tout cas, il y a une table métallique, brillante et froide, où on l'installe.

« Une piqûre pour supporter l'intervention, et on vous refait un bras tout neuf. »

Il n'aura plus jamais besoin de son bras droit, ni du gauche, d'ailleurs.

61

## 23

Barzi s'est confortablement installé pour la nuit. Le problème pour lui n'est que de savoir si quelqu'un va venir et, en ce cas, de l'intercepter. Il a dégotté sans mal, dans un placard, une couverture en patchwork de laine, s'en est enveloppé et s'est couché sur le sofa du salon. Pour rien au monde il n'aurait voulu prendre possession du grand lit, théâtre de si glorieux exploits amoureux. Il ne connaît pas Marion, ne l'a découverte en photo que lorsqu'il a rejoint Demi ; les femmes l'ont toujours impressionné, à plus forte raison celles qui sont belles, dont il sait que jamais il ne pourra s'approcher.

Demi, en partant, lui a laissé pour consigne de l'appeler à la première alerte ; il a donc composé son numéro de portable et l'a mémorisé de façon qu'une simple pression du doigt alerte sa patronne, qui sera ainsi à même d'entendre en direct ce qui pourrait se passer dans la bonbonnière de Marion.

Il n'a pas faim, comme à chacune de ces attentes interminables où chaque sens doit demeurer en éveil ; il ne dormira pas, ne se laissera pas surprendre, saura, s'il le faut, se rendre invisible dans le minuscule espace. Demi s'est souvent émerveillée de son sang-froid, quand, par exemple, il viole un appartement, confectionnant sur le palier la clé qui tournera sans bruit et sans forcer, ouvrant la porte avec une douceur toute maternelle, demeurant sur le seuil pour inscrire dans sa mémoire chaque meuble, chaque tapis, chaque bibelot, prenant le risque d'être vu plutôt que celui d'être deviné, chasseur patient, imperméable à la peur, insensible à la nervosité.

Les craquements de l'appartement lui parviennent sans autre conséquence que de le rassurer ; il en a tant fait, de ces veilles où, confusément, souvenirs, nostalgie et envies le ramènent jusqu'à l'enfance… Il en arrive à aimer ces moments de solitude, la paix qu'ils lui procurent, la sérénité, même, et la tendresse de cette maman, idéalisée dans la petite photographie ovale qui est sa seule image ; peu importe qu'elle l'ait quitté depuis peu, puisqu'il peut encore se saouler de son odeur, frémir du souvenir de ses caresses.

Un bruit pas comme les autres le ramène en une fraction de seconde à la réalité ; c'est un glissement de pas qui vient de cesser, derrière la porte. Avec des précautions de cambrioleur, on introduit une clé, le pêne joue doucement, lentement, laissant au vieux Barzi plus de temps qu'il ne lui en faut pour se glisser dans le refuge qu'il s'est ménagé dans la salle de bains de Marion. Avec une souplesse stupéfiante, le grassouillet bonhomme se juche sur une étagère qui ne gémit même pas sous son poids ; tout à leur ouvrage, les deux hommes, car ils sont deux, qui pénètrent dans le studio n'ont rien vu, rien entendu.

Manifestement, leur visite n'est pas innocente ; ils n'allument nulle lumière, se guidant dans l'étroit pinceau d'une lampe de poche ; un tour rapide du séjour, un coup d'œil dans la chambre, et l'un des deux ressort. Dix secondes plus tard, il est de retour, portant avec un troisième homme un carton de télévision. Là-haut, sur sa planche, Barzi les devine et les entend sans risquer le moindre changement de position ; même avec son Herstal personnel en main, il ne veut pas effaroucher le gibier.

Ils chuchotent, d'ailleurs, en déposant la caisse au pied du lit.

« *Die Dirne*, elle pèse son poids, souffle une voix un peu rauque.

– Chchtt. »

À peine a-t-il entendu le gémissement du sommier qui en a souffert bien d'autres que Barzi sent à un léger souffle que la porte de la salle de bains s'est ouverte. Au-dessous de lui, la petite lumière danse pendant qu'une main experte cherche dans la garde-robe ; les cintres couinent sur la tringle, jusqu'à ce que monte comme un murmure :

« Ça fera l'affaire. »

C'en est fini de l'inspection du dressing, mais décidément, les visiteurs ne partent pas. Par la porte restée ouverte, Barzi les distingue assez nettement, deux sortes de colosses et un plus petit qui semble être le chef ; ils s'affairent autour du lit sur lequel ils ont allongé une femme, dont la nudité blafarde ressort de l'obscurité. Avec des gestes d'infirmière, les gorilles lui passent une nuisette vaporeuse, qui laisse apparaître son pubis rasé.

Barzi a compris : c'est un cadavre que l'on prépare pour une ultime mise en scène ; laquelle ? Il ne tarde guère à le comprendre quand il voit réapparaître dans son champ de vision le chef, le visage recouvert d'un masque à oxygène dont il tend deux répliques à ses hommes qui, sans un mot, s'en affublent aussitôt.

Les trois hommes quittent enfin la chambre après avoir soigneusement inspecté la fenêtre ; mais Barzi sait qu'ils sont toujours là, à côté, attendant manifestement ce qu'il a, lui, parfaitement compris : que le gaz, dont il devine plus qu'il ne perçoit le léger sifflement, ait empli les deux petites pièces.

Il lui faut réfléchir très vite : sortir de sa cachette et faire louper le spectacle ; rester et prendre le risque d'être pulvérisé.

C'est pourtant cette solution qu'il choisit, d'abord en se préparant à bondir dès les intrus partis, puis en s'enveloppant des couvertures que la prévoyante Marion stocke dans son dressing. Et il reprend sa veille, tout entier concentré vers le bruit de la porte d'entrée qui lui rendrait sa liberté.

C'est un déchirement énorme qui lui fait exploser les tympans ; il a à peine le temps de se sentir aspiré par un énorme volcan.

## 24

Pour El Mismari, le pire n'est pas encore venu.

Le ventre dangereusement tendu par l'eau salée qu'on lui a fait ingurgiter de force, il s'applique à pisser autant qu'il le peut, se consolant petitement d'empuantir l'atmosphère de l'âcre odeur de son urine ; et quand il sent venir ce que les médecins militaires appellent pudiquement l'onde de défécation, il lâche tout sous lui, trouvant sa revanche dans l'ignominie de ses remugles, surveillant du coin de l'œil un tortionnaire qui contient à grand-peine une formidable envie de vomir.

Dans son combat pour l'abjection et la déchéance, il a trouvé un complice.

Décidément, cela ne tourne pas si bien pour les ninjas. Le ventre arraché par une douleur atroce, El Mismari tient bon malgré tout, encouragé par l'abominable odeur qui prend à la gorge, acide et pestilentielle.

« C'est ma merde, ordures ! se met-il à gueuler dès qu'on lui retire l'entonnoir, régalez-vous, c'est moi qui paie !

– Et ça, c'est quoi ? »

Dans un hurlement guttural, un type s'est précipité sur lui et vient de lui plonger un coutelas de trappeur en plein bide : c'est l'homme menaçant, celui qui lui a montré son visage le premier. Un Himalaya de douleur submerge El Mismari pendant que la lame remonte vers lui, crève l'énorme poche de son estomac, qui se vide d'un coup de ses litres d'eau rosâtre et que de drôles de choses, vaguement verdâtres et globuleuses, sortent en se tordant de son abdomen béant. Il a beau s'attendre à mourir, à souffrir, la vision de son pauvre corps éviscéré lui fait un coup terrible, insupportable ; c'est fini, il ne vivra plus, il vaut mieux mourir très vite, quitte à les provoquer encore, surtout ce pauvre énervé qui part au quart de tour.

« C'est une saloperie de Japonais, pauvre con, tu ne sais même pas égorger, chien des Juifs », braille-t-il.

Il a touché juste, l'éventreur revient vers lui, un mauvais sourire aux lèvres, mais subitement calmé par l'idée de trancher la carotide du supplicié.

« Alors là, tu as tort, mais je vais prendre mon temps.
— Ça suffit. »

D'un ton sec, le chef met fin au défi mortel ; il s'est déplié derrière la petite table d'où il observait sans un geste la séance de torture ; debout, il est impressionnant, d'une taille très supérieure à la normale, une carrure à l'avenant. Deux pas en direction d'El Mismari et il se trouve à son tour en pleine lumière.

Le visage apparaît, masque d'empereur romain, le nez aquilin, les yeux bien dessinés, bleus, semble-t-il, le menton zébré d'une pâle cicatrice, le teint hâlé, les cheveux coupés court, grisonnants. Le bras droit pend le long du corps, manifestement une prothèse. El Mismari a beau suffoquer de douleur, une nouvelle onde de trouille le gagne ; c'est le fameux « Manchot », celui que nul n'a jamais photographié, celui qui a fait avouer Zitouni et Zouari avant qu'on annonce leur liquidation par des « dissidents ». Le plus inflexible de tous les colonels de la SMA, incorruptible, pauvre et croyant. C'est le fameux Abou Kir, aujourd'hui général.

« Tu sais maintenant qui je suis ? »

El Mismari fait signe que oui.

« Tu ne veux pas parler ? »

D'un hochement de tête, le malheureux confirme.

« Alors tu vas souffrir, horriblement, tu vas payer pour tous ceux que tu as toi-même torturés, trahis, vendus ; je sais qui tu es, quel est ton tableau de chasse ici, en Algérie. La tuerie de la Bouzaréah, les gamins suppliciés de Baïnem, le cœur arraché à la main, les cinq officiers de mon service découpés vivants, et tant de saloperies que Dieu ne voudra même pas compter. Mais c'est ici que tout s'arrête. Simplement, c'est à toi de choisir ta fin. Tu me donnes un nom, un seul, ou un numéro de téléphone, un seul, et je te fais égorger. Tu te tais, et je te laisse crever comme ça. »

Le Manchot plonge alors sa main valide dans la tripaille chaude, sans égard pour son battle-dress au pli impeccable, et soulève sans ciller une masse grouillante de viscères qu'il laisse négligemment retomber dans le ventre béant. Cela fait un drôle de bruit, mais le terroriste ne sent rien.

Il ne sent rien, El Mismari, mais d'un coup, il en a marre de se voir ainsi partir en morceaux gluants ; il veut mourir, tout de suite, tant pis pour les autres, pour Abou Georges, pour Cheir, pour tous ces nababs qui se vautrent dans le luxe, laissent crever les gamins de l'Intifada.

Oui, y en a marre de payer pour les rois du pétrole, pour tous ceux que ça arrange que la Palestine soit une terre de haine et de mort, pour ces « Afghans » soigneusement instruits par les « conseillers » de la CIA, à Peshawar, qui ont appris à émasculer les Russes avant de les égorger. Puis qui sont allés en Bosnie, en Algérie, faire la même chose.

Une vague de dégoût et de révolte monte en lui, la dernière, ça, il en est sûr. Il rassemble toute son énergie pour marchander :

« D'accord pour un numéro de téléphone, mais je veux une balle dans la tête, et qu'on me recouse tout ça.

– Tu as ma parole. »

El Mismari sait qu'Abou Kir ne ment jamais. Il murmure :

« Approche-toi. »

Le géant s'incline, ils sont visage contre visage, ces deux hommes que tout sépare et que réunit pourtant une même conviction, celle du juste combat, de la foi, de la fidélité. El Mismari, pour la première fois, va trahir ; il va donner le bout de laine d'une pelote que patiemment son ennemi va tirer, centimètre après centimètre, sans casser le fil ténu et fragile ; il prend ce risque parce qu'il sent bien qu'il a été vendu, qu'on l'a envoyé au massacre ; en tout cas, il le croit.

« C'est en France, écoute bien, je ne répéterai pas ; je devais téléphoner. »

Seul le Manchot entend le numéro.

Le coup de revolver roule aussitôt dans la cave.

## 25

« Une exhumation ? pour un accidenté de la route ? La DST n'a rien d'autre à foutre ? Vous êtes sûr que vous allez bien, Verson ? »

L'œil du procureur s'est arrondi derrière les lunettes en roues de bicyclette ; rejeté en arrière, les mains grassouillettes croisées sur un ventre dodu, le magistrat toise le commissaire qui vient de lui demander de faire procéder à l'autopsie de Jean-Louis de Tavernon.

« Monsieur le procureur – le flic appuie sur le "monsieur" –, je ne vous appelle pas Duconfit, et c'est pourtant votre nom ; alors si vous voulez bien, dites-moi seulement "monsieur le commissaire" ; et quant à "ma" demande, je vous signale que c'est celle de la famille. »

Subitement ramené aux convenances, le magistrat a pâli sous l'apostrophe du flic ; c'est vrai qu'il se nomme Duconfit, que ce patronyme ridicule lui a valu toutes les astuces vaseuses, tous les calembours approximatifs que permettent de telles consonances, « Duconfit d'oie », « Duconfiture », « Duconfit danse », sans compter ce « Ducon » tout court dont les plus méchants le bombardent ; toute son enfance, toute son adolescence, il a remâché l'injustice de la chose et la stupidité de ses ancêtres qui auraient pu demander de changer ce nom pour un « Dumonfit » ou un « Dumonfort » qui auraient signalé comme une discrète appartenance à l'aristocratie.

Alors, devenu procureur de la République après avoir loupé HEC et l'ENA, aujourd'hui il se venge, forcément, et « aligne » tous ceux qui portent un nom chargé de gloire et d'histoire, comme ce Clermont de l'Oise, descendant du conventionnel auquel il a fait coller trois ans de prison pour avoir financé sur les deniers de sa société le fantomatique Rassemblement populaire ; comme si un aristo pouvait comprendre quelque chose aux aspirations du peuple !

« Monsieur le commissaire divisionnaire – à son tour il souligne le "divisionnaire" pour avoir le dernier mot – y a-t-il, y aurait-il quelque chose d'étrange dans la mort de ce Jean-Louis de Taramon ?

– Tavernon, monsieur le procureur, c'est le fils du Tavernon, ingénieur général de l'armement, et même du génie naval, qui a dirigé les études chez Dassault ; un homme exceptionnel. Et son fils suivait la même voie ; on murmure même qu'il était un HC de la DGSE. »

Il a dit ça à tout hasard, pour appâter son interlocuteur.

« Un HC ?

– Un honorable correspondant, autant dire un collaborateur bénévole, un type qui y croit, qui est remué par *La Marseillaise*, un con comme moi, si vous voulez.

– Et comme moi, monsieur le commissaire. »

Cette fois, il a marqué un point, le chat fourré ; patriote, c'est pas mal pour un magistrat. Du coup, Verson change de ton et de registre.

« En confidence, je vais vous dire. Tavernon, le jeune, travaillait aux Chantiers navals du Cotentin, qui ont eu une grosse commande de patrouilleurs rapides pour le Koweït.

– Les fameuses vedettes de Cherbourg.

– En quelque sorte, mais en beaucoup plus sophistiqué ; quarante nœuds de vitesse de pointe, un armement plus performant qu'un croiseur de la Seconde Guerre mondiale, un équipage de vingt hommes.

— Et vous pensez que?

— Pas encore, monsieur le procureur, mais même un flic peut avoir une illumination; alors je voudrais vérifier quelque chose.

— Un soupçon?

— Franchement, oui. »

Duconfit pousse un soupir; il songe avec angoisse à la scène qu'il va devoir vivre, la sortie du cercueil de la tombe, l'ouverture de la boîte, le face-à-face avec ce mort dont la barbe aura poussé; ça va lui couper l'appétit s'il l'ordonne pour le matin, et le faire vomir si c'est pour l'après-midi.

Enfin, il se résigne et signe l'ordonnance.


## 25 bis *


Aujourd'hui, dans la fraîcheur suspecte de l'amphithéâtre, Verson n'est pas loin de penser qu'il avait raison, le proc vicelard et jouisseur, de se gratter le menton et peut-être l'entrejambe à l'énoncé de sa demande saugrenue; devant lui, posé sur le marbre impeccable, le linceul entrouvert laisse voir le grand garçon endormi, les mains croisées sur un chapelet; à ses côtés, il sent la présence de Maier, comme lui le nez et la bouche préservés des odeurs à venir par un petit masque plastique; son vieil ami est devenu, pour les besoins de la cause, son assistant, le commandant Bougeard; il eût été trop long et trop aléatoire de demander au magistrat une autorisation injustifiable, même en faisant état du passé de Willy.

* Il y a bien des « bis » dans les numéros de rues. Alors pourquoi pas dans les chapitres?

Le toubib desserre l'étreinte des mains et des bras, qui craquent affreusement, et entreprend de défaire les vêtements du mort, le strict complet-veston gris anthracite, la chemise blanche. « *Tiens, ils ne lui ont pas mis de caleçon* », songe Willy, presque amusé, quand apparaît le service trois-pièces de Jean-Louis, aussi désespérément inutile qu'un vieux morceau de tuyau d'arrosage.

Le légiste parle à voix haute, pour son magnéto posé au bout de la table.

« Bon état de la peau, c'est un garçon sain, à peine les muscles ont-ils fondu, solide charpente osseuse, il a été bien nourri durant toute sa vie. Tenez, regardez, il s'est cassé deux fois la jambe gauche à hauteur du tibia, je sens le cal qui s'est formé ; belle verge, bien foutue, j'espère qu'il s'en est bien servi. Je remonte ; bassin équilibré.

– Pourquoi commences-tu par le bas ?

– Parce que, mon vieux Pierre – ils se connaissent depuis si longtemps –, chez un type normal, ce sont les pieds qui parlent le plus et le mieux. En tout cas, c'est ma méthode. Je continue. Abdomen parfait, même pas de cicatrice d'appendicectomie, les côtes, le sternum impeccables, on se demande de quoi il est mort. Ah, voici autre chose, tenez, regardez. »

D'un geste sûr qui fait craquer tout le pauvre squelette, le docteur Dumolard – Duglaviau, dit-il lui-même pour anticiper sur les moqueries – a tourné la tête vers la droite et pointe de l'index une petite tache noire bien visible, en haut du cou, juste sous l'oreille.

« C'est quand même drôle que le confrère qui a signé le permis n'ait pas vu ça, siffle-t-il entre ses dents. Il va falloir aller plus loin et "prélever". »

Pierre et Willy savent ce que cela veut dire ; c'est l'éviscération, l'ouverture de l'estomac, tout le dégueulasse de l'opération. Dumolard se tourne vers eux.

« Prêts ? Je vais vous faire la totale. »

71

Verson hausse les épaules, résigné.

Le toubib a à peine engagé le bistouri dans le haut de l'abdomen que l'odeur envahit la pièce, ignoble, indécente. Les masques imbibés sont impuissants à l'atténuer ; les deux vieux flics la connaissent, cette pourriture qui transforme la femme la plus désirable, l'athlète le plus musculeux, en une immonde bombe de puanteur. Dans l'attente du pire, l'ouverture de l'estomac, les deux compères concentrent leur attention sur le virtuose qui continue, à voix haute et sans gêne apparente, de commenter ce qu'il découvre, troquant le scalpel pour la scie électrique, découpant, prélevant de-ci de-là, mais jamais au hasard, un petit morceau de chair, un dé de cervelle, pour les déposer précautionneusement dans des tubes étiquetés.

Une bonne heure plus tard, c'est fini. Dumolard prend délicatement ses petits tubes de verre et, d'un air entendu, propose :

« Un cognac, ça vous fera pas de mal. Allons goûter le mien, c'est un vieux copain sous-préfet qui me le procure. Et pour la peine, je lui laisse voir une autopsie de temps en temps.

– Et pour les résultats ? »

C'est Verson qui s'inquiète.

« Dans trois ou quatre jours. »


## 26


Cheir n'aime pas ça du tout ; la mésaventure survenue à Kart, il ne parvient pas à la mettre sur le compte de la fatalité. Ou alors, il faudrait lui expliquer pourquoi le voleur en rollers s'est fait renverser par une voiture cent cinquante mètres plus loin, et pourquoi la sacoche s'est évanouie.

Ça pue le coup monté, impeccablement, d'ailleurs.

Mais alors par qui? À présent, il regrette la précipitation de sa décision, la liquidation de Kart sans même qu'il ait été interrogé; car même s'il n'existe qu'une chance infime que ce salaud ait trahi, il a emporté son secret dans la tombe.

Cheir s'extrait péniblement de son fauteuil de cuir anglais; il a trop bouffé, et surtout trop bu, mais la colère l'a submergé au point de lui faire oublier ce calme, cette retenue qui l'ont fait surnommer « l'Iceberg »; les jambes courtes et velues qui apparaissent sous la djellaba d'un blanc immaculé le portent jusqu'au bureau que la direction de l'hôtel a fait fabriquer à sa demande, copie parfaite du célèbre bureau de Cambacérès qui se trouve, à quelques centaines de mètres d'ici, au ministère de l'Intérieur, dans le saint des saints. Il esquisse un sourire en se remémorant la tête de ce falot de Laventure à qui il proposait de racheter le meuble prestigieux.

« Vous n'y pensez pas, Excellence, c'est une pièce du mobilier national.

— Et alors? Je vous ferai faire une copie, tellement ressemblante que nul expert ne s'y retrouvera. »

Le brave ministre n'en est pas revenu, lui le fils du fondateur de l'ENA, élevé dans la religion républicaine et dans la fidélité inconditionnelle au grand homme que vénèrent les Arabes, surtout quand il engueule les Juifs.

Cheir marmonne : « Il faudra que je l'invite ici pour lui montrer mon bureau », pendant que ses doigts boudinés courent sur le clavier de son ordinateur, à la recherche de la bio de Kart. Ça y est, sur le petit écran apparaissent la photo de son ancien sbire et une biographie, qu'il relit une énième fois, bien qu'il la connaisse par cœur.

Kart Hoffel, né le 13 janvier 1946 à Dresde, célibataire, sept maîtresses recensées, études au *Gymnasium* d'Apolda, puis à l'École polytechnique de Magdebourg; maîtrise et doctorat à l'Institut d'électroacoustique de Bratislava ; un blanc de cinq années, de 1971 à 1976, et le défilement impavide de l'ordinateur le retrouve officier du MSF, le service d'espionnage est-allemand. Résidences à Prague, sans doute pour remercier les Tchèques de leur hospitalité, puis à Bucarest ; enfin la récompense, Alger, en 1981 et, très vite, un an plus tard, la France.

Cheir se concentre sur le petit écran, qui se fait subitement volubile ; en février 1986, Kart fait défection, à Paris précisément, mais pas dans le camp français, au bénéfice de la CIA dont un officier au nom fort germanique de Hans Meyer semble l'avoir retourné. Apparaît la photo des deux hommes prise à la terrasse du Relais de l'Odéon ; on identifie bien de face le « Prussien », son impressionnante carrure, ses bras musculeux, son visage anguleux. Par contre, on ne peut que deviner le physique de l'Américain, un costaud lui aussi, mais légèrement enveloppé, le cheveu coupé très court, style marine à la retraite.

La bio continue de défiler : départ pour les États-Unis, révélations faites à la centrale de Langley sur ses petits copains dont la liste, impressionnante, permet l'arrestation d'une dizaine d'agents du MSF en Amérique et la confirmation des soupçons pesant sur Rolf Dobbertin, arrêté en France par la DST et condamné.

La chute du mur de Berlin réduit à néant le fond de commerce de Kart Hoffel. L'accès direct aux archives de la Stasi dispense désormais la CIA d'entretenir et de rétribuer des « collaborateurs » aussi inutiles que le « Prussien » ; il est, en quelque sorte, rendu à la vie civile, lui qui ne sait rien faire d'autre que voler, surveiller et, sans doute, assassiner. Alors, puisqu'il lui faut vivre, et si possible bien vivre, puisqu'il ne peut retourner en Allemagne où même le BND ne lui pardonnerait pas d'avoir choisi les Américains, il cherche un employeur. Et le trouve rapidement en la personne du prince Rayad, cousin de l'émir du Qatar. Désormais, le voici conseiller, expert en armement et, surtout, spécialiste des affaires juives. Un Allemand, on ne peut faire mieux pour approcher les Israéliens qui proposent leurs services aux Arabes fortunés, alliés objectifs durant la guerre du Golfe, partenaires discrets depuis lors. La bio s'interrompt en 1995, l'Intifada met fin à la complicité judéo-arabe, cela devient trop dangereux pour les pétromonarchies que menacent Ben Laden et ses « incorruptibles ». Kurt devient inutile, pour la seconde fois, et abandonne définitivement les affaires d'État. Il entre enfin dans le « privé », et c'est Cheir qui le recrute.

Le reste, il le connaît. À quelques nuances près.


## 27


L'inspecteur Magdeleine en a plein le cul, « ras le siau », comme on dit dans sa Normandie natale, de ces virées au Val-fourré, à Mantes-la-Jolie où, certes, nul « keuf » ne vient lui chercher noise depuis qu'il a flingué un « skin » qui voulait se faire un « crouille », mais où le délabrement des immeubles est à l'unisson de celui des cœurs; en plus, il sait bien que ça ne sert à rien, ces patrouilles à la con où sa vieille Clio cabossée gémit de tous les nids-de-poule que la mairie semble entretenir, et où les gamins qui se shootent ouvertement lui proposent du kif à l'œil, en rigolant et parce qu'au fond, ils l'aiment bien.

Tout de même, il a beau être blasé, ce soir, ça sent bizarre; il la renifle à plein nez l'atmosphère des soirées lourdes, embrasées d'incendies de voitures, rythmées d'explosions de cocktail Molotov.

« Il ne va pas faire bon être dehors d'ici une heure ou deux », grommelle-t-il tout haut, appuyant comme par réflexe sur l'accélérateur pour raccourcir la tournée. Il ne croyait pas si bien dire : au coin de l'immense et immonde bâtiment dérisoirement dénommé Manhattan, il aperçoit une bande de casquettes à la retourne, visière dans le dos, qui « conciliabule » sur le trottoir. La discussion est animée, il voit les gestes, il perçoit les gueulantes, il devine la colère. Alors, comme d'habitude dans ce genre de situation, il ralentit, la trouille au ventre, histoire de leur montrer qu'il n'a pas peur, un peu comme on s'interdit de détaler quand on croise un chien hargneux. Avec un peu de chance, d'ailleurs, il peut se trouver un ou deux de ses potes dans la bande, un gamin qu'il aura fait relâcher ou un dur qu'il aura tiré d'un passage à tabac sous les sarcasmes de ses collègues de la FPIP, le syndicat de droite de la police. « Tu les protèges, ces enculés de ratons, ils te la mettront un jour », pronostiquent-ils pour se venger de n'avoir pu cogner.

La Clio cabossée arrive à hauteur du groupe. Les deux « sauvageons » les plus proches, des gosses de quatorze ou quinze ans, se retournent et, illico presto, abandonnent la discussion pour se coller devant le capot ; l'espace d'un instant seulement, car ils sont brutalement écartés par la main ferme d'un ado, au moins une tête de plus, qui arrache plus qu'il n'ouvre la portière côté passager et saute dans la vieille tire.

« Allez, dégage ; faut pas traîner ici », intime-t-il.

Comme un apprenti en train de passer son permis de conduire, Magdeleine enfonce le champignon. La guimbarde bondit tel un taureau s'échappant du toril, laissant sur l'asphalte rugueux un des derniers millimètres de gomme qui préservent les pneus de l'éclatement ; les moteurs Renault ne volent pas leur réputation, ils sont en quelques secondes hors de portée non seulement des hurlements mais surtout des caillasses qui pourraient envoyer la malheureuse carcasse à la ferraille.

Un tantinet rassuré, le vieux flic se tourne vers son passager forcé.

« Eh, Momo, qu'est-ce qu'il y a encore ? Pas un nouveau mort, non ?

— Pile dans le mille, shérif ! Louison s'est fait refroidir.

— Comment ça ? Mais j'ai rien entendu !

— Tu pouvais pas ; c'est à Paris, rue de Rivoli.

— Rue de Rivoli. Mais qu'est-ce qu'il foutait là-bas, ce petit con ?

— Son turbin habituel, la fauche. Il avait repéré un bourge un peu amorti, la cinquantaine qui trimbalait une sacoche qu'il serrait un peu trop fort pour que ça soye – il prononce souaille – pas des biftons, alors il l'a serré et l'a décroché au rasoir.

— Merde ! Et alors ?

— Alors, il a eu beau lui mettre une bonne lame et gicler sur ses patins, le mec a bondi comme un lion et l'a poursuivi ; pas longtemps, puisque je l'attendais comme prévu une rue plus loin pour prendre le relais.

— Et puis ?

— Il a rappliqué à fond la caisse, mais au moment où il me filait la sacoche, une bagnole est arrivée et l'a balancé.

— Tu t'es tiré ?

— J'allais pas attendre. J'ai aperçu le type qui courait derrière, on aurait dit Benazzi, heureusement qu'il a pas pu me mater, alors j'ai fait dans le subtil, j'ai planqué la sacoche et je suis rentré cool.

— Cool, mais ton pote, il est mort !

— Non, il n'est pas mort, mais salement arrangé ; il va avoir du mal à s'en sortir.

— Mais alors pourquoi vous vous énervez comme ça ? C'est jamais qu'un accident, pas un assassinat.

— C'est justement de ça qu'on cause ; mais y en a qui veulent toujours tout casser à la première couille. J'essayais de leur expliquer.

— Tu t'es tiré avec moi, ça va pas t'aider à leur expliquer.

– Pas grave, shérif ! Je m'en tirerai toujours, surtout si je reviens avec le blé.

– Quel blé ?

– Celui de la sacoche, et justement, il faut que tu m'aides.

– Moi ? Mais ça va pas, non ? Je suis flic, mon bonhomme, pas truand.

– Je croyais que t'étais mon pote, c'est tout. »

Un silence, pas bien long. Magdeleine a réfléchi à toute vitesse. La paix dans les banlieues, un bon indic au Val-fourré, ça vaut bien un coup de canif dans les Dix Commandements de la police. Il reprend, l'air détaché :

« Qu'est-ce que tu veux, au juste ?

– Que tu m'emmènes rue de Rivoli, récupérer mon fric, là où je l'ai balancé

– Ton fric, tu charries, non ?

– Alors, tu marches ou pas ?

– Écoute, Momo, je vais rentrer chez moi, et je vais passer par la rue de Rivoli pour aller acheter des cigarettes. »

Le jeune Beur siffle, admiratif et ironique :

« T'habites à deux cents mètres d'ici, et en plus, tu fumes pas ; alors ça va te faire faire un sacré crochet.

– T'occupes pas. »

Magdeleine arrache un nouveau gémissement à la Clio et, sans hésiter, prend la direction de Paris.


## 28


De son unique main, la gauche, Abou Kir fraie un chemin laborieux à sa BMW dans l'enchevêtrement des voitures que les piétons contournent sans se préoccuper des coups de sifflet des flics en tenue bleue. Il est seul, comme à son habitude quand il doit réfléchir, revivant l'ultime parcours de la dépouille d'El Mismari, embarquée dans une camionnette, enveloppée d'un simple linceul.

C'est lui, le Manchot, qui lui a donné cette fin propre, digne de l'agent double ou triple qu'était El Mismari. Formé à la dure école de la plaine de la Bekaa, il s'était reconverti à la cause islamiste, lui l'athée impénitent, « remis à jour » à Peshawar sous la houlette de la CIA. Il avait dès lors fait les quatre cents coups contre les régimes « laïques », ceux de Rifaat El Assad, de Saddam Hussein, et même de Khadafi, ses anciens protecteurs, trahis pour des tas de billets verts.

Il s'était logiquement mis au service du GIA, la tendance salafiste du terrorisme intégriste algérien, et était venu participer à quelques coups à Alger même quand on pouvait encore y assassiner, répugnant manifestement à se taper le bled, les nuits à la fraîche et la bouffe incertaine. La malchance, ç'avait été Aïcha, la petite hôtesse algérienne de Tunis Air qui, sur un vol sans histoire, l'avait repéré et signalé en douce à un ami « bien placé ». Tout cela, El Mismari ne pouvait le prévoir. La chance qui, si souvent, l'avait favorisé, sinon sauvé, était ce jour-là du côté des services algériens, du bon côté.

Une sépulture décente dans le carré des étrangers tombés pour l'Algérie indépendante, c'était le dernier hommage rendu à ce soldat perdu par le colonel algérien, l'honneur rendu, et une sorte de manière de saluer son courage et de le remercier d'avoir finalement, et pour la première fois de sa vie, parlé.

Glissant la masse de sa BM dans le moindre espace libre, le Manchot gamberge. Il a pris la bonne décision, celle de se rendre lui-même à Paris. D'abord par prudence : même s'il est sûr de ses hommes, il l'est encore davantage de lui-même. Et puis, il ne lui déplaît pas de retrouver le pavé de la capitale française, et la nostalgie de si chers souvenirs. Enfin, il sent bien que ce numéro que lui a livré El Mismari avant de mourir doit être de première importance.

Alors c'est décidé, il va, comme à chaque fois qu'il est dans le brouillard, retrouver son vieux copain « Goupil mains rouges », ainsi surnommé en souvenir du bon vieux temps de la villa Susini, autrement dit Willy Maier.

Il ne lui a même pas téléphoné pour lui annoncer son arrivée. Inutile de brancher la NSA et le bureau de l'amiral Thornfield.

Cette fois, « l'avion pour Paris » sera celui de Bruxelles, et encore, il ne prendra pas le courrier d'Air Algérie mais celui de Khalifa Airways, la toute nouvelle compagnie privée, du nom de ce jeune homme qu'on dit fortement soutenu par l'Arabie saoudite et à la tête d'un réseau bancaire important. On ne le connaît pas, sur ces nouveaux avions, alors que chaque commandant de bord d'Air Algérie l'a vu une bonne douzaine de fois. À partir de Bruxelles, Thalys fera l'affaire.

La BMW, qui a fini par déboucher sur l'autoroute, file maintenant vers l'aéroport Houari-Boumediene, glissant sur la voie de gauche comme le leurre d'une course de lévriers, son régal, sa passion, qui le conduit si souvent dans les pays du Golfe où sont organisées les plus belles.

Les barrages franchis au premier coup de phares impératif et au premier coup d'œil à la plaque verte, la voiture défile lentement le long des bâtiments des vols domestiques et se range tout au bout du parking. À peine le Manchot a-t-il entrouvert la portière qu'un ninja, tout de noir vêtu, surgit sans un bruit, sans un mot; le général se saisit de sa mallette, ne répond évidemment pas au salut du muet, et gagne lentement, à grandes enjambées, le bureau sobrement indiqué par un panneau « avions-taxis ».

« Mon général, tout est arrangé comme vous l'avez demandé. Départ dans dix minutes en première. Vous pouvez embarquer quand vous voulez. »

Abou Kir laisse deviner un sourire.

« Merci, Hocine, N'oublie pas de me joindre toutes les douze heures, avec le bip.

— Pas de problème, mon général. »

Le jeune officier tend une enveloppe au Manchot :

« J'ai recompté.

— C'est bien. »

D'un geste de la tête, le patron remercie, glisse l'enveloppe dans la poche intérieure de sa veste comme s'il s'agissait d'une simple lettre de recommandation ; sourcilleux à l'extrême quant à sa réputation d'intégrité, il se fait remettre à chaque voyage « clandestin » le viatique nécessaire, refusant l'usage de la carte de crédit, qui le ferait aisément repérer. Ce n'est pas pour rien que sa trace n'apparaît qu'en de très rares endroits, quand il le veut bien, histoire de ne pas décourager les ordinateurs des services occidentaux.

Et pourtant, il les aime bien, les Amerloques.

### 29

Le portable de Demi lui a presque arraché l'oreille ; pétrifiée, elle voit au bout de la rue une lueur qui déchire la nuit ; l'explosion et la secousse lui parviennent en même temps.

« Barzi ! »

Le hurlement, inhumain, prolonge le grondement de l'explosion. Sans trop savoir comment, elle est sur la chaussée, et l'épouvante qui pourrait la pétrifier, qui pourrait la faire fuir de frayeur, inexplicablement la précipite vers l'immeuble dont quelques hautes flammes, surgies du quatrième étage, commencent à lécher la façade.

Elle ne pense plus, tant d'images éclatent devant ses yeux embués, Barzi, Marion, Barzi surtout. Sans se rendre compte une seconde de l'absurdité de son réflexe, elle court, elle court.

Au pied de l'immeuble, c'est la panique, tout entière meublée de hurlements, de cris, de pleurs.

Une foule hétéroclite se bouscule sur le trottoir dérisoire et lamentable. Déjà deux ou trois corps gisent sur la chaussée, probablement des affolés qui ont sauté par la fenêtre ; Demi fend sans ménagement, à coups de poing rageurs, la masse compacte, et se rue dans l'escalier.

Elle ne sait plus comment elle a pu pénétrer dans l'appartement saccagé de Marion ; la boule de feu a disparu, aspirée par la nuit, pour laisser le spectacle apocalyptique de la gare de Dresde après le bombardement anglais d'avril 1945, ou de Grozny après le passage des Russes. Tout est pulvérisé, et l'insoutenable apparaît dans le faisceau de la lampe de Barzi, avec des morceaux de chair épars, l'un pendant au plafond calciné, un autre, une jambe peut-être, jetée au milieu de la pièce comme le pantalon d'un monsieur trop pressé. Demi n'est plus qu'un hérissement de poils et d'horreur, et c'est machinalement qu'elle tente d'entrer dans le cabinet de toilette ; la porte calcinée est curieusement fermée. Elle la pousse. Peine perdue. Elle force, s'acharne, s'énerve, mais ne gagne pas un centimètre. Elle crie, elle appelle et, miracle, une voix, en écho, lui répond, une voix d'homme, paisible, rassurante, comme détachée de cette vision.

Elle se retourne : l'homme est sur le pas de ce qui fut la porte d'entrée. C'est un pompier.

« Ici », dit-elle simplement.

Il a compris, et les voici tous deux arc-boutés, s'efforçant de gagner le maigre espace qui leur permettrait d'entrer.

« Putain ! » lâche-t-il simplement, raidi dans l'effort.

« Ça vient », corrige-t-il presque aussitôt, pour un dernier coup de reins.

La fente ne permet qu'à Demi, évidemment la plus

mince, de se glisser dans la petite pièce carrelée, qui semble n'avoir pas trop souffert du cataclysme voisin.

Et c'est le miracle, enfin presque ; dans la baignoire, une drôle de boule, chiffonnée comme du linge sale, mais qui bouge, mais qui geint doucement.

Barzi ! c'est Barzi vivant, comment, elle s'en fout, mais vivant.

Le cœur battant, Demi se penche sur le petit bonhomme, manifestement mal en point, le soulève à grand-peine et l'entend gargouiller un borborygme incompréhensible d'où ne ressortent que deux mots audibles, « pas Marion », avant de sombrer dans l'inconscience. Deux rigoles de sang coulent des oreilles, aucune autre trace visible, même pas de brûlure. D'un coup, Demi recouvre sa lucidité et regarde autour d'elle.

Elle voit alors ce qui obstruait l'entrée ; le chauffe-eau placé au-dessus de la porte s'est décroché et, en tombant debout, a calé le battant, opposant ainsi un pare-feu suffisant à l'énorme masse de chaleur. La chute de Barzi dans la baignoire a fait le reste. Du coup, Demi est prise d'une trouille immense, réalisant enfin les ennuis auxquels elle vient peut-être d'échapper. Le jeune pompier l'a rejointe et confirme au premier coup d'œil que l'état de Barzi n'est pas inquiétant ; du pouce, il relève la paupière de l'inspecteur, hoche la tête, et, se baissant au niveau de la baignoire, le prend dans ses bras comme il l'eût fait d'un petit enfant.

Demi, impressionnée, regarde ce beau garçon auquel son heaume brillant, visière relevée, fait la tête de Du Guesclin. Elle n'ose imaginer le torse musclé, la ceinture abdominale plate, les fessiers bien durs de l'être pataud dont la lourde combinaison et les bottes ralentissent les mouvements. Tout entière à son inquiétude pour Barzi, elle suit le pompier dans sa descente précautionneuse. Du mieux qu'elle peut, elle guide ses pas du mince rayon de sa lampe, marche après marche.

Ils sont enfin sur le trottoir. Demi aperçoit l'ambulance et tire gentiment la manche du sauveur.

« À la clinique des gardiens de la paix », glisse-t-elle aussi doucement que possible.

Le casque se baisse et se relève, signe d'assentiment. Elle monte alors dans le véhicule rouge qui, déjà, fonce vers l'est de Paris.

Ce n'est que le lendemain matin que lui revient la haute stature de son héros ; elle est revenue à la quiétude de son bureau, Barzi a été isolé, à sa demande, pour une indispensable mise en observation et une non moins utile mise à l'écart. Libérée de l'urgence, Demi peut laisser vagabonder ses pensées et fantasmer tout à loisir sur le corps d'athlète dont elle aimerait juger de la perfection.

Elle a trouvé l'histoire qui justifie l'hospitalisation de Barzi à la clinique des gardiens de la paix : c'est en aidant un copain à réparer son chauffe-eau que le brave officier de police a été sérieusement brûlé. Comme tous les flics travaillent au noir, cela n'étonnera personne et, surtout, cela dissuadera qui que ce soit d'en demander davantage.

Ce point, qui n'est pas de détail, réglé, il reste à neutraliser les braves pompiers.

Elle compose le numéro de la caserne de la rue des Entrepreneurs. Froidement, elle demande le colonel, décline son identité et entend, au bout de quelques secondes, une voix mâle et déterminée :

« À qui ai-je l'honneur ? »

C'est la formule rituelle de civilité militaire.

« Au commissaire principal Virginie Griffon, colonel. Tout simplement, je voulais vous remercier de votre intervention rue Émile-Zola ; vous avez sauvé un de mes hommes.

— C'était à quelle heure, commissaire ?

— Vers 23 heures, je crois.

— Effectivement, le commandant en second m'en a parlé, une explosion au gaz, n'est-ce pas?

— C'est cela, colonel. Selon vous, est-ce accidentel?

— Affirmatif. C'est le genre de pépin qui se reproduira aussi longtemps qu'on se chauffera avec ce foutu combustible.

— En dehors de mon inspecteur, y a-t-il eu des victimes?

— Affirmatif. Une personne qui se trouvait dans la chambre a été pulvérisée, une horreur, commissaire, mais vous avez dû vous en rendre compte, puisque vous y étiez. Je feuillette le rapport tout en vous parlant.

— Colonel, puis-je vous demander une faveur?

— Faites.

— Pourrais-je prendre connaissance du rapport? Officieusement, bien sûr?

— Je vais faire mieux, commissaire. Je le mets sous le coude pour aujourd'hui. Comme ça, si vous souhaitez rectifier ou préciser un point ou deux, nous en discuterons.

— C'est vraiment très sympa, pardon, très gentil à vous, colonel?

— Fouchard, colonel Fouchard.

— Colonel, puis-je abuser?

— Pourquoi pas?

— Je voudrais retrouver le pompier qui a sauvé mon inspecteur. Savez-vous qui c'est?

— Son nom figure dans le rapport. Mais ce n'est pas un pompier, c'est un lieutenant, le lieutenant Deléglise.

— Merci, colonel, je passerai dans l'après-midi. »

Auparavant, elle a un autre coup de fil à donner. Au lieutenant Deléglise, précisément.

## 30

La Clio s'immobilise sur la voie réservée aux bus. À cette heure avancée de la nuit, rien à craindre. Momo a indiqué l'endroit précis à Magdeleine, qui obtempère sans mot dire. Avec la souplesse de son âge et l'entraînement de son emploi – vol à la tire –, le jeune Beur commence l'escalade d'une façade de magasin, pas bien haut, juste pour rattraper un porte-documents fiché entre l'auvent replié de la boutique de souvenirs d'à côté et le mur. Il se laisse tomber silencieusement sur le sol et rejoint en deux foulées la guimbarde qui démarre en direction de la place de la Concorde.

« Drôle de cachette, mon vieux Momo. Si le proprio avait ouvert son auvent, ta sacoche tombait par terre.

– T'oublies un détail, shérif ; c'est que ce type ferme le vendredi, et on est vendredi. Simplement, j'avais jusqu'à demain pour récupérer le magot.

– On dit merci à qui ? »

Momo n'a pas le temps de répondre, une Laguna sombre vient de leur couper la route, les forçant à s'immobiliser à hauteur de l'état-major de la Marine. Avec l'air assuré des flics de haut vol, deux types descendent et, sans se presser, viennent se placer de part et d'autre du véhicule.

Magdeleine a compris et baisse sa vitre : ce sont des collègues. Gouailleur, il lance à son passager, suffisamment fort pour être entendu :

« Tu vois, Momo, nos collègues de la PP sont mieux lotis que nous ; belle bagnole, dégaine très classe, c'est autre chose que les "cops de la suburb". »

Sans paraître avoir entendu, le flic qui s'est arrêté devant l'inspecteur lance d'un ton sec :

« Papiers.

– Je suis de la Maison », commente l'inspecteur en produisant la carte blanche barrée de tricolore.

Manifestement, l'autre ne se sent pas flatté outre mesure d'appartenir à la même corporation que ce drôle de type qu'il toise de haut en bas. Il fait comme s'il s'en fichait complètement.

« Qu'est-ce que vous faisiez devant ce magasin ? »

Magdeleine éjecte un ricanement.

« Mon jeune ami venait récupérer ce qui lui appartient.

— C'est-à-dire ?

— Ça. »

Et le vieux roublard montre la sacoche que Momo tient sur ses genoux. Il sait qu'ils ont été vus et qu'il ne servirait à rien de raconter des salades.

L'autre se fait sarcastique :

« On peut savoir pourquoi le porte-documents de monsieur — il appuie sur le mot — se trouvait caché sur un auvent de magasin ? »

Magdeleine n'a pas le temps de répondre. Momo réplique aussitôt, respectueux à souhait :

« C'est très simple, monsieur l'officier, en chahutant dans l'après-midi avec des copains, y en a un qui a lancé ma sacoche en l'air, et elle est retombée sur la bâche de ce commerce.

— Alors pourquoi vous ne l'avez pas récupérée tout de suite ?

— Monsieur l'officier, imaginez la scène : avec la tête que j'ai, avec mes copains tous basanés, vous voyez le tableau. Rue de Rivoli en plein après-midi, on était bons pour se faire arrêter. Alors j'ai préféré demander au chef de la police de notre quartier de m'accompagner pour récupérer ma sacoche.

— Attendez un peu, pourquoi venez-vous en pleine nuit ? »

C'est Magdeleine qui reprend les choses en mains. Posément, il énonce ;

« Parce qu'il a fallu que j'attende la fin de mon service.

— On peut la voir, cette sacoche ? »

87

« Là, se dit l'inspecteur, je suis franchement mal. Mais le moyen de faire autrement ? »

Négligemment, il balance : « Bien sûr », et il prend la sacoche des mains de Momo et la tend à son interlocuteur.

« Tenez, vérifiez », pensant que cette ultime provocation va dissuader le flic de l'ouvrir. Manque de chance, le grincheux n'est pas de cette trempe ; il prend la sacoche, la regarde et siffle, faussement admiratif :

« Eh bé, t'as les moyens, mon grand. Un bel objet comme ça, ça vaut plus de mille balles. Voyons voir. »

La serrure, peu compréhensive, résiste. Le policier demande à Momo :

« T'as les clés ?

— Oui, mais pas sur moi.

— Ça va vous compliquer les choses. »

Désinvolte, Magdeleine a balancé son avertissement, histoire de montrer qu'il n'est pas du genre à se laisser bluffer. Un rien décontenancé, l'autre réfléchit à toute vitesse et, s'avisant brusquement qu'ils sont vraiment entre flics, se décide enfin à tutoyer le banlieusard :

« Je rigolais ? Tu es, bien entendu, sûr de ton type ?

— À cent pour cent. »

S'efforçant d'être magnanime, le Parisien rend la serviette à Magdeleine et lui lance :

« Bah, on a tous nos bonnes œuvres ! »

La Clio repart enfin, les deux compères soulagés de s'en tirer sans accroc, mais ruminant chacun pour soi arrière-pensées et certitudes. Pour Momo, c'est clair, Magdeleine vient de lui rendre un immense service en le tirant en douceur d'un vilain pas. Il saura le remercier et ne tolérera plus que quiconque, dans la cité, lui manque de respect. Par contre, il aimerait bien savoir ce qu'il y a vraiment dans la sacoche. Du fric, sûrement, mais combien ? Pour Magdeleine, c'est plus simple, il l'a échappé belle et il veut, vite fait, se débarrasser de son passager et de son encombrant butin. Aussi est-ce avec ahurissement qu'il entend le jeune Beur lui annoncer ;

« Shérif, j'aimerais te prouver que j'ai confiance en toi. »

Joignant l'acte à la parole, il plonge la main dans la poche de son pantalon.

Le voici poinçon en main, pour charcuter le petit mécanisme qui ne résiste pas bien longtemps. Magdeleine poursuit sa route, l'œil gauche dans la trouée des phares, le droit de côté pour surveiller le manège de Momo.

« Merde ! lance le jeune garçon.

« Qu'est-ce qu'il y a, Momo ? Trop de fric ou pas assez ?

— Walou, shérif, que des papiers, des dossiers, des trucs de chiotte ! »

Sans s'affoler, et même soulagé d'apprendre qu'il ne s'est pas fait complice d'un vol, l'inspecteur range sa voiture sous un réverbère, le long du trottoir, avenue Foch. Dans le va-et-vient furtif des travelos, leur tête-à-tête ne peut que passer pour naturel. D'autorité, il s'empare de la serviette béante :

« Montre-moi ça. »

Un moment de silence, durant lequel il s'applique à compulser les chemises qu'il sort une à une. Il relève enfin la tête :

« Je ne sais pas exactement ce que tout ça représente, mais il va falloir que tu la boucles, Momo. Sinon, tu vas avoir des ennuis. Y a là-dedans de quoi intéresser beaucoup de monde.

— Ce qui veut dire ?

— Que tu me laisses ta sacoche, et que tu oublies tout ce qui vient de se passer.

— Tout ?

— Tout. Peut-être bien qu'un jour, d'ailleurs, quelqu'un te dira merci.

— C'est moi qui te dis merci, shérif »

Jamais Momo n'a été aussi sentimental.

## 31

Clapier a pris sa trogne des jours habituels. La casquette sur le nez, mais une belle, achetée à Londres, le trench-coat ample dissimulant sa silhouette empâtée, il cultive soigneusement son look de lord anglais flegmatique et distant.

Rien ne l'agace davantage que ce patronyme qui prête à sourire, lui si coincé, content de lui, suscitant chez ses subordonnés bien plus de crainte que d'envie de rigoler.

Comme chaque lundi, il va se payer un bon gueuleton chez Lasserre, tout à côté ; c'est sa revanche d'ancien ingénieur général que de faire sa cantine, même hebdomadaire, de l'une des meilleures tables de Paris, pour oublier les mess et les popotes dont ses séjours à Brest, à Toulon, à Papeete se sont « enrichis ». Le pas long du bon marcheur qu'il est, il remonte la contre-allée la tête pleine de ses patrouilleurs rapides, dont il rêve de peupler toutes les mers du monde, et dont il est si fier depuis que les Israéliens les ont brillamment promus.

« Monsieur l'ingénieur général ? »

Le ton est très civil, à la limite de la servilité, et Clapier ne marque aucune surprise, puisque l'homme qui l'interpelle aussi respectueusement ne peut être qu'un de ces journalistes qui savent sa compétence et son passé.

Le patron des Chantiers navals du Cotentin s'arrête, sans quitter cet air renfrogné et préoccupé qui va tout à fait avec le standing d'un grand patron.

L'autre s'est approché, banal et inconsistant avec son costume de confection gris anthracite et ses chaussures à 300 francs.

« Ce n'est pas un journaliste », se dit Clapier.

« Pardonnez-moi de vous aborder ainsi, dans la rue, mais pour des raisons que je vous exposerai, j'aimerais vous parler.

– Désolé, monsieur, mais je suis attendu. »

En réalité, il va déjeuner seul, mais ces tête-à-tête avec la carte somptueuse du restaurant sont un secret qu'il préserve jalousement.

« Bien entendu, monsieur l'ingénieur général, je n'avais pas le moins du monde l'intention de vous parler ainsi, sur un trottoir, mais seulement de vous demander un rendez-vous. Discret. »

Ce dernier mot est lâché comme par inadvertance. Clapier, en fine mouche, comprend la nuance et comme un soupçon de menace. Il biaise aussitôt.

« Appelez ma secrétaire, monsieur ?

– Mon nom ne vous dira rien. Disons que c'est de la part de M. Cheir.

– Cheir ? »

Le nom ne lui est pas inconnu. Ce type est un trafiquant d'armes, répertorié sur toutes les places où se vendent des matériels interdits à l'exportation ; sans scrupule pour certains, il est, pour d'autres, un homme de parole, respectueux de ses engagements jusque dans le châtiment des mauvais payeurs. Ses méthodes sont expéditives, mais sa fiabilité absolue. Jamais il ne s'est livré à la moindre entourloupe, jamais il n'a roulé qui que ce soit. Ainsi, quand il ne peut honorer une commande, il rembourse. C'est, dans ce milieu des marchands d'armes, un motif de respect. Cheir est aussi et surtout un homme riche. Sa fortune est colossale, au point qu'on la dit comparable à celle de Bill Gates, mais il ne s'en vante pas, ne possède ni hôtel particulier ni résidence à Marbella ou en Floride, encore moins de yacht. Il court d'hôtel en hôtel, certes dans les plus belles suites, mais c'est son seul luxe. Aucune photo de lui ne circule dans les agences de presse. Les fêtards les plus branchés ignorent s'il est grand ou petit, jeune ou vieux, athlétique ou bossu. Pas de *Point de vue – Images du monde*, pas de *Gala*, pas de Stéphane Bern.

Comme tous les fonctionnaires enrichis sur le

tard, Clapier respecte l'argent et les riches. Comme tous les petits industriels de l'armement, il admire secrètement ses commanditaires, ces intermédiaires incontournables qui lui ouvrent les antichambres ou les arrière-cuisines des vrais acheteurs, les États. Il ne peut qu'être sensible à l'invitation de Cheir.

« Cheir ? »

Il répète machinalement, réfléchit un court instant et reprend :

« Je ne connais pas M. Cheir, mais je ne suis pas du tout hostile à l'idée de le rencontrer. »

Il se rengorge.

« Qu'il m'appelle lui-même – il insiste sur le "lui-même" – à ce numéro. »

Tirant de sa pochette un bristol gravé, il griffonne quelques chiffres, tend le carton à l'homme qui est resté planté dans une attitude respectueuse et ajoute, pour faire l'important.

« Disons entre 20 heures et 20 h 30, aujourd'hui même. Au revoir, monsieur. »

Ils ne se sont même pas serré la main. Clapier n'est décidément pas n'importe qui. Il va maintenant se boire tranquillement son grand cru classé de saint-émilion en dégustant une des somptueuses spécialités du grand restaurant de l'avenue Franklin-D.-Roosevelt. Secrètement, il se sent flatté que Cheir s'intéresse à lui.


## *31* bis


La journée n'est pas finie pour l'industriel. Il vient à peine de s'abandonner à une bonne sieste dans un de ses « clubs » de cuir fauve que la sonnerie du téléphone le fait bondir. Il est obligé de se lever pour répondre, décroche, et, sans attendre le commencement du début d'une explication, retrouve son vocabulaire de corps de garde :

« Vous m'emmerdez, Françoise, je vous ai dit cent fois que je ne voulais être dérangé par personne. Sauf par Chibroque. Alors, c'est Chibroque ? lance-t-il sans un soupçon d'humour.

– Non, monsieur le président, ce n'est pas Chibroque, mais je crois que c'est un peu pareil, c'est Willy Maier. Et il insiste ! »

Willy Maier ! Clapier comme Françoise savent ce qu'il représente pour le couple surpris au quatrième sous-sol du parking de l'avenue Hoche en pleine démonstration de rut animal, lui allongé sur le dos sur les coussins de sa Mercedes, elle le chevauchant telle une Walkyrie, sa maigre poitrine ballottant comme une paire de chaussettes secouée au vent d'automne. Willy les avait sauvés du scandale en avertissant le « privé » qui les avait photographiés qu'il aurait de graves ennuis dans le cas où il aurait l'idée de...

Le commissaire se foutait complètement des histoires de cul, ça ne l'amusait pas et ça ne le faisait pas fantasmer. Mais il s'était fait paradoxalement une spécialité de se ménager de précieuses introductions en menant la guerre à la douzaine de photographes qui, eux, en tiraient grand profit. Il n'avait rien à demander à Clapier, rien, et il s'était fait un plaisir, pas maladroit du tout, de « rendre service » comme ça, pour la beauté du geste.

Le patron des CNC lui en savait gré. Françoise le savait, elle qui avait pu poursuivre sans encombre son double parcours de secrétaire et de maîtresse.

« Je le prends. »

Au bout du fil, la voix de Willy est calme et posée.

« Pardonnez-moi, Raymond, de vous importuner en début d'après-midi. »

« Le salopard, songe Clapier, il sait que je fais la sieste et il m'emmerde quand même. » Comme s'il devinait, l'autre poursuit :

93

« Mais il fallait que je vous demande un service urgent.

— Willy, c'est un service rendu d'avance.

— Je n'en doutais pas, mais je me demande si vous et moi n'allons pas avoir bientôt des choses intéressantes à nous dire ; je ne vous en dis pas plus. (Manifestement, il se méfie d'oreilles indiscrètes.) Toutefois, gardez-moi au chaud tout ce que vous pourriez avoir sur mon protégé ».

Cela, ils sont seuls à le savoir. C'est Willy qui a présenté le gendre de son ami Alexandre à Clapier ; ils se sont alors mutuellement rendu service, tant Jean-Louis de Tavernon s'est révélé un collaborateur hors pair, inventif et disponible. L'ingénieur général comprend le message de Willy et, sans paraître y attacher plus d'importance qu'à une annonce matrimoniale, il lui propose :

« Ça fait longtemps que Thérèse me tarabuste, et j'ai justement une soirée qui vient de se libérer. Seriez-vous libre pour un dîner à quatre, demain soir ?

— Mes obligations mondaines n'étant pas à la mesure des vôtres, c'est d'accord. Mathilde et moi serons ravis de vous revoir. »

Ils sont aussi songeurs l'un que l'autre quand ils raccrochent.


## 32


La violence de la gifle lui fait jaillir des larmes des yeux, la tête brutalement éjectée sur la gauche. Elle se redresse pourtant et lance crânement à la brute : « *Again, again !* »

L'autre la fixe d'un regard inexpressif, hausse les épaules, lui tourne le dos et sort de la geôle. Il sait que dans quelques secondes il entendra le bruit de la chasse d'eau, puisque depuis huit jours Marion jette ses repas dans les toilettes.

Il s'en fout bien, d'ailleurs. C'est son affaire à elle, si elle a décidé d'en finir comme ça.

Dès le premier jour, puis à trois ou quatre reprises, il s'en est ouvert à son chef, vaguement inquiet tout de même. Celui-ci l'a vite rassuré :

« Tu lui portes tout de même à manger. Ce n'est pas à nous de juger ce qui est bien ou pas. On nous demande de la nourrir, on le fait. »

La sentence est tombée, comme tombent les jours et les repas qu'à présent Marion dévore en cachette, assurée de n'être pas vue, comme si le ronflement de la chasse d'eau les rassurait tous, là-haut. Sa fausse grève de la faim la conduit à se traîner de plus en plus ostensiblement, à simuler abattement et malaises. Et à endormir la vigilance du gros porc qui lui sert de geôlier. Cet imbécile n'a rien trouvé de mieux pour vérifier son état que de lui balancer chaque jour une tarte monumentale, qu'elle encaisse de plus en plus mal.

Elle sait pourtant que le temps ne joue plus pour elle, depuis que – c'était le surlendemain de son enlèvement – la brute, c'était hier ou avant-hier, lui a laissé à côté de son repas une coupure de presse collée sur une feuille de papier blanc, sans mention de date, titrée « La fin explosive d'une demi-mondaine ». L'humour macabre du journaliste se confirmait dans le corps de l'article, qui relatait qu'un appartement de l'avenue Émile-Zola avait été pulvérisé par une explosion due au gaz et qu'on n'avait retrouvé de son occupante que des restes impossibles à identifier. Le fin journaliste concluait sans grande délicatesse que « la malheureuse, que ses "amis" ne connaissaient que sous le nom de Marion, avait mis en appétit bien des hommes politiques ou des chefs d'entreprises ; elle leur aura servi, en guise d'adieu, un hachis Parmentier ».

Marion avait alors compris qu'on avait organisé et mis en scène sa mort pour la tenir en toute sécurité pendant quelques jours, ou quelques semaines, mais qu'ensuite ses chances de survie étaient quasi nulles. « Ensuite », c'étaient les renseignements qu'on voulait lui extirper, plutôt de force que de bon gré, mais sans l'avoir encore réellement brutalisée. On ne l'interrogeait plus depuis que le pète-sec qui dirigeait la bande, une sorte d'Himmler, lui avait signifié :

« Tu parleras, comme les autres. Simplement, ce sera peut-être plus long. Alors dis-toi que j'ai tout mon temps, mais que je connais le résultat. »

Elle avait eu beau protester, jurer qu'elle ne savait rien de Jean-Louis de Tavernon, elle n'avait en rien convaincu ni même ébranlé les certitudes du type auquel, sans trop savoir pourquoi, elle avait spontanément attribué des origines est-allemandes. Manifestement, il savait beaucoup de choses, trop, même, sur la relation pourtant très discrète de l'ingénieur des CNC et de la dame de petite vertu, ce qui aurait pu laisser supposer qu'il était flic, si ses manières avaient été moins distantes, à la limite de la distinction. Non, décidément, il ne collait avec l'image d'aucun de ces types qu'elle avait connus et honorés de son accueillante étreinte. Ce qui finalement rendait tout possible. Et inquiétant.

Marion ne veut rien laisser au hasard. Elle doit absolument endormir la méfiance de ses ravisseurs, et d'abord celle du pithécanthrope qui lui sert sa bouffe. Alors elle vacille de plus en plus sous les beignes qu'il lui assène, et qu'elle espère bien lui faire payer.

En attendant le jour qui lui paraîtra propice, ou simplement l'instant d'inattention que lui offrira le balèze, elle fourbit ses armes. Cela a le mérite de l'occuper et de lui tenir le moral. Comme elle ignore où elle se trouve et qu'elle a perdu la notion du temps, elle se confectionne la petite panoplie du candidat à l'évasion.

C'est d'abord ce qu'elle appelle son poing américain, une chaussette qu'elle a garnie de miettes de béton ramassées par terre, d'un bout de verre trouvé miraculeusement et de morceaux de métal rouillé arrachés à son lit. Quand elle l'enroule autour de sa petite main, elle songe qu'elle va avoir très mal quand elle s'en servira, « mais moins que le gros porc là où je la lui collerai ».

C'est ensuite son « passe-partout », une sorte de crochet qu'elle a réussi à façonner en tordant, millimètre après millimètre, une petite tige prélevée dans le lavabo. Du coup, celui-ci ne se bouche plus, mais elle fait avec.

Ce sont enfin ses chaussures, qu'elle a transformées pour la course en arrachant les talons et en les emmaillotant de son collant pour qu'elles tiennent bien aux pieds. Elle se les gèle un peu, mais quand il lui faudra agir, elle sait que tout dépendra de sa vitesse.

L'ennui, c'est qu'elle ne sait pas du tout où elle est. L'ampoule qui pend au bout d'un fil électrique accroché à une sorte de potence ne s'éclaire que de temps à autre. Quand ils le veulent bien. La porte est celle d'une vraie prison, mais les cellules de prisonniers qu'elle a vues au cinéma ne sont pas aussi sinistres, aussi sombres.

C'est en remâchant tout cela qu'elle s'astreint à une gymnastique d'entretien, dans le noir, quand elle n'est plus surveillée ; elle parvient ainsi à conserver une forme presque acceptable et surtout à sauvegarder ce qui lui reste de moral et de raison. La sensation d'encore disposer d'un corps à peu près en état de marche la stimule.

Il faut qu'elle sorte d'ici, à tout prix. Pour elle, et peut-être pour d'autres.

## 33

« Enfin !

— C'est bien vous qui m'avez dit que le temps appartient à ceux qui ne le comptent pas ? »

Cheir esquisse une grimace en guise de bienvenue :

« Vous avez une bonne mémoire, mon cher Tom, et je constate avec joie que vous vous laissez gagner par la philosophie orientale.

— Il le faut bien, surtout quand il faut recevoir de mauvaises nouvelles.

— Inch Allah ! Vous voulez sans doute parler de la disparition de ce malheureux El Mismari ? Si cela se confirme, c'est effectivement très embêtant.

— Très embêtant ? Catastrophique, oui !

— N'allons pas trop vite, Tom. Tout indique effectivement qu'il s'est fait cueillir par les services algériens. Reste à savoir s'ils ont agi tout seuls ou s'ils ont été renseignés.

— Par qui ? »

La question faussement naïve de l'Américain arrache un sourire à Cheir :

« Les Français ne sont pas si mauvais. Surtout quand les Israéliens les rancardent.

— Mais quel intérêt ont-ils ?

— Ce sont de grands sentimentaux, nos Frenchies. Qui n'ont pas envie que tout le Maghreb leur saute à la gueule. Quant à vos petits protégés de Jérusalem, ils ne sont pas pressés d'aider les islamistes que vous avez si bien formés. »

Tom Smith ne répond pas. Et pour cause. Il sait qu'en douce le Mossad et même le Shin Beth filent un sacré coup de main à la Sécurité militaire algérienne. Et que la CIA ferme les yeux, pour le cas où…

Cheir reprend :

« J'ai un homme à moi à la villa d'Hydra. J'espère

pouvoir le contacter dans les prochains jours, mais la moindre imprudence le grillerait. »

Tom sourit, pour la première fois depuis le début de l'entretien ;

« Venant de vous, plus rien ne m'étonne, mon ami. »

C'est au tour de ce dernier de sourire du bout des lèvres, sans que Tom puisse savoir si le compliment l'a touché ou si c'est le mot « ami » qui amuse ainsi l'Arabe. Se sentant encouragé, et comme par défi, l'Américain reprend :

« Dites-moi seulement quels sont les services dans lesquels vous n'avez pas un informateur ?

— Le vôtre, Tom, seulement le vôtre. »

Il marque un temps, puis :

« Si j'oublie de vous compter, bien entendu. »

L'Américain feint de n'avoir pas entendu.

« Mettons les choses au pire. Que peut-il se passer si El Mismari est reconnu ? Est-ce que les Algériens peuvent remonter jusqu'à nous ?

— Jusqu'à vous, aucun risque. Jusqu'à moi non plus, d'ailleurs. Le circuit est coupé bien au-dessous. Mais je n'ai aucune raison de penser que, même reconnu, même torturé, et ils sont très professionnels, les bons élèves du KGB, El Mismari cracherait le morceau. De toute façon, j'ai pris mes précautions. »

Les yeux de l'Arabe brillent d'une telle intensité que Tom de nouveau détourne le regard, et change de sujet :

« Nous avons fait notre part avec la fille.

— Oui, mais qu'aviez-vous besoins de liquider le type ?

— Nous avons pensé que c'était un détour indispensable. Tavernon était trop impliqué et nous ne pouvions absolument pas l'enlever et "l'interroger" ; c'était beaucoup trop dangereux. Tandis qu'avec la fille, ça ne pose aucun problème. Et maintenant qu'elle est officiellement morte, nous avons le temps.

— Pas trop tout de même.

– C'est vrai, mais vous savez, une femme ne résiste pas à tout, et nous allons la transférer.

– Vous êtes sûr qu'elle parlera ?

– Absolument.

– Mais pourquoi pensez-vous si fermement qu'elle sait, au sujet des codes ?

– Moi aussi, j'ai mes sources. Tout aussi fiables que les vôtres.

– Je ne vous demande rien. »

La réponse tombe, sèche, un rien méprisante. Comme pour ajouter au malaise qu'il lit dans les yeux du géant blond, le petit noiraud ajoute :

« Ça n'a d'ailleurs aucune importance, puisque notre marché est le premier et le dernier. »

Cette fois, c'est dit. Tom devrait pourtant savoir que le Saoudien ne traite jamais deux fois avec le même partenaire. Comme pour signifier à son visiteur que l'entretien est terminé, il durcit son regard. Veut-il ainsi dire sa méfiance, donner un avertissement ou se replier sur lui-même ?

La confiance, pour Cheir, cela n'existe pas, sauf pour son faucon préféré, son seul véritable ami, son compagnon de chasse dans l'immense désert saoudien. Il s'en est souvent entretenu avec son cousin Ben Laden : il faut toujours penser qu'on sera trahi un jour. Alors, il ne néglige rien pour retarder l'échéance, ne se confie à personne, change constamment de résidence, ne fréquente que les palaces, ne déjeune jamais au restaurant, n'emprunte jamais un avion de ligne. Il donne ses instructions au dernier moment, n'a pas d'agenda. Et surtout, il tait soigneusement ses succès et ses échecs.

Ainsi, il s'est bien gardé de raconter à Tom la mésaventure survenue à ce connard de Kart. Inutile d'affoler l'Américain, encore moins de déclencher une opération de recherche de la précieuse mallette. D'autant qu'il pense savoir comment récupérer un double de son contenu. Le tout est d'aller vite, maintenant. Il faut donc que la fille parle.

## 34

Comme tous les « anciens », Willy a soigneusement conservé une poignée d'amitiés ; « Les doigts de ma main gauche suffisent, répète-t-il à l'envi, et je garde la droite pour tenir la rampe. » De tous ces indéfectibles, Nourredine Abdelrazak, alias Abou Kir, alias le Manchot, est l'un des plus chers à son cœur. Ils sont deux frères, qui ne partagent pas seulement des souvenirs, mais aussi et surtout une même idée des relations entre l'Algérie et la France ; sans doute parce qu'ils ont appartenu, durant la guerre d'indépendance, aux deux camps ennemis, et qu'ils ont nourri, chacun à sa façon, une belle estime pour celui d'en face. Et si le surnom de « Goupil mains rouges » que lui ont donné les felouzes atteste du professionnalisme de Willy, celui de « Seigneur de la guerre » dont les paras à longue visière ont gratifié Abou Kir n'est pas du tout immérité.

Il est dit que ce lundi sera le jour des retrouvailles. Il n'a pas raccroché depuis dix minutes après son appel à Clapier que son portable lui sort la ritournelle de « Vive le vent » que sont petit-fils a choisie un jour et qu'il n'a pas eu le cœur de changer. Cela fait un peu drôle, et il s'en amuse quand il lit quelque interrogation dans les yeux d'un interlocuteur. Cette fois, c'est une voix de femme :

« Allô, Willy, c'est Samia.

— Samia ! Quelle bonne surprise. Comment vas-tu ?

— Ça va. J'espère que pour toi aussi, ça va.

— Bien sûr, Samia, ça va pour moi aussi. »

Willy sait qu'il ne faut pas chercher à échapper à ces civilités, que Samia, qui ne l'appelle jamais pour rien, n'en viendra au but avant d'avoir échangé les salutations rituelles. Poliment, il attend qu'elle en arrive à l'essentiel. Quelques phrases plus loin consacrées à la famille et aux amis, elle se décide enfin :

« Willy, j'ai pensé que tu pourrais venir me voir.

« – Tu as eu raison. Dis-moi où et quand.

– Aujourd'hui même, à la maison. Viens dîner. »

Cette fois, Willy a compris. Abou Kir est à Paris et veut le voir d'urgence. C'est le système très simple qu'ils ont imaginé pour assurer la discrétion de certains des séjours parisiens du colonel. Il va chez son amie Samia, et celle-ci demande à Willy de passer la voir. C'est alors l'occasion pour l'ancien flic de retrouver ses vieilles ficelles de contre-filature. Cette prudence, il la doit bien à son ami qui, lui, est toujours en activité, peut-être menacé, sûrement surveillé.

Willy prend son attaché-case, dont nul ne sait ce qu'il contient, endosse sa houppelande verdâtre de hobereau prussien, coiffe le petit chapeau à plume qu'il affectionne et sort. Il sait que rien n'est plus difficile que de pister un piéton. Comme il a l'œil, mine de rien, dans les couloirs du métro, il a tôt fait de repérer les types qui pourraient éventuellement le suivre et de les soumettre à quelques épreuves initiatiques qui leur font lâcher leur proie.

Ainsi, il commence toujours par aller jusqu'au terminus, histoire de repérer les voyageurs qui y descendent, puis en repart en sens inverse jusqu'à ce qu'il croise la ligne n° 1, Vincennes – La Défense, qui figure toujours dans ses contre-filatures parce que la rame, d'un seul tenant, lui permet de circuler en repérant d'éventuels suiveurs. À l'inverse de la chasse, la filature désavantage le « filocheur », qui ne peut se faire repérer et doit lâcher au moindre risque. Pour avoir, dans ses jeunes années, collé au train de pas mal de pros du renseignement, Willy le sait. Devenu gibier potentiel, il en use et, peut-être même, en abuse. Surtout dans le métro ou le bus, dont il est devenu un virtuose.

Deux fois seulement, mais deux fois tout de même, il a su qu'il était filé. Il était alors en activité, et avait rapidement fait identifier ses suiveurs. La première fois, curieusement, il s'agissait d'un privé que deux flics du service s'étaient chargés de « serrer » : le type, un certain Lenoir, travaillait pour un service étranger ; la seconde fois, plus classiquement, c'était un « Proche-Oriental » auquel Willy avait gentiment fait visiter Paris avant de le larguer rue des Rosiers. Histoire de lui apprendre à vivre.

Maier, pour se désennuyer de ses longs parcours, s'est inventé un jeu. À chacun de ses rendez-vous crapuleux, il choisit dans le lot des voyageurs qui montent avec lui un type dont il imagine qu'il le file. Dès lors, il fait « comme si » et s'amuse de ces victoires faciles, puisque « l'adversaire » ignore son rôle. Aujourd'hui, il a jeté son dévolu sur un homme jeune, la trentaine apparente, qui monte avec lui à Cambronne et, joie profonde, change comme lui à Denfert-Rochereau. Il le surveille du coin de l'œil et, comme toujours, ne descend pas de son wagon, apparemment plongé dans la lecture du *Monde*. L'homme reste également à sa place, lui aussi en train de lire. Au terminus de la porte d'Orléans, Willy descend tranquillement et sort sur le pavé du boulevard Brune, le nez au vent, comme un paisible retraité. Il s'arrête alors, fait demi-tour et tombe sur son suiveur qui le voit arriver sans surprise et l'interpelle alors qu'ils ne sont plus séparés que de deux mètres :

« Monsieur le divisionnaire ! Vous m'avez enfin reconnu ! Vincent Jarrier, vous vous souvenez ? Ducarton, si vous préférez ?

– Ducarton ! Mais oui ! Je vous remets tout à fait. Que faites-vous ici ? Vous n'allez pas me dire que vous me suiviez !

– Mais si, monsieur le divisionnaire, mais si ! J'osais pas trop vous aborder, après le coup que vous ont fait mes potes de la financière, parce que figurez-vous que j'y suis affecté...

– Mon pauvre Ducarton, ils ne vous ont pas gâté. Enfin, ça me console de savoir qu'il y a tout de même de bons flics dans ce repaire de planqués. »

C'est vrai que, voici deux ans, Willy a été interpellé,

103

mis en garde à vue, perquisitionné par une escouade de la rue du Château-des-Rentiers. Une dénonciation, même pas vérifiée, une enquête bâclée, et il avait pu juger de la « confraternité » de cette maison où les dossiers se volatilisent et les ordinateurs se font piller sans que qui que ce soit ne s'en émeuve. On lui avait rendu sa liberté sans même lui dire ce qu'on cherchait, et il l'avait mal pris. Aujourd'hui, tout cela, c'est du passé.

Ce qui est plus drôle, c'est ce sobriquet de Ducarton donné à Vincent Jarrier, qui, jouant de malchance, avait expédié trois voitures de service chez le ferrailleur en moins de six mois.

« Ducarton... pardon, Jarrier.

– Je préfère Ducarton, monsieur le divisionnaire, si ça ne vous ennuie pas, ça me rappelle le bon temps. »

Un coup d'œil à sa montre et Willy reprend :

« Bon, eh bien, Ducarton, allons prendre un pot, comme au bon vieux temps. »

## 35

Elle n'y est pas allée par quatre chemins, Demi, quand elle a froidement proposé au lieutenant Deléglise de dîner avec elle.

« C'est entre copains, puisque après tout nous avons déjà partagé une salle de bains, lieutenant. D'ailleurs vous verrez, le troquet où je vous emmène est tout à fait sympa. La table est bonne et le patron a un chiroubles dont vous me direz des nouvelles. Vous aimez le chiroubles ? »

Il a dit oui sans trop réfléchir, sans penser que la belle Sandra pourrait en prendre ombrage. Quand, un peu plus tard, il a réalisé ce que représentait un dîner en tête à tête avec une jeune femme, il était trop tard. Mais il s'en est bien tiré, avec élégance : « Ce soir, je dîne avec un commissaire de police. » Son amie l'a évidemment cru, puisque c'était vrai.

C'est Jacky Deléglise qui arrive le premier, élégant dans sa mise faussement désinvolte, pantalon anthracite, veste noire, chemise rose pâle, sans cravate. Il ne faut pas faire trop pompier de Paris. Discrètement parfumé, il est redescendu de son destrier blanc sans sa panoplie de soldat du feu.

« La table de Mme Griffon, s'il vous plaît.

— La table de Virginie, par ici, monsieur. »

C'est semble-t-il une place attitrée que cette encoignure au fond de la salle, derrière un large pilier de pierre qui rappelle que ce restaurant très branché fut, dans un passé lointain, à proximité de la rue du Cardinal-Lemoine, quelque échoppe d'artisan ou de négociant. Il n'a pas longtemps à attendre. Une silhouette élancée s'avance vers lui avec une grâce tout éthiopienne ; la symphonie de la silhouette, des couleurs, le léger frémissement des vêtements le ravissent au-delà de ses espérances. Ce n'est pas la sprinteuse éperdue, transpirant et hoquetant qu'il retrouve, mais, il aurait pu s'en douter, une jeune femme toute de grâce, de fragilité et de douceur. S'il la connaissait, il apprécierait qu'elle ait abandonné le pantalon pour une jupe longue, ouverte sur le devant, et le pull col roulé pour un chemisier échancré sur la naissance de seins qu'il imagine déjà voluptueux.

Demi ne lui laisse pas le temps de s'émerveiller. Elle lui tend une main ferme et douce, lui décerne un sourire pas vraiment « Police nationale » et lui lance :

« Bienvenue dans ma thébaïde, lieutenant. J'espère ne pas vous avoir fait attendre. Encore que... »

Et elle s'interrompt d'elle-même, pour laisser planer le doute sur ses intentions.

Jacky ne relève pas. Il découvre, à travers cette femme accomplie, que la quarantaine est encore plus belle que la fraîche jeunesse des vingt ans de Sandra. Les petites rides qui, de part et d'autre des yeux, soulignent l'intelligence du regard, le léger froissement du cou, les mains, surtout, fines et nerveuses, au contraire des mains parfaites mais encore rondes et juvéniles de Sandra, tout ce lent travail des ans n'a pu que rendre Demi plus désirable encore. Le rite solennel de la commande les ramène, un temps, à des considérations moins volages, mais à peine le maître d'hôtel a-t-il tourné les talons qu'il se lance dans une cour discrète, la complimentant pour son courage, son esprit de décision, son sens des responsabilités.

En habituée de ce genre d'assaut, elle apprécie, le laisse venir, puis, à son tour, pose ses banderilles. Elle n'a pas son pareil pour faire parler les hommes, pas seulement dans l'impersonnalité d'un bureau de police, mais, comme ici, dans le léger brouhaha d'agapes de bon aloi.

Et lui se laisse prendre. Il se voit avec étonnement lui ouvrir le livre secret de ses souvenirs, la faire pénétrer dans sa vie intime, rendre même les défenses qu'il oppose aux chatteries de son amie en titre.

Demi sent tout cela ; elle jauge la contenance, observe les gestes, identifie les intonations de son hôte ; le désir est en elle, à peine contenu, qui lui brûle le ventre, elle n'ose imaginer qu'il pourrait se refuser à elle dans deux heures, ou trois. Elle teste ses pauvres fortifications d'homme condamné à succomber, lui lance à brûle-pourpoint :

« Êtes-vous marié, lieutenant, ou avez-vous simplement une amie ? »

Quand il lui répond par la négative, elle sait dans l'instant qu'il ment, et cela la rassure. Elle ironise aussitôt :

« Une vieille maman, peut-être ? »

Cette fois, elle l'a piqué dans son amour-propre. Il se raidit, crispe son sourire :

« Non je vous assure, il n'y a nulle femme dans ma vie, enfin, de manière durable.

— Je comprends, Jacky, au fait, appelez-moi Demi,

106

j'avais vu en vous un homme à femmes, mais avec un "s" à femmes. »

Elle soupire profondément, comme navrée par le constat qu'elle va faire :

« Il en reste si peu, dans notre monde à nous. »

Elle a posé sa main droite sur la nappe, à frôler la main gauche de Jacky, comme une invitation à la toucher enfin ; le jeune homme n'ose y croire, hésite devant ces deux ou trois centimètres de coton blanc ; c'est donc elle qui s'y risque, pose quatre doigts longs et décidés sur la peau hâlée, comme pour renforcer la conviction de ses propos :

« À force de vouloir vous ressembler, nous ne sommes plus tout à fait nous-mêmes, et quand je vois à l'Assemblée ces pauvres femmes en délire réclamer une place que nous avons prise depuis longtemps, c'est-à-dire la vôtre, j'ai franchement envie de rire. »

Le chiroubles descend rapidement, une seconde bouteille, « une demi », proteste-t-il, apparaît sur la table, disparaît comme la première. Le repas s'achève, ils ont beaucoup parlé, se sont tout dit, n'ont finalement rien dit.

Quand ils ressortent sur le trottoir, il leur semble à l'un comme à l'autre qu'il ne leur reste qu'à parachever une intimité toute neuve. Elle le prend par le bras et lui lance, un rien coquine :

« Le dernier verre, c'est chez vous ou chez moi ? »

Il se garde bien de répondre que, chez lui, il y a Sandra ; alors, beau chevalier, il rétorque :

« Je me dois de vous raccompagner, Demi. Si vous le permettez. »

Elle prend place à côté de lui, « oubliant » délibérément et sans en souffler mot sa propre voiture devant le restaurant. Tout à leurs pensées qu'ils masquent l'un et l'autre par des propos de convenance, ils roulent dans Paris, sans qu'une seule fois leurs mains se joignent ou même se frôlent. Ils pénètrent enfin dans l'immeuble où Demi a installé son confort et ses habitudes, et tout va alors très vite. Avant même qu'ils aient gagné l'ascenseur, elle se tourne vers lui et lui lance, subitement grisée :

« J'ai envie de toi. »

Il n'a pas à répondre et c'est un long baiser qui le flatte et le ravit. La chatte embrasse à merveille, roulant sa langue fine en volutes d'extase.

Des heures plus tard, il ne sait plus à quoi ressemble son appartement. Demi et lui se sont pris à de multiples fois avec cette ardeur qui fait de l'amour un sublime commencement. Il aime ce corps souple et sensible, elle aime se sentir entraînée par une force immense et rassurante. Il n'y a rien de vulgaire ni de vil dans leur accouplement, simplement le jeu patient et tendre de deux peaux qui se touchent et se confondent, de huit membres qui s'enlacent et se défont.

À la fin des fins, ils reposent, la tête de Demi sur l'épaule musclée de Jacky. Ils se sont même assoupis quelques secondes quand elle murmure, de la voix de petite fille qu'elle sait prendre pour endormir les hommes :

« Tu n'as pas mentionné mon officier dans ton rapport ?

— Non, non. Je l'ai oublié. »

Il reprend, comme préoccupé :

« Par contre, j'ai remarqué quelque chose de bizarre dans cette explosion au gaz.

— Ah bon ! et quoi ?

— J'ai ramassé après ton départ un bouchon de Butagaz dans les décombres.

— Et alors ?

— Alors, elle avait le gaz de ville. »

## 36

Magdeleine est rentré chez lui, à Mantes-la-Jolie. Au centre-ville, mais à Mantes-la-Jolie. Il aime cette sous-préfecture à laquelle on a collé un peu vite une détestable réputation. D'autant qu'il dispose d'un appartement confortable et que Maurice*, sa maîtresse antillaise attitrée, qu'il visite et honore régulièrement, s'est trouvé un travail à la préfecture de Versailles. Elle s'y occupe du RMI, ce réservoir inépuisable de vraie misère et d'authentiques tricheries, la vieille dame ruinée qui met un point d'honneur à soigner sa mise modeste côtoyant le travailleur au noir qui vole leur boulot aux smicards.

Sous son bras, il serre précieusement le porte-documents qu'attendait Cheir dans sa suite du Ritz. Magdeleine ne sait rien du hasard qui a voulu que la mallette lui tombe entre les mains. Il se doute bien que Momo et ses complices l'ont volée à quelque imprudent et se demande seulement comment il va pouvoir la restituer à son propriétaire. Rien ne presse, cependant, et un examen soigneux de ce qu'il n'a fait qu'entrevoir à la lueur des réverbères de l'avenue Foch ne peut pas nuire à la compréhension de l'affaire.

Sur la table basse du salon où il a posé son verre de côtes-de-bourg, sa tisane avant d'aller se coucher, il ouvre le dossier qui a si manifestement déçu Momo.

Dès la première page, il a la confirmation de ce qu'il pressentait. Non seulement en raison du cachet « secret-défense » porté sur chaque feuillet, mais surtout parce qu'il a sous les yeux les fiches techniques de la DCN, comme toujours précises et complètes, et qui décrivent minutieusement les caractéristiques des patrouilleurs rapides, le joyau des Chantiers navals

---

* Il est courant qu'aux Antilles les femmes portent des prénoms masculins, et inversement.

du Cotentin. L'inspecteur Magdeleine, Berrichon de cœur et de fidélité, n'a guère de connaissances en matière militaire, et aucune dans le registre très précis des armes navales. Mais il ne faut pas être un spécialiste de la DCN pour comprendre tout l'intérêt de la trouvaille, car, outre les spécifications habituelles à ce genre de document, les fiches techniques précisent, croquis, planches et photos à l'appui, ce que représentent ces patrouilleurs, à vrai dire considérablement perfectionnés depuis ce Noël 1966 où les vedettes israéliennes avaient si facilement déjoué la surveillance de la « Royale ». Ce ne sont plus les mêmes bateaux, ni en vitesse, ni en maniabilité, ni en puissance de tir. Le dossier est complet et, ce qui ne gâte rien, il est complété par un manuel d'instruction très détaillé.

Même si le dossier est en anglais, langue que ne maîtrise pas très bien Magdeleine, il en sait suffisamment pour être assuré de la valeur du document, et du profit que pourrait en retirer un intermédiaire peu scrupuleux. D'un coup, il réalise qu'il ne peut pas se contenter de rendre la sacoche à son propriétaire sans en référer à sa hiérarchie ; et puis, de toute façon, comment faire pour retrouver le militaire ou le fonctionnaire qui s'en est fait délester ? Car ce sont des papiers « secret-défense », et Magdeleine sait bien que seules très peu de personnes peuvent en avoir connaissance.

Non, décidément, à force de retourner le problème en tous sens, il ne voit qu'une solution : saisir la DST, qui saura s'en débrouiller, et surtout quoi faire de cette enveloppe cachetée épinglée à l'avant-dernière page et qui porte la mention « Cosmic ».

Magdeleine a le premier mouvement de décrocher son téléphone, et se ravise aussitôt. C'est qu'il vient d'imaginer la suite, les explications qu'il va devoir donner sur les conditions dans lesquelles le dossier lui est tombé entre les mains, son propre rôle, l'intervention de Momo, la relation avec son copain renversé par une voiture, la récupération acrobatique rue de Rivoli.

Il aura beau être de la meilleure foi du monde, on ne le croira pas, ou pas complètement. Et puis Momo sera interpellé, c'est inévitable, sans doute mis en garde à vue, peut-être davantage. Le gosse, car c'en est un, en prendra un sacré coup, et lui, Magdeleine, n'aura pas forcément le beau rôle.

Lui revient alors son obsession, la paix au Val-fourré, le contrôle de ces bandes de « petites frappes », l'atout majeur que représente Momo dans cette recherche d'un équilibre entre sécurité et droit de vivre pour les jeunes des banlieues. Cette foutue serviette va lui dynamiter des années de travail. Combien ? Cinq, dix ? En tout cas, suffisamment pour qu'il ne connaisse plus de répit jusqu'à sa retraite. Il lui faut demander conseil.

Mais à qui ? À un copain de la DST ? Trop risqué. Même ses meilleurs potes de la rue Nélaton sont des pros, pour lesquels l'intérêt supérieur du pays n'a rien à voir avec quelques risques d'échauffourées dans la *suburb*. À ses chefs ? Pas plus sécurisant. Ils vont aussitôt s'en faire une gloire, et si quelque Vautrin en herbe passe par là, il va se parer des plumes du paon, récupérer à son profit la trouvaille, quitte à brouiller les cartes ; et les pistes.

C'est alors qu'il songe à Noël, son pote journaliste. De temps en temps, il lui refile des tuyaux que l'autre paie en « bouffes » modestes. Il dit avoir de solides relations à la DCPJ et à la DST.

Il saura le conseiller, et, pense Magdeleine, lui servir d'alibi pour le cas où tout ceci tournerait mal.

Il redécroche le combiné.

## 37

Le coup est parti tout seul, sans doute parce qu'elle a oublié de se laisser gifler à pleine volée, comme chaque jour ; elle a évité la lourde frappe d'une esquive plongeante et, profitant de l'ahurissement de la brute, lui a asséné de toutes ses forces, décuplées par l'énergie du désespoir, un direct en pleine face de son poing américain. Elle entend le craquement des os et, sans s'attendrir, enchaîne d'un coup de pied dans les testicules. Le bout pointu de la chaussure s'encastre pratiquement dans le bas-ventre, au niveau du pubis. La violence du shoot est telle que l'homme ne crie même pas, en s'affaissant sur le sol. Sans illusion sur ses chances de survivre à la découverte de son exploit, elle le frappe à nouveau sur la nuque, sauvagement.

Ne pas réfléchir, foncer, oser. Elle fouille sa victime, lui pique son portefeuille, le cran d'arrêt enfoui dans une poche, sa montre, son blouson et un trousseau de clés. C'est comme dans les livres, songe-t-elle en refermant la porte de la cellule. Elle consulte l'heure à la lumière blafarde du couloir, encore une simple ampoule, qui pend du plafond, cette fois. Les deux aiguilles se chevauchent. Midi, minuit ? Elle l'ignore.

Elle se donne tout de même le temps d'observer. Elle se trouve au bout d'un long conduit au milieu duquel court un égout nauséabond qui semble se terminer à une quinzaine de mètres. C'est un coude, elle le découvre en avançant, qui tourne sur la gauche, à nouveau une quinzaine de mètres et un nouveau virage à angle droit, toujours sur la gauche. Cette fois, au fond du couloir, une grille, avec à mi-hauteur une grosse serrure : la clé, manifestement trop imposante pour que le geôlier s'en embarrasse, est restée enclenchée.

Marion ferme à double tour derrière elle et jette la clé le plus loin qu'elle peut à travers la grille, dans le caniveau qui l'accueille avec un joyeux « flop », hors de la vue de ses futurs poursuivants. Précautionneusement, l'oreille tendue, le cran d'arrêt solidement en main, elle monte les trente marches d'un escalier glissant, ce qui lui laisse supposer qu'elle se trouve sous terre. Une nouvelle grille derrière laquelle on devine, dans la pénombre, la poursuite de l'escalier. Cette fois, nulle clé sur la serrure bien fermée. Elle ne s'affole pas, essaie une à une toutes celles qui composent le trousseau qu'elle a pris sur l'homme de Cro-Magnon.

Aucune ne fonctionne ; elle recommence une fois, deux fois, transpire en dépit du froid et d'un coup réalise : elle a jeté la clé de la première serrure qui devait ouvrir la seconde. C'est trop bête d'avoir pris tous ces risques, réussi à sortir de sa cellule, pour se trouver là, coincée entre deux grilles, dans un escalier poisseux, sans autre recours que d'attendre qu'on vienne la reprendre. Pour la tuer.

Elle s'effondre en pleurant, subitement insouciante de l'écho de ses reniflements, se laisse glisser sur les talons, enveloppée dans le blouson de l'homme qui gît à une vingtaine ou une trentaine de mètres d'elle. Elle n'a plus qu'à mourir, et sent qu'elle tient dans sa main droite le moyen d'en finir, sans souffrance et sans trahison, le couteau déplié de la brute. Elle appuie la lame acérée sur son poignet gauche, à l'intérieur, esquisse le mouvement, mais se retient, saisie par un doute affreux : et si c'était ce qu'ils espèrent, sa mort ? Et si ça les arrangeait, finalement ? Et si elle se battait encore ? Encore et toujours ? Elle veut encore essayer, subitement saisie de cette rage qui rend si dangereux le rat pris dans une nasse ; elle se lève, secoue la grille, peine perdue ; elle se concentre alors sur la serrure, trop grosse, impossible à trafiquer. Les gonds ne sont pas davantage intéressants.

Elle lève alors le nez, dans la direction de la lampe blafarde, protégée, de qui ? par un épais grillage. Pas

113

davantage d'espoir de ce côté. La grille monte jusqu'au plafond, le chambranle de fer, d'équerre avec les murs, épousant exactement le haut de la porte.

Elle redescend alors les trente marches, cherche des yeux la clé, hors de portée.

« C'est pas possible » rugit-elle, secouant à nouveau la grille, celle du bas, et levant un regard éploré vers le haut.

Soudain, elle s'arrête, concentre toute son attention sur ce qu'elle vient de découvrir ; le couloir qui conduit aux cellules est voûté, alors que le plafond de l'escalier est horizontal. Serait-ce alors que… ?

Il lui faut en avoir le cœur net. Elle s'agrippe à la grille, se hisse jusqu'à placer un pied sur la serrure et, de cet escabeau improvisé, frappe le plafond de son couteau ; au quatrième coup, elle entend sonner le creux. Se collant à la grille pour examiner de plus près le départ du plafond, elle croit comprendre pourquoi la voûte ne se prolonge pas dans l'escalier ; c'est parce qu'un conduit de ventilation vient se terminer au niveau du couloir. Et ce conduit passe nécessairement par-dessus la seconde grille.

Elle ne sait pas si elle va pouvoir crever le plafond, se glisser dans le conduit de ventilation, et retrouver ses chances d'une évasion réussie. Mais du moins, elle va essayer, et cela lui épargnera l'angoisse d'une attente impuissante.

Elle retrouve d'un coup son calme et sa lucidité, s'installe du mieux qu'elle peut, bande sa main d'un morceau de tissu arraché au bas de son pantalon et assure sa prise sur le couteau duquel dépend son sort ; méthodiquement, elle s'applique à creuser, égratignant, centimètre après centimètre, la chape de ciment qui sonne de plus en plus creux. Jusqu'à ce que cède enfin un morceau tout juste grand comme la main, mais qui lui semble énorme. Le souffle d'air qui lui tombe sur le visage la rassure ; c'est bien une gaine de ventilation. C'est trop beau.

Effectivement, car aussi soudainement que le soulagement l'a gagnée, l'effroi la saisit.

Des bruits de pas sonnent nettement dans l'escalier, là-haut.

## 38

Drôle de journée, songe Clapier, avec ce type qui m'interpelle dans la rue, Willy qui enchaîne avec des sous-entendus d'obsédé du renseignement, et puis, dans quelques minutes, un appel de ce Cheir, qui intrigue tant de gens à Paris qu'on ne comprend pas qu'il y prenne encore ses quartiers.

Le fauteuil de cuir craque légèrement sous le poids de l'industriel; Thérèse, en femme culturellement soumise, lui a préparé son whisky, sec comme de bien entendu, les glaçons d'abord, *« on the rocks »* comme disent les Anglais; Raymond apprécie ces moments de tendre intimité, désormais plus nombreux depuis que leur fille Clarisse a quitté la maison; il coule un regard tendre vers sa compagne et lui annonce, sur ce ton tranquille qui signifie que la discussion n'est pas ouverte :

« J'ai invité les Maier pour demain soir.

— Ici, à la maison ?

— J'ai cru comprendre que Willy voulait me parler sérieusement. Alors je pense que nous serons plus à l'aise qu'au restaurant. Et puis, j'en ai assez de ces cuisines raffinées et de l'attente entre les plats. »

Il songe avec un rien d'amertume à son déjeuner un peu gâté par l'inconnu et son apparition imprévue; il a horreur de l'imprévu, de l'improvisation, de la fantaisie. Il se reprend toutefois :

« Mais si tu veux, commande le souper. Je ferai régler la note par la maison. »

L'idée lui semble même amusante ; son principal actionnaire, un Libanais enrichi dans le commerce de tout ce qui se négocie sous le manteau, lui fait un pont d'or pour prêter son nom, ses relations et ses entrées dans les ministères à une entreprise qui, depuis la mésaventure avec Israël, a développé son activité en direction des pays arabes. Un des tout premiers, il a compris que la référence la plus solide pour un émir du Golfe, c'est précisément Tsahal, l'armée israélienne ; si les Juifs s'en servent, pensent sultans et cheiks, c'est que la camelote est bonne.

Il sirote son Chivas à petites gorgées, fermant à demi les yeux sous la caresse, corrigée d'un soupçon d'amertume, du breuvage écossais. Rien à voir avec ce bourbon un peu voyou, râpeux, « une boisson de cow-boy » dit-il toujours quand on lui en propose, ou avec le « whisky canadien » ; comme si nos cousins, demeurés si français, pouvaient produire quelque chose de buvable ou de mangeable... Thérèse, le sentant en confiance, ose une question :

« Tu n'as aucune idée de ce que te veut Herrmann ?

— Oh, je m'en doute. Il veut me parler de Tavernon. Peut-être va-t-il me demander de faire un geste pour Hélène.

— Et alors ?

— Je peux la recommander à la chambre syndicale de la métallurgie. Je sais qu'ils cherchent quelqu'un pour succéder à de Mongie. Après tout, elle s'appelle "de" Tavernon. Une particule, c'est quasi obligatoire pour faire les relations publiques de cette énorme maison. Et puis, je l'aime beaucoup, cette petite.

— C'est vrai que c'est une belle jeune femme, intelligente et spirituelle, en plus. Tout de même, c'est trop bête, cet accident, surtout que le chauffeur du camion est mort quelques jours après.

— Qu'est-ce que tu me chantes là ? Où as-tu appris ça ?

— Dans le journal, mon chéri. Un entrefilet sur lequel je suis tombé par hasard. Et sais-tu comment ?

116

– Je n'en ai pas la moindre idée.

– Des piqûres d'abeilles. Il était, paraît-il, allergique aux piqûres d'abeilles et il a été attaqué par un essaim, en faisant du vélo, comme chaque dimanche, quelque part en Flandre. »

Raymond veut chasser cette image, qui se fixe devant lui, du malheureux chauffeur, le visage bouffi, se tordant de douleur sous l'assaut des insectes.

« Horrible, quelle fin horrible ! » lâche-t-il pour exorciser la vision.

Le téléphone sonne ; Thérèse décroche :

« Allô ? je vous le passe. »

C'est une voix d'homme avec un soupçon de rocaille dans l'accent. Il parle lentement, comme s'il devait bien chercher ses mots, qui tombent d'ailleurs justes et précis :

« Monsieur l'ingénieur général, je vous remercie très profondément d'avoir accepté cet entretien téléphonique, que nous pourrions utilement prolonger par une rencontre en tête à tête. Mais laissez-moi d'abord vous exposer l'objet de ma démarche. Comme vous le savez peut-être, mon nom est Abdul Fader, et même Hadj Abdul Fader, si l'on veut bien me donner le bénéfice d'une bonne dizaine de pèlerinages à La Mecque. Comme beaucoup, vous avez entendu parler de moi sous le nom de Cheir. Ma profession est le négoce. J'achète et je vends. Des matières premières, des hydrocarbures, par exemple, des produits manufacturés, de l'agroalimentaire. Je n'ai que deux règles : primo, je ne traite jamais au-dessous d'un milliard de dollars, je laisse la menue monnaie à mes concurrents ; secundo, je respecte scrupuleusement ma signature et j'exige la même rigueur de mes partenaires ; je n'appartiens pas à la race des marchands de sable. Tel que je suis, j'ai beaucoup entendu parler de vos constructions navales et du formidable essor que vous leur avez donné. Il se trouve aussi que j'ai quelques connaissances en matière de marine et que j'ai toujours été convaincu de la place

117

primordiale que cette arme peut occuper dans le dispositif défensif d'une moyenne puissance. J'ai lu les ouvrages et articles de vos spécialistes en géo-stratégie, et je connais leur conception des armes intel-ligentes. Je suis d'ailleurs très étonné que votre état-major ne les ait pas lus ou n'en ait tiré aucun ensei-gnement. »

Clapier comprend ce que Cheir sous-entend : des navires rapides, bons manœuvriers, peuvent emporter des équipements très sophistiqués, et en particulier des armes d'une puissance de feu considérable, dans des conditions de vitesse et de discrétion sans équi-valent. Il aurait bien aimé franchir ce pas et faire de ses patrouilleurs de véritables rampes mobiles de lan-cement de missiles de moyenne portée, mais ses inter-locuteurs de la rue Saint-Dominique s'y opposent, craignant sans doute la dissémination de certains types d'armes, ou même – qui sait ? – d'engins nucléaires miniaturisés. Il n'a aucune difficulté à suivre Cheir sur ce terrain. Mais il se retient encore d'inter-venir et observe la politesse arabe qui exige qu'on laisse terminer son interlocuteur. Celui-ci continue sur sa lancée.

« Je pourrais développer de grands projets avec vous, monsieur l'ingénieur général. Je connais votre action-naire principal, et nous nous sommes rencontrés à trois reprises. Je suis convaincu qu'il ne verrait que des avantages à une collaboration. Mais avant de lui parler, il est nécessaire que nous ayons une discussion en tête à tête, vous et moi. Elle peut être très longue, surtout si elle doit se conclure de façon positive ; seriez-vous dis-posé à me rencontrer ? »

Raymond attend les quatre ou cinq secondes de décence qui prouvent que Cheir en a bien terminé et il répond, simplement et clairement :

« Monsieur Cheir, je vous suis à mon tour très obligé de cet entretien. Je vous ai écouté très attentivement et j'ai bien noté tout l'intérêt que présenterait une rencontre entre nous. Je vous donne donc mon accord et vous propose de laisser nos secrétariats convenir de ce rendez-vous.

— Monsieur l'ingénieur général, je vous remercie, du fond du cœur, mais sans vouloir abuser de votre amabilité, je préfère que nous fixions nous-mêmes la date et le lieu de notre réunion. Pour ce genre d'entretien important, et, si vous permettez, confidentiel, je ne laisse à personne le soin de l'organiser.

— Très bien, acquiesce Clapier, subitement flatté des précautions prises par son interlocuteur. Alors, que me proposez-vous ?

— Et si vous veniez à présent me rejoindre au Crillon ? C'est très cavalier de ma part, mais aussi tout à fait sûr. Si Mme Clapier l'autorise, et si vous y consentez. »

Et comment, qu'il est d'accord, le brave Raymond ! Pensez un peu, un tête-à-tête avec le détenteur d'une fortune colossale, « qui ne traite jamais au-dessous d'un milliard de dollars ». Il rigole en pensant à la tête de son actionnaire quand il va lui annoncer qu'il a déniché tout seul le client ou le partenaire qui va faire s'évanouir tous les soucis de fin de mois pour quelques années.

Quand, dix minutes plus tard, il sort de chez lui, il tombe sur un coursier enfoui sous une énorme gerbe de roses :

« Madame Clapier, s'il vous plaît ? »

En plus, il sait vivre ce M. Cheir.

## 39

C'est Samia qui lui ouvre. Un beau sourire illumine son visage régulier, aux lignes très pures ; deux yeux magnifiques disent encore mieux la joie de revoir Willy. Elle porte un long vêtement kabyle qui lui fait une robe d'hôtesse raffinée. Spontanément, elle embrasse le vieux commissaire, prolongeant peut-être de deux ou trois secondes de trop le temps de l'accolade, histoire de lui montrer que, s'il voulait bien, elle ne se rebellerait pas.

« Et ma foi, pense Willy, auquel la subtilité de l'attouchement n'a pas échappé, ce ne serait sans doute pas une si mauvaise idée. »

Mais Abou Kir est là, qui prend quelques privautés avec la jeune femme, et Willy ne se permettrait rien qui puisse le mécontenter. Une amitié comme la leur, ça ne se galvaude pas à la première passade.

Il entre dans le salon. Le Manchot a déplié son immense stature et vient à sa rencontre. Les deux hommes s'étreignent. L'Algérien n'est pas seulement le plus grand, il est le plus mince aussi. Ils se défont comme à regret de leur accolade et Willy, comme des dizaines de fois, apostrophe son ami :

« Bienvenue à Paris, mon cher Abdelrazak, j'espère que tout va bien pour toi.

— Tout va bien, Willy, tout va bien. »

Il serait inconvenant qu'Abou Kir entamât la conversation par l'exposé de ses soucis. La politesse, et il faut être poli avec ses amis, exige qu'on manifeste d'abord la joie de se revoir et qu'on échange longuement des nouvelles avant d'aborder les sujets sérieux. Les deux amis sacrifient au rite, sans se presser, retrouvent lentement leurs habitudes et leurs repères, chacun connaissant l'épouse et les enfants de l'autre, une bonne partie de sa vie, les moindres recoins de sa personnalité.

Comme c'est l'heure du dîner, ils passent à table sans la formalité inutile de l'apéritif. Sur la table, une bouteille de bordeaux souligne à la fois le très relatif intérêt du général algérien pour les interdits contestés et contestables de quelques docteurs de la foi, au point que quelques-uns osent le surnommer « le Manchot de la pente* », et la délicatesse de l'hôtesse, qui sait parfaitement que Willy soigne son cœur avec ce breuvage divin. Elle s'assied d'ailleurs entre eux, sans se mêler de la conversation, sauf quand l'un ou l'autre l'interpelle, le plus souvent Willy ; elle donne alors son avis, de cette voix fraîche de jeune fille qu'elle a conservée, apportant une touche de finesse aux propos plus abrupts des deux hommes, des deux flics.

Abou Kir n'a jamais mésestimé personne ; c'est sa force que cette lucidité qui lui interdit toute sensation de supériorité ; il est simplement attentif à ce qu'on lui dit, considère toujours que son interlocuteur le comprend, ne fait jamais l'injure de sous-entendus ou de propos elliptiques. Il raconte simplement à son ami l'arrestation d'El Mismari ; l'énoncé de ce nom fait sursauter Willy. Il ne peut s'empêcher de siffler. Le Manchot lui lance :

« Tu te souviens ?

– Tu parles si je me souviens. Il a un palmarès comme le Bottin, et éclectique, avec ça, il a vraiment "nettoyé" dans tous les placards. »

Il songe alors aux attentats attribués alternativement aux Israéliens et aux Palestiniens, aux Turcs et aux Arméniens auxquels le « Fou » apportait son immense savoir-faire, sans états d'âme mais avec de fortes exigences financières.

Abou Kir raconte l'arrestation rocambolesque du terroriste, son interrogatoire, le coup de main du Moukabarat irakien, son identification, sa fin.

* Par référence au « manchot de Lépante », autrement dit Cervantès.

« N'aie aucun regret d'en avoir débarrassé l'humanité. Ce type ne valait plus rien. D'ailleurs, tous ces "repentis" que recrute la CIA ne valent pas tripette. »

Abou Kir hausse les sourcils, se penche en avant :

« Comment sais-tu qu'il a été retourné par les Américains ?

— Mais parce que cela coule de source. Comment veux-tu qu'un type qui a un tel palmarès ne soit plus recherché par les Israéliens, qu'il se balade comme ça sans se faire repérer s'il n'est pas soutenu, financé par un grand service ? Et quel grand service autre que la CIA aurait envie de l'utiliser ? Où a-t-il pris l'avion ?

— À Amman.

— Et alors ? qui contrôle les Jordaniens ? »

Abou Kir opine. Willy poursuit :

« Bon, mais tout ça ne me dit pas ce qu'il t'a balancé.

— Comment sais-tu qu'il a parlé ?

— Alors franchement, là, je rigole. Et pourquoi serais-tu venu spécialement d'Alger pour me raconter tout ça si tu n'avais pas besoin d'une vérification ou d'un petit travail sur mesure ? »

C'est au tour de l'Algérien de rire. Samia participe à l'amusement des deux hommes. Aucun d'eux ne s'est étonné, encore moins inquiété de ce qu'elle soit restée à table. Elle sait cependant jusqu'où ne pas aller trop loin. Elle rassemble les assiettes, les empile, se lève et disparaît dans la cuisine.

« Chic fille, lance Willy dès qu'elle a disparu.

— Oui, vraiment. Et je crois bien qu'elle a un petit faible pour toi, souligne le Manchot. Et sache qu'elle fait ce qu'elle veut. »

Willy a compris le message. Il reste maintenant à Abou Kir à se mettre complètement à table :

« Alors, qu'est-ce qu'il t'a avoué, notre cher El Mismari ?

— Il m'a donné un numéro de téléphone.

— Et tu es venu pour ça ?

– À qui veux-tu que je m'adresse ? Et puis j'aimerais bien voir à quoi ça correspond. J'ai vaguement l'idée que nous allons trouver quelque chose d'intéressant.

– As-tu essayé ce numéro ?

– Non, c'est un portable. Luxembourgeois. »

Willy siffle entre ses dents.

« Alors là, c'est intéressant. Nous allons le faire parler, ce bijou.

– Tu peux faire ça ?

– Oui, mais il me faut deux ou trois jours. Le temps d'aller au Luxembourg. Au fait, as-tu parlé de tout ça aux Irakiens ? »

Abou Kir sourit largement.

« On ne se confie jamais à quelqu'un dont on n'a pas été l'ennemi.

– Ni à quelqu'un dont on est l'ami. »

Les deux compères éclatent de rire.


## 40


D'instinct, Marion s'est couchée sur la première marche. Elle ne cherche pas à voir et concentre toute son attention sur ce qu'elle entend et sur le coutelas, qu'elle tient serré sur son cœur.

Elle perçoit nettement le bruit d'une grille qu'on ouvre, c'est celle du haut, qui lui fait tant de problèmes, des glissements puis des chuchotements. Ils sont plusieurs, ce qui va sérieusement lui compliquer la tâche. Mais tant pis, elle vendra chèrement sa peau. Au passage, elle maudit la voyante qui lui a prédit une mort paisible pour dans très longtemps. Il semble qu'« ils » se soient arrêtés. Elle entend alors distinctement une voix de femme qui feule d'une voix rauque : « Baise-moi. »

Ce qui suit, elle l'imagine, à travers les bruits tout

proches, les respirations qui deviennent bruyantes et s'accélèrent. Elle assiste à ce à quoi elle se consacre si souvent et avec autant de bonheur. Mais ces jeux de l'amour dans un décor aussi sordide ne l'émeuvent nullement, ne font monter en elle aucune onde de désir ; tout au contraire, elle n'en perçoit que l'animalité, le coït bestial lui répugne, elle qui apprécie bien davantage les caresses initiales que l'assaut final. Elle leur en veut de vouloir soulager leur libido dans un décor aussi ignoble, sans une once de sentiment, comme ces obsédés qu'inspirent les cimetières. L'homme, dont elle entend les sifflements rauques, commence à grogner les insanités habituelles. Il insulte sa partenaire, qui lui répond sur le même registre.

Une montée de haine comme elle n'en a jamais ressenti lui fait lever la tête. Le spectacle n'est, tristement, que celui qu'elle imaginait. Le couple enlacé se distingue malaisément dans la pénombre, mais il lui semble bien que c'est l'homme qui lui tourne le dos.

Tant pis, si elle doit agir, c'est maintenant, dans ce moment où ni l'un ni l'autre ne se contrôlent plus. Il ne faut plus réfléchir mais foncer, c'est sa seule chance, elle le sait parfaitement.

D'un coup, elle saute sur ses pieds et jaillit dans les marches avec la fureur de toutes ces heures d'angoisse. Sans un cri, les mâchoires serrées, elle se concentre sur le dos de la brute qui, manifestement, ne l'entend pas.

Soudain, alors qu'elle n'est plus qu'à deux marches en contrebas, un hoquet du couple déchaîné la place face au visage de la femme. Marion n'a pas le temps de la détailler, elle ne voit que deux yeux qu'agrandit l'épouvante. Assurément, elle ne doit pas être belle à voir, la douce jeune femme, l'amoureuse raffinée, avec huit jours de crasse et un stock de haine à revendre.

Les cris des deux femmes partent en même temps alors que l'homme se retire à demi.

Il lève un bras au moment où Marion frappe, lui plante le couteau sous l'aisselle. Elle y est allée avec tant de hargne qu'elle déséquilibre le couple qui roule à terre, la femme par-dessous, écrasée par le quintal de muscles de son partenaire et les quelques dizaines de kilos de l'assaillante.

Marion, qui ne veut pas lâcher son arme, s'est trouvée collée au type qui hurle, glisse sur le côté et, découvrant enfin la prisonnière, tente de l'attraper. De justesse, elle échappe à sa prise, et, la première, est sur pied. La femme, à son tour, tente de l'agripper. Marion frappe au hasard et rassemble ses dernières forces pour se ruer vers le haut, vers le salut, la liberté.

Derrière elle, l'homme veut la poursuivre mais bute sur sa partenaire. Un court instant de déséquilibre sur les marches poisseuses, c'est juste ce qu'il faut à Marion pour atteindre avant son poursuivant la lourde grille entrouverte, s'y glisser, la claquer. La clé est restée sur la serrure. Marion la voit au moment où le monstre va l'atteindre. Elle ne sait comment mais elle s'en saisit au moment où la main énorme s'abat sur son bras à travers les barreaux.

C'est comme un cauchemar, un de ces rêves d'angoisse qui la réveillaient petite fille et dont elle allait se consoler entre papa et maman. Cette fois, c'est d'elle seule que dépend son salut. D'elle et du blouson de l'autre brute puisque, quand elle donne une brusque secousse pour se dégager, c'est la manche de cuir qui reste dans la main de son poursuivant. Elle en éclaterait de rire si elle le pouvait. Libérée, elle tombe à la renverse, hors de portée de son tortionnaire, le regarde enfin bien droit dans les yeux, sans un mot ni pour lui ni pour la pauvresse qu'elle voit enfin, pitoyable et gémissante, et qui supplie :

« Ne nous laissez pas ici ! Il va mourir ! »

Elle en a trop subi, ces derniers jours, pour être accessible à la pitié. Elle hausse simplement les épaules et reprend lentement son ascension, épuisée, vacillante, secouée de longs frissons. Elle ne s'est même pas aperçue qu'elle a laissé tomber le couteau.

## 41

Noël Nadal est resté fidèle à ses amis. Et parmi ceux-ci, il a fait choix de quelques-uns qu'il chérit particulièrement, auxquels jamais il ne refusera un service. Adrien Magdeleine est de ceux-ci. Ancien des Renseignements généraux, Noël flaire tout de suite, dès le coup de téléphone de son ami, qu'il s'est collé dans un sacré pétrin. Et les embrouilles, finalement, il aime ça.

Il se rend dès le lendemain matin à Mantes-la-Jolie. Il ne se préoccupe pas de savoir s'il est suivi. La puissance de sa voiture et sa conduite sportive lui sont aussi précieuses que les contre-filatures de Willy. Il est huit heures quand il sonne à la porte du petit appartement ; Magdeleine, en survêtement douteux, transpirant comme un phoque, vient lui ouvrir :

« Excuse-moi, je finissais ma gym. Installe-toi, je prends ma douche. Le café est sur la table du salon. Avec les papiers. »

Il disparaît, glissant sur ses savates d'un autre âge, laissant apparaître ses talons crevassés et jaunâtres.

« Chic type, mais vraiment vieux garçon, songe Nadal, il a vraiment pas eu de chance avec la Paimpolaise. »

La Paimpolaise, c'est une copine à eux, une brave fille qui tient un bistrot rue Saint-Denis, même pas un bar montant, simplement un troquet tout bête où viennent écluser les dernières tapineuses de Paris et les ouvriers sri-lankais et maliens des ateliers clandestins. Elle ne cherche pas à séduire, la gentille Vania, drôle de prénom pour une Bretonne, avec ses longs poils qui débordent des aisselles sur les échancrures

126

de son corsage, tendu sur une poitrine ferme, bien faite, du moins à ce qu'on dit. Les avant-bras velus, les jambes pas toujours rasées, témoignent de la vigueur et de l'importance de son système pileux. Aussi est-ce en clignant de l'œil d'un air entendu que les plus entreprenants de ses clients l'appellent « la Chatte ». Adrien s'en est amouraché, nonobstant ses odeurs *sui generis*, et elle lui a fait les honneurs de sa couche. Le brave célibataire n'en revenait pas, qu'une femme, une vraie, en veuille à son pucelage, et il avait sombré dans une passion dévorante que la brave Vania entretenait sans arrière-pensées.

Et puis le drame était arrivé ; la Paimpolaise était tombée enceinte, n'avait pu supporter l'idée de la maternité, « impossible dans un commerce », et avait fait passer le futur rejeton des Magdeleine dans l'ignoble succion d'un avorteur, plus avorton que médecin. Adrien l'avait pris au tragique, ce « crime impuni », et avait cessé de rencontrer Vania, sans cesser de l'aimer, sans qu'elle cesse de l'aimer. De temps à autre, ils se téléphonaient ; plus exactement, elle l'appelait ; il ne la refusait jamais, gentil ou secrètement attaché. Bien sûr, il y avait Maurice, à présent, mais ça n'était pas pareil.

Machinalement, Noël ouvre le dossier posé devant lui. En sa double qualité de grand reporter et d'ancien flic, il a été admis, faveur insigne, à suivre une session de l'Institut des hautes études de la Défense nationale, avec à la clé un stage à Brest. Sans tout connaître de la « Royale », il a tout de même des notions beaucoup plus précises que son ami Magdeleine, et il comprend pourquoi tous ces documents sont classifiés. La précision du dossier de spécification des patrouilleurs rapides, les « patras » dans l'argot du métier, est rigoureusement parfaite. Même la signature acoustique des bateaux de toutes les marines étrangères est répertoriée. Seuls manquent les logiciels de conduite de tir, de brouillage et de navigation automatique. Ou ils ne figuraient pas dans le dossier, ou ils ont été prélevés. Noël s'extasie des performances du navire, suffisamment rapide pour se jouer de n'importe quelle torpille, avec ses formes tranchées comme un avion furtif et sa coque en composite qui le préserve des mines magnétiques. En clair, un bijou.

Le dernier lot est en cours d'essai à Cherbourg : sept unités vendues au Koweït qui veut se prémunir de l'affection de ses deux puissants voisins, le fracassant, répertorié comme l'ennemi public n° 1, l'Irak, et le sournois, manifestement le plus dangereux, l'Iran.

La dernière fiche parcourue, Nadal tombe sur l'enveloppe classée « Cosmic », la plus secrète référence de l'OTAN. Elle est fermée, soigneusement ; il la soupèse, quelques centaines de grammes, et la repose sans l'ouvrir.

Enfin, Magdeleine paraît, pomponné, frais, presque élégant avec un pantalon de flanelle brune et une veste de suédine couleur feuille morte ; chemise beige et cravate ocre donnent au personnage l'apparence discrète d'un cadre de banque.

« Alors, qu'en penses-tu ?

— C'est clair que ce n'est pas un document à laisser entre toutes les mains. Mais je note deux choses ; d'abord, il manque les logiciels, pourtant répertoriés au début du dossier ; ensuite, ce pli cacheté classifié "Cosmic".

— Ce qui veut dire ?

— Ce qui correspond à la plus haute classification de l'OTAN. Il est invraisemblable qu'un tel pli se promène, comme ça, dans un dossier, même estampillé "secret-défense". Et c'est bien là ce qui m'emmerde.

— Pourquoi ?

— Parce qu'il doit y avoir en France une demi-douzaine de personnes, pas plus, habilitées à le détenir. Et que forcément, l'une d'elles l'a perdu, ou donné, ou vendu.

— Merde ! J'aurais mieux fait de ne pas me coller dans ce merdier. »

Décidément, Magdeleine devient scato. Sans se décontenancer, Noël le rassure :

« Je ne suis pas de ton avis. Ce qui pouvait arriver de mieux à ce dossier, c'était qu'il tombe dans les mains d'un type comme toi. Parce que apparemment, si ton petit loubard dit vrai, il était sur le point de prendre une tout autre destination.

— Conclusion ?

— Conclusion, il faut aller le rendre, sinon à son propriétaire, du moins à qui de droit.

— À la DST ?

— Pas directement. Il nous faut, il te faut un écran. Sinon, tu vas dérouiller.

— Et ton écran ?

— T'as du pot, mon vieux. J'ai, dans cette noble maison, encore pas mal de copains. Au moins un qui n'a rien à me refuser.

— Je le connais ?

— Je ne pense pas. Et c'est mieux ainsi. Je ne te donnerai même pas son nom. »

Pour la bonne raison qu'il n'en sait rien lui-même.

## 42

L'amour l'a rendue encore plus belle. Laissant le beau Jacky se débrouiller avec sa Sandra, elle a pris son temps pour effacer de son corps, mais pas de son esprit, les marques des étreintes passionnées, du corps à corps sublime, des orgasmes ininterrompus qui lui allument encore le regard plusieurs heures après. Elle sait, mais elle seule, qu'on pourrait, sans la confesser, tout savoir de sa vie amoureuse simplement en examinant l'expression d'accomplissement qui lui fait un masque de bonheur. Sous la douche, elle se masse délicatement, comme si ce corps n'était pas à elle, même si, sous ses doigts agiles, de légers frémissements la parcourent encore. Elle laisse l'eau couler, tiède et mousseuse, s'imprègne des senteurs choisies, ambre et jasmin, regarde, incrédule, les minuscules ruisseaux qui couvrent son ventre se perdre dans l'enchevêtrement d'une toison noire. Elle ne se sèche pas, enfile seulement son peignoir d'éponge et entreprend à longs coups de brosse de rendre à ses cheveux la souplesse qu'aujourd'hui elle contiendra dans un austère chignon. Adieu la jupe longue, elle reprend l'habit de travail, pantalon, pull et blouson. Avec ses chaussures plates et ses lunettes rondes, elle est de nouveau flic, commissaire, et même patron. Le changement vestimentaire la remet à lui seul en condition professionnelle. Elle est prête pour aller voir son vieux Barzi.

Quelques minutes plus tard, elle gare discrètement son véhicule rue du Fer-à-Moulin et remonte le boulevard Saint-Marcel jusqu'à la clinique des gardiens de la paix, presque en face de la clinique du sport. Son inspecteur l'accueille avec un grand sourire et la prévient d'entrée :

« Désolé, patron, mais je n'entends plus rien, il paraît que mes tympans ont explosé.

– J'ai tout prévu, Barzi », s'exclame pour elle-même la jeune femme, qui brandit une ardoise d'écolier sortie on ne sait d'où et vient s'asseoir sur le lit à côté de l'inspecteur.

Celui-ci n'a, par contre, rien perdu de ses qualités olfactives. Une odeur délicatement poivrée le submerge et le fait frissonner. C'est la seconde fois en deux jours qu'il côtoie, à la toucher, cette déesse sculpturale, et il en chavire de bonheur. Sans paraître remarquer son trouble, Demi écrit en belles lettres rondes et fermes cette courte phrase :

« Raconte-moi exactement ce qui s'est passé à partir du moment où je t'ai quitté. »

Elle tire alors de la poche intérieure de son blouson

130

un petit magnétophone qu'elle place sur la table de chevet et l'enclenche.

Barzi, redevenu professionnel, concentre toute son attention et commence son récit.

Il conte tout avec la précision du bon flic qu'il est, complétant la trame qu'elle connaît déjà : l'intrusion des trois types, la sinistre mise en scène du corps de l'inconnue, l'ouverture des robinets de gaz, l'explosion.

Il revient de temps à autre en arrière pour agrémenter son récit de quelques détails supplémentaires, le type germanique des trois hommes, confirmé par les propos échangés à voix basse, la souplesse conservée du cadavre, qui pourrait même donner à penser qu'elle n'était pas morte, mais seulement inconsciente, le pubis rasé.

Sur ce point, Demi sursaute et écrit fébrilement :

« En es-tu sûr ?

— Je suis catégorique, patron, cette femme, manifestement, était rasée à la mode orientale. Ou bien c'était une pute. »

Demi, de plus en plus songeuse, reprend sa craie :

« Les ongles des mains et des pieds ?

— Je ne suis pas très sûr, mais je crois qu'ils étaient peints. De là où j'étais, je ne peux pas être catégorique.

— Les cheveux, longs ou courts ?

— Mi-longs, mais plutôt courts que longs.

— C'est-à-dire ?

— Ils devaient juste cacher les oreilles. »

Demi respire. Cette fille n'est pas Marion. Mais alors, pourquoi cette mise en scène ? Pour faire croire au suicide de la courtisane. Et alors, pourquoi fallait-il que l'on annonce la mort de son amie ?

Elle poursuit :

« À ton avis, y avait-il une bonbonne de gaz ?

Barzi reprend :

« Franchement, je n'en sais rien. C'est possible, mais je ne peux pas être affirmatif. À la réflexion, tout de même, il me semble avoir entendu un raclement métallique. Mais je ne voudrais pas me laisser influencer.

— Combien de temps ont-ils attendu avant de partir ?

— Une demi-heure, peut-être un peu plus. »

Demi reprend son bâton de craie :

« Insuffisant pour remplir de gaz deux pièces et une cuisine. »

Il opine alors :

« Vous avez raison, ils ont dû ouvrir en plus une bonbonne et la placer sous le lit ou à côté pour être sûrs de pulvériser la femme. »

Elle écrit : « Je le pense aussi », efface et conclut : « Merci, Barzi. Pas un mot à personne. »

Pour une fois qu'elle lui demande de partager un secret, il l'embrasserait.

## 43

« Tu avais raison. Tiens, regarde. »

Verson tend une chemise bleue à Willy, qui se renverse dans son fauteuil et l'ouvre. C'est le rapport d'autopsie de Dumolard, net, précis, qu'il parcourt plus qu'il ne lit jusqu'à ce qu'il tombe sur le paragraphe intitulé « cause du décès ».

Il a un petit frémissant en déchiffrant, soigneusement pour ne pas en perdre une ligne, les conclusions du médecin légiste : « Il apparaît en définitive que la trace de piqûre derrière l'oreille a été provoquée par une injection, peu avant la mort. Le produit injecté est un tonicardiaque et la dose massive a très probablement déclenché une arythmie cardiaque mortelle. »

« Bigre ! marmonne-t-il à voix haute, voici qui n'est pas rassurant. Et d'où vient ce produit ? »

Verson ne peut se retenir de sourire, pour préciser aussitôt :

« J'ai consulté un ami anesthésiste. Le mélange utilisé pour ce produit sympathico-mimétique est constitué de dopamine et d'adrénaline. Au demeurant, la composition est normale, précise-t-il, manifestement ravi d'étaler sa science toute neuve. Son injection à de telles doses ne se voit pratiquement jamais. Et il est clair que celui qui a fait cela pensait qu'on ne doserait pas le produit si d'aventure on le décelait. »

Willy ne retient pas son admiration :

« Toujours aussi méticuleux, mon cher Pierre. Mais alors, si cette hypothèse est la bonne, ça voudrait dire qu'on a affaire à des pros. Qui ont essayé de faire passer la mort de Tavernon pour naturelle. Tu vois que mon flair ne m'avait pas trompé.

– Je vois, je vois. Mais maintenant, c'est une affaire qui te dépasse, et il va falloir que j'en réfère plus haut », réplique Verson en regardant fixement Willy, histoire de lui faire comprendre que son rôle est terminé et qu'il doit retourner à ses romans policiers sans jouer les prolongations.

Message reçu, puisque Maier se lève et, en frappant d'une bonne bourrade la solide épaule de son ami, confirme :

« J'ai fait ce que j'avais à faire et tu ne m'auras pas dans les pattes. Le voudrais-je d'ailleurs que je ne le pourrais pas. Je te demande seulement ce que je dois dire au beau-père, Alexandre, et à la veuve. »

Un temps.

« Et si tu peux me tenir au courant ? »

Verson se redresse à son tour :

« Bien sûr que je te dirai où nous en sommes. Je te dois bien ça. Mais je devrai jouer serré avec le procureur, Duconfit, car le bougre est soupçonneux, et si tu ne le connais pas, lui te connaît. Il sourit : De réputation, bien sûr. En ce qui concerne ton ami et Mme de Tavernon, sois gentil, ne leur dis rien avant que j'aie vu le parquet et obtenu son feu vert.

– À la réflexion, tu as raison, d'autant que je me

demande dans quelle mesure nous ne ferions pas une bourde en rendant l'affaire publique. Car après tout, si l'assassinat, car c'en est un, a été voulu discret, il ne faut pas se précipiter pour en alerter le ou les auteurs. Et j'ai bien l'impression que nous avons affaire à une organisation.

— Oui, c'est aussi mon avis. Mais cela ne nous donne pas la clé du problème.

— Cherche du côté de la maison et de la DGSE, ou même encore de la DRM, et tu avanceras vite.

— Oui, mais ça va pas être simple. Tu sais bien que notre maison est cloisonnée comme un sous-marin, et si je les interroge, les copains de l'"antiterroriste" vont demander à être saisis de l'enquête. Pour une fois que je risque d'avoir une belle affaire, ça me ferait mal de la leur lâcher. »

Willy s'amuse comme un petit fou, sans rien en laisser paraître. Il a amené Pierre Verson exactement où il le voulait, à vouloir garder l'affaire pour lui tout seul en dépit des aspects bien particuliers de la mort du jeune ingénieur. Mais il faut qu'il aille encore plus loin, qu'il vienne le solliciter, lui, Willy, de lui donner un coup de main et, par conséquent, le réintroduire dans le dossier ; faux cul, il laisse alors tomber :

« Je peux peut-être t'aider. »

Verson fonce sans réfléchir :

« Comment cela ?

— Tu oublies que je suis très ami du beau-père, et que c'est moi qui ai recommandé son gendre aux CNC pour son embauche. Je peux essayer de savoir discrètement s'il y a quelque chose de ce côté-là.

— C'est bien tentant, Willy, et je te remercie, mais c'est dangereux.

— Dangereux ? Ce n'est même pas risqué. Qu'est-ce qui m'empêche après tout d'aider mon ami Alexandre à faire la lumière sur la mort suspecte de son gendre ? Et puis, ça a l'avantage de ne pas inquiéter outre mesure les assassins, tandis que s'ils apprennent que la DST fouine dans leur direction, ils vont paniquer et baliser.

— Willy, tu es sûr que tu ne vas pas jouer avec le feu ? Si des types ont tué, pour une raison que j'ignore, un homme apparemment sans histoires, ils peuvent très bien recommencer. Et là, je serais vraiment dans la merde.

— On peut la jouer fine, serrée. Seulement toi et moi. Tu peux même un jour me faire une sortie publique, devant témoin, pour me dire que tu as appris que je jouais les "privés", que tu m'interdis, et tout le toutim. Et puis, mystère et boule de gomme, nous nous voyons en douce, je te tiens informé, scrupuleusement, et toi, tu me fournis ta logistique, discrètement. »

Verson regarde Willy Maier.

« Tu es vraiment sérieux ?

— Je n'ai jamais été aussi sérieux.

— Eh bien, mon vieux Willy, j'accepte. J'ai confiance en toi et, pardonne-moi, mais ça m'excite de mener une enquête complètement parallèle avec un vieux pote comme toi. Promets-moi seulement de ne jamais risquer la moindre imprudence. »

Il s'arrête, le dévisage à nouveau et, dans un murmure :

« Je t'aime bien, Willy, tu sais. »

Jamais, depuis plus de trente ans qu'ils se connaissent, Maier n'a vu Verson dans cet état. Il lui serre la main et doucement, lui aussi, lui glisse :

« Merci, Pierre, je le sais depuis toujours. »

Sur le trottoir, quelques minutes plus tard, le vieux divisionnaire remue tout cela dans sa tête. Il a comme un regret de ne pas lui avoir soufflé mot de la visite d'Abou Kir ; mais il chasse vite cette pensée. « Ceci est une autre histoire », et ce n'est qu'une coïncidence qu'il se trouve sollicité par deux amis que rien ne permet de rapprocher, Alexandre et Abdelrazak, et deux

135

affaires sans aucune relation, un assassinat et la mort d'un terroriste.

Non, décidément, ce n'est pas un coup de canif dans le contrat.

## 44

Si le dossier attendu par Cheir se retrouve, un peu plus de vingt-quatre heures après sa disparition, entre les mains de l'attaché militaire israélien à Paris, ce n'est pas seulement par un de ces coups de chance qui jalonnent l'existence d'un service de renseignements.

Depuis des dizaines d'années, le Mossad a soigneusement quadrillé le monde hermétique des industries de l'armement. Au point que le terme de « complexe militaro-industriel » prend sa pleine acception pour traduire l'état d'esprit – le complexe – de ceux qui y sont confrontés. Le service de renseignements hébreu dispose d'informateurs soigneusement recrutés aux places stratégiques, introduits et influents, pilotes de chasse qui ont participé à la guerre des Six-Jours, anciens des services qui ont confondu la lutte contre le FLN avec le contentieux palestinien, Juifs de la diaspora. Aucun secteur de la recherche et de la production – les initiés disent du « développement » – n'échappe à leur vigilance, et s'ils ignorent le détail d'une technologie, ils sont presque toujours en mesure d'en connaître l'existence, ce qui n'est pas si mal. Ainsi, des détonateurs nucléaires qui peuvent le cas échéant, sur un petit théâtre d'opérations, faire office de mini ou de microbombes ; c'est à ce prix, celui d'une avance technologique soigneusement maintenue sur ses voisins arabes, que Tsahal maintient la paix, « sa » paix, dans la région.

Noël Nadal appartient au réseau des informateurs

occasionnels, ceux qui peuvent rester un an ou davantage sans rien produire, document ou simple renseignement, mais qui, épisodiquement, livrent une information, contre paiement bien entendu. Il est bien sûr répertorié, classé et même noté, de façon que le tri de ses « productions » se fasse plus rapidement, que leur exploitation s'engage sans tarder.

À peine a-t-il été en possession du dossier sur les « patras » qu'il a appelé son officier traitant sur sa messagerie électronique. Les choses n'ont pas traîné. Priorité absolue est toujours donnée par le Mossad aux documents qui intéressent directement l'État hébreu. Or, les Israéliens savent très bien où vont aller les sept patrouilleurs de Cherbourg. Ils ont suivi les améliorations apportées à ces petites merveilles, à partir de leurs propres vedettes. À chaque fois qu'il a été possible, ils les ont eux-mêmes rendues plus fiables, ont modifié les systèmes d'armes, en ont perfectionné l'électronique. Ce qui fait que leurs propres bateaux n'ont plus grand-chose à voir avec ceux qu'ils ont récupérés dans des conditions si rocambolesques.

Le commandant Zvi Meier, un vrai sabra d'origine ashkénaze, polonais précisément, est par chance un marin. Il a donc rapidement parcouru les fiches techniques, qui ne lui ont rien appris. En revanche, l'enveloppe « Cosmic » l'intéresse au plus haut point.

C'est tout l'objet de sa consultation avec le chef d'antenne du Mossad, Ygal Elleg, à côté duquel est assis un petit rond-de-cuir en blouse grise et gants de plastique. C'est à lui que Zvi s'adresse :

« Peux-tu m'ouvrir ça sans laisser de traces ? »

Le petit homme prend l'enveloppe, la tourne et la retourne méticuleusement et lâche :

« Je crois.

— Il ne faut pas croire. Je dois être sûr. Sinon, je grille ma source, prévient Zvi.

— Je comprends bien. Mais il y a toujours un risque.

Il va falloir décoller, ça, ce n'est pas bien difficile, mais ensuite, analyser la colle et recoller avec la même »

Habitué à commander, Ygal tranche :

« C'est bon. De toute façon, nous ne pouvons pas ne pas l'ouvrir. Alors débrouille-toi. »

L'entretien est clos.

Deux heures plus tard, le document « Cosmic » est revenu dans le bureau du chef d'antenne ; plus exactement sa copie, puisque l'original est à nouveau dans son enveloppe que les hommes de la technique s'appliquent à refermer avec la même colle, dont ils ont fabriqué quelques milligrammes, juste ce qu'il faut. C'est à ce genre de détails qu'on jauge le professionnalisme d'un service.

« Je crois que cela va t'intéresser. »

Ygal tend le mince dossier à Zvi. L'autre prend sans mot dire la liasse et, dès les premières lignes, laisse échapper un sifflement :

« Je pense bien que cela m'intéresse. Beau travail, mon vieux. Trop beau pour nous, d'ailleurs…

— C'est bien mon avis, et je crois que cela mérite un petit voyage à Tel-Aviv.

— Qui envoies-tu ?

— Nul n'est plus qualifié que toi. Et puis, les discussions d'état-major, ça m'ennuie prodigieusement. Oui, oui, plus j'y pense, plus je crois que tu dois partir dès demain. »

Le commandant sourit en plissant un peu les yeux :

« C'est curieux, j'ai comme l'impression que tu vas te remettre en chasse. »

L'autre a un air faussement las et désabusé :

« Il va bien falloir reconstituer le parcours de ce dossier, et d'abord savoir comment notre agent se l'est procuré. Et pourquoi les Koweïtiens se sont mis cette idée – il tend le nez vers le "Cosmic" – dans la tête. Et tout ça, dans le dos des Français. »

Très vite, Marion est parvenue en haut d'une nouvelle volée de marches. Cette fois, c'est une porte de fer qui lui barre le passage. À tout hasard, elle la pousse. En vain.

Les gueulantes du couple infernal résonnent dans l'étroit boyau qui l'a conduite jusqu'ici. Il faut qu'elle sorte, vite. Elle plonge la main dans sa poche, y trouve les clés qu'un instant elle a craint d'avoir perdues dans la bagarre. Cette fois, la chance a tourné, elle trouve le bon sésame, le tourne dans la serrure, pousse la porte.

Ce qu'elle découvre alors la sidère. Elle est dans une prison, une vraie prison, avec des cellules sur trois étages au-dessus d'elle, des chemins de ronde, des grilles partout. En fait, il ne manque que les prisonniers et les gardiens. Car la grande et sinistre bâtisse est un vaisseau fantôme vide, désespérément. Ou plutôt heureusement.

C'est d'ailleurs une ruine que cette prison où gravats et vitres brisées jonchent le sol, rendant plus lugubre encore l'atmosphère de roman noir qui la submerge. Et pourtant, elle se sent plus légère, soulagée, presque heureuse. Et comprend aussitôt pourquoi. Elle est à l'air libre, il fait grand jour, et elle peut enfin, sinon voir le ciel au-dessus de la verrière centrale, grise de crasse, du moins se revoir, telle qu'elle est, avec des bras et des jambes, se retrouver en femme et non plus en un être asexué et soumis.

Elle referme la porte de fer, la porte du mitard, pense-t-elle. Le dernier grincement replonge dans le silence l'étrange bâtiment qu'elle commence à parcourir d'un pas incertain. Sous ses pieds, sous ses chaussures enveloppées des restes de son collant, les morceaux de verre et de béton craquent et roulent. Elle essaie de se repérer et trouve rapidement la grille qui clôt la détention. Elle n'est même pas fermée ;

Marion la franchit, tend l'oreille, exercée par des jours de silence, reprend sa progression. C'est à présent le couloir de l'infirmerie et des douches, puis une porte d'apparence tout à fait normale, celle-ci, close. Elle a tôt fait de trouver la bonne clé, ouvre et se trouve sous la voûte d'entrée de l'immeuble ; elle n'est plus qu'à une dizaine de mètres de la liberté.

Et c'est à ce moment que lui vient une pulsion saugrenue. Elle ne peut sortir ainsi accoutrée, elle s'y refuse, et puis elle ne veut pas, à présent qu'elle a pris tous les risques, quitter ces lieux sans mieux les connaître, éventuellement voir ceux qui l'ont enlevée, maltraitée et condamnée.

Elle commence par tester la lourde porte d'entrée, repère la bonne clé qui la verrouille, mais se garde bien de l'ouvrir. Puis elle revient dans le couloir de l'infirmerie et, avec une patience qu'elle ne se connaissait pas, explore les pièces, l'une après l'autre. Les ateliers, vides, le parloir, vide, le réfectoire et la cuisine, toujours vides, ne laissent aucunement penser qu'ils ont été récemment visités ni occupés. Attentive à ne pas laisser de traces, elle avance avec précaution et méthode, résistant à la tentation d'ouvrir un robinet ou un placard, posant ses pieds sur des surfaces libres et planes. Elle parvient enfin aux locaux de l'administration, le parloir des avocats, quelques bureaux, celui du directeur en dernier.

Changement de décor complet : la pièce, presque propre, est meublée fort convenablement, table de travail de tôle grise, fauteuils à l'avenant, terminal d'ordinateur, fax, téléphone ; c'est impersonnel et froid, le bureau de n'importe quel employé de la Sécurité sociale ou des impôts. Marion s'y sent presque en sécurité et, machinalement, ouvre les tiroirs, vides, les deux armoires métalliques juxtaposées, vides. En refermant la seconde, elle aperçoit cependant, glissée entre les deux meubles, une sacoche de cuir. Elle s'en saisit, l'ouvre et en sort un dossier volumineux qu'elle range

140

aussitôt, sans même le consulter : « On verra plus tard », se dit-elle. Un dernier coup d'œil dans la salle de réunion attenante, elle reconnaît la salle d'interrogatoire, frissonne et songe enfin à se rendre une apparence normale.

Le cabinet de toilette du directeur fera l'affaire ; de toute façon, il n'y en a pas d'autre. Devant la glace, elle découvre enfin son pauvre visage, maculé de crasse, ses cheveux emmêlés, ses vêtements répugnants ; les ravisseurs ont omis de lui fournir une garde-robe. Elle se contente de se laver le visage, les mains et les pieds à l'eau froide, avec le bout de savon qui traîne sur le coin du lavabo. Elle en est à se rincer la figure sous le robinet quand elle perçoit distinctement un bruit.

Elle en a trop vu pour s'affoler, essuie rapidement de sa manche le lavabo et se réfugie dans les toilettes, désarmée et cependant très calme.

Apparemment, il n'y a qu'une personne, qu'elle entend entrer dans le bureau, puis appeler dans le couloir : « Heinrich ! ». Personne ne répond, évidemment, puisque Heinrich doit être l'une des deux brutes enfermées au mitard. L'homme maugrée, et elle croit reconnaître sa voix quand il décroche le téléphone pour échanger quelques phrases dans une langue qu'elle ne connaît pas et conclure en français : « Je vais voir. » Il n'y a pas de doute, c'est le « pète-sec », l'implacable Himmler.

La porte se referme, l'homme est reparti. Marion sait qu'elle n'a plus que le temps de s'enfuir. Pour être sûre de ne pas être vue, elle imagine que le mieux est de le suivre à distance, ce qu'elle fait, l'apercevant à deux reprises de dos, pas très grand, le cheveu gris et court, l'allure d'un ancien militaire ou d'un ancien sportif. Quand elle le voit se diriger vers la détention, elle comprend qu'il va au mitard. Elle lui dit mentalement adieu et gagne le porche puis la porte d'entrée, qu'elle franchit sans difficulté.

Elle est dans la rue, dans une rue. Il pleut, personne ne l'a vue sortir.

Clapier adore les palaces parce que, entre autres commodités, ils offrent le service de leurs voituriers qui, avec la bienveillante indulgence du commissaire de l'arrondissement renforcée par quelques déjeuners gratuits, assurent la police de la circulation et accaparent chaussée et trottoirs ; tant pis pour les médiocres qui doivent se contenter du parking souterrain de la place de la Concorde.

Raymond range sagement sa Mercedes devant le Crillon et en confie les clés au brave homme en casquette, sans doute un remplaçant, puisqu'il flotte manifestement dans sa livrée rouge de garçon de piste de chez Pinder ; à peine a-t-il posé le pied sur le trottoir que le type de ce matin, surgi on ne sait d'où et toujours aussi respectueux, lui annonce à mi-voix :

« Mes devoirs, monsieur le président, M. Cheir vous attend. »

Clapier a beau se prendre au sérieux, il lui reste suffisamment d'humour pour apprécier la nuance, « monsieur l'ingénieur général » ce matin, « monsieur le président » ce soir, comment va-t-il l'appeler en le raccompagnant tout à l'heure ?

Les épaisses moquettes de la résidence habituelle des stars et des émirs s'enfoncent à peine sous les pas de l'industriel qui se voit proposer d'emprunter l'escalier, façon de rendre hommage à son habitude, bien connue de ses familiers, de ne jamais utiliser l'ascenseur ; décidément, ce M. Cheir est un homme bien renseigné.

C'est aussi un hôte bien élevé : la porte de la suite s'ouvre devant Clapier sans qu'il ait eu à s'arrêter ; quelques pas en retrait du portier, du genre gorille intelligent, un homme est debout au milieu du salon, souriant sans servilité, digne sans raideur, élégant sans ostentation. Il tend la main :

« Abdul Fader, mes amis m'appellent Cheir. (Il accentue son sourire.) Mes ennemis également. Je vous propose Abdul.

— Raymond Clapier, ceux qui m'appellent Raymond sont nécessairement mes amis, Abdul.

— Bienvenue, Raymond, soyez remercié de vous être prêté si obligeamment à mon incurable manie de préférer vos palaces parisiens à ces hôtels particuliers, coûteux, inconfortables et accablés d'impôts. »

Décidément, la finesse de Cheir est à la hauteur de sa réputation ; l'argent ne gâte pas tout le monde, à condition d'en avoir suffisamment, se dit Clapier qui se laisse conduire dans un boudoir attenant où trônent sur une table une bouteille de Cristal Roederer évidemment millésimée, plongée jusqu'au col dans un seau à glace, une bouteille de whisky presque translucide et un flacon rouge sombre, sans doute quelque vieux porto.

« Que puis-je vous offrir ? »

C'est Cheir qui fait lui-même le service après avoir congédié son personnel d'un imperceptible mouvement de la main.

« Je ne connais pas ce whisky, mais sa couleur m'inspire.

— Vous avez vu juste, Raymond, c'est le meilleur whisky écossais. J'ai racheté la distillerie, il y a deux ans. Remarquez sa pâleur, c'est un pur malt, divin, si j'ose vanter mes produits.

— Je le goûterais volontiers. »

Le geste exercé, Cheir dépose deux glaçons au fond du verre et verse doucement le liquide à peine ambré. Clavier apprécie, d'autant que son hôte a la délicatesse de s'en servir également.

« Je vous souhaite la bienvenue et vous remercie de vous être déplacé, Raymond. »

La redite est courtoise, orientale ; Raymond, qui connaît les rites arabes, ne peut s'en offusquer. Il répond avec toute la conviction qu'il faut. La conversation sérieuse peut s'engager.

143

C'est Cheir qui se lance le premier. Sans craindre de se répéter, il explique à son interlocuteur que la « Nation arabe », c'est le terme qu'il emploie, a enfin compris quel enjeu primordial représente la mer. Pour faciliter les échanges économiques, mais aussi en termes stratégiques, puisque la faculté de s'y déplacer est pratiquement illimitée et que, comme le ciel, elle a sa troisième dimension, les profondeurs, avec un avantage considérable, la discrétion, la possibilité de se cacher, la protection par un énorme bouclier de milliards de tonnes d'eau. Clapier sait tout cela, se demande si le richissime marchand d'armes l'a fait venir pour étaler sa science militaire ou pour parler business, mais il se retient d'interrompre. Il veut montrer à son hôte qu'il connaît les usages.

Enfin, Cheir semble se rapprocher du but :

« Nous sommes quelques-uns à mesurer les conséquences de l'effondrement de l'URSS. Nous nous en sommes d'abord réjouis, et puis, aujourd'hui, nous nuançons notre satisfaction. Surtout dans la mesure où les États-Unis veulent mettre la main sur la totalité de la ressource pétrolière et ne tolèrent pas qu'un pays échappe à la domination de leurs compagnies ; nous avons fini par comprendre que la politique de l'Arabie saoudite ne sert que les intérêts d'une famille, celle du roi Fahd et du prince Abdallah, et qu'elle handicape lourdement les autres pays arabes. Nous voulons rééquilibrer les choses et rendre à la Nation arabe la libre disposition de "son" pétrole. Ce qui nous conduit à faire la paix avec nos frères plus turbulents, Libye, Irak et Algérie, et même avec l'Iran. »

Il s'arrête pour éprouver l'attention de Clapier.

« Qui n'est pas un pays arabe, corrige celui-ci.

– Mais qui est objectivement un grand pays d'Orient, dans la mouvance arabe, nos cousins en quelque sorte ».

Clapier sourit :

« Des cousins à la mode de Bretagne.

« – Si vous voulez. Toujours est-il que vous me voyez ici, en face de vous, Raymond, pour vous proposer un marché, un énorme marché. »

Le Français se tait, c'est le moment de garder le silence. Cheir prend son verre, le considère comme s'il s'agissait du saint Graal et le repose sans y toucher.

« Il s'agit de l'Irak. Nous avons décidé de mettre un terme à cet embargo imbécile. Et d'aider ce grand peuple à reprendre sa place parmi nous. Or, nous savons que, avant toute chose, l'Irak doit retrouver un accès sûr et indépendant à la mer, reconstituer sa flotte commerciale, qui a fini de pourrir dans tous les ports du monde, et nous allons lui avancer les capitaux. Mais ce n'est pas suffisant. »

Clapier est tout ouïe.

« Il faut que la chose soit possible, que l'ONU, enfin que les États-Unis acceptent, que l'Irak se dote de quelques moyens défensifs, des bateaux, par exemple, pour assurer la sécurité dans ses propres eaux territoriales. »

Le PDG sourit :

« Vous n'allez pas me dire que l'Irak, juste après le Koweït, va nous acheter des patrouilleurs rapides ?

– Si, justement.

– Et vous imaginez que le gouvernement américain va avaler ça ?

– Si nous mettons Saddam hors jeu, sans le moindre doute.

– À mon tour de vous dire que, justement, c'est le plus difficile. »

Cheir sourit :

« Nous avons de bonnes cartes. Et de solides partenaires. »

Et comme il voit s'arrondir l'œil de Clapier, l'homme d'affaires poursuit :

« Supposons simplement que nous vous achetions une série de patrouilleurs que nous nous engagerons

145

à ne pas utiliser aussi longtemps que le régime de Bagdad n'aura pas été remplacé par un nouveau gouvernement, avalisé par le Congrès national irakien\*.

– Avec quelles garanties ?

– L'OSI, Office of Strategic Influence. »

Clapier, bien mieux averti qu'il ne le laisse paraître, répète machinalement, comme abasourdi :

« L'OSI ? Mais je le croyais fermé ?

– Pas pour tout le monde, mon cher Raymond. »

Cheir sait évidemment que Clapier, sitôt la porte franchie, va se ruer sur quelque téléphone ou quelque informateur pour obtenir confirmation. Le très redoutable OSI a en effet été créé dans le plus grand mystère par le secrétariat américain à la Défense, pour mener la « guerre de l'information ». On devrait dire de la désinformation. Ceci sous le regard furibard des pontes de la CIA, du FBI et de la NSA. Mais jusqu'à présent, nul n'a entendu citer une seule de ses initiatives.

Tandis que Clapier, c'est visible, réfléchit à toute vitesse, Cheir pousse son avantage :

« Pour vous prouver que nous sommes gens de parole, j'ouvre, si nous tombons d'accord, un crédit à votre nom dans ma propre banque. Combien voulez-vous ?

– Avant de vous donner un chiffre, je voudrais savoir à quoi je m'engage.

– À signer un contrat portant sur la livraison, échelonnée sur deux ans, de six vedettes.

– Dans ces conditions, je crois qu'une avance de cent millions…

– … de dollars ? »

Clapier a remarqué que Cheir n'avait pas bondi à l'annonce du chiffre. Aussi poursuit-il :

« Bien entendu.

– C'est d'accord. »

La réponse est tombée, providentielle et catégo-

\* Opposition à Saddam Hussein, installée à l'extérieur.

146

rique. Raymond se retient de jubiler. Tout aussi souriant, Cheir se penche vers lui et ajoute :

« Il me faut seulement, dès que la somme sera versée, l'autorisation de faire visiter vos chantiers par une mission irakienne. Des opposants, bien entendu. »

L'industriel se racle la gorge :

« C'est que les Koweïtiens sont encore là ; c'est un peu délicat de les faire se croiser avec des Irakiens, même installés aux États-Unis.

— Nous prendrons ensemble toutes les précautions ; ce que je vous demande seulement, c'est un accord de principe.

— Vous l'avez.

— Eh bien, Raymond, nous voici associés. Demain, à la première heure, je donne les ordres à ma banque. Nous vous recontacterons dès que vous aurez reçu le virement. Vous pouvez préparer le contrat. »

Voilà un homme de décision, songe Clapier en récupérant les clés de sa voiture contre un billet de cent francs.

## 47

Demi relit encore le compte rendu d'intervention des pompiers de Paris. C'est finalement le lieutenant Deléglise qui l'a établi. Précis, documenté, illustré de photos, il n'est incomplet que sur un point : il ne fait nulle mention de la présence sur les lieux de Barzi ni de l'intervention « bénévole » de la jeune femme. Comme elle l'a fait pour son amant d'un soir, Demi a expliqué au colonel que cette affaire la dépassait, que Barzi faisait des heures supplémentaires pour la DGSE et qu'il était précisément en mission ce soir-là. En bon militaire, le chef de corps a consenti à ce que ce détail soit oublié. Le commissaire de police compétent n'étant arrivé sur les lieux qu'une bonne demi-heure après le départ de Demi, il n'a pas davantage mentionné l'embarrassante situation des deux flics des mœurs. Pour la bonne et simple raison que personne ne lui en a parlé.

On toque à la porte. Demi lève son joli minois, le nez chaussé de lunettes qui lui donnent un air « institutrice croqueuse de papas venant chercher leur progéniture à la sortie de l'école », et invite à entrer l'esprit frappeur. C'est Jean-Charles, l'air faussement navré, qui interpelle :

« Patron, Marion s'est fait la belle. »

Demi prend son air le plus absent :

« Qu'est-ce que tu me chantes ? Elle est partie ? Et où ?

— Pour la destination dont on ne revient pas. Elle s'est volatilisée, si je puis dire, réalisant sur le tard le mauvais goût de sa réflexion.

— Elle... Elle est morte ? articule Demi, butant sur le mot, s'émerveillant elle-même des immenses ressources de son talent de comédienne.

— Tout ce qu'il y a de plus morte, elle a été déchiquetée dans l'explosion de son appartement, enfin, de son studio de production.

— Jean-Charles ! le reprend-elle, puis, se radoucissant : Mais tu m'avais dit qu'elle recevait de drôles de visites.

— Et tu devais aller la voir.

— J'y suis passée, mais elle n'était pas là. J'y suis d'ailleurs retournée, et toujours pas de Marion. »

Elle ment effrontément, mais Jean-Charles ne paraît pas s'en apercevoir. Elle s'efforce seulement de se ménager une sortie au cas où Marion ferait sa réapparition, puisqu'elle sait que ce n'est pas elle qui a été pulvérisée. Elle a toute confiance en son adjoint, mais un coureur de sa trempe peut toujours se laisser aller à une indiscrétion, à un bavardage, et son « habillage » du rapport des pompiers est suffisamment grave pour ne pas être divulgué. Elle relève la tête :

148

« C'est criminel ?

— Non, non, accidentel. En tout cas, c'est ce que pensent les pompiers et le commissaire du quartier. C'est une fuite de gaz, accidentelle ou volontaire.

— Elle aurait voulu se suicider ? Ça, je ne le crois pas, mon vieux. Elle tenait trop à la vie, la belle Marion.

— En tout cas, voilà une enquête de close. »

C'est toute l'oraison funèbre de la courtisane. Quelque chose toutefois turlupine Demi. Elle regarde fixement Jean-Charles :

« Dis-moi, Jean-Charles, as-tu couché avec elle ? »

Il a un soupir d'immense regret :

« Hélas non ! c'est un coup que je n'aurai jamais.

— C'est peut-être mieux ainsi. Y aura-t-il des obsèques ? »

Il hausse les épaules.

« Je ne sais pas.

— Alors renseigne-toi. Au fait, sais-tu que Barzi s'est ébouillanté en réparant un chauffe-eau ? C'est la loi des séries.

— Je l'ai su, et je suis même allé le voir. Il n'a pas grand-chose, et je le soupçonne de tirer sa flemme.

— Qu'est-ce qu'il t'a dit ? s'inquiète tout de même Demi, histoire de vérifier que son brave inspecteur tient bien sa langue.

— Oh, il s'est lancé dans une explication à laquelle je n'ai rien compris. Le ballon s'est descellé et l'eau bouillante l'a inondé. »

Sacré Barzi ! Lui non plus n'a pas complètement menti.

Demi reste songeuse. A-t-elle raison de cacher la vérité à son adjoint ? Et qu'est devenue Marion ? Elle soupire, quand le téléphone sonne. Sa ligne directe. C'est Jacky. Elle fait signe à Jean-Charles que l'entretien est terminé.

« Allô, Demi ? Je voulais te remercier et te dire que ça avait été formidable. »

Exactement ce qu'elle a horreur d'entendre. Elle ironise.

« Pas trop fatigué, tout de même ? »

Il fanfaronne :

« En pleine forme ! Et pour te remercier, j'ai un petit souvenir pour toi.

— Je ne veux pas de cadeau, Jacky, sinon nous ne recommencerons pas. Et ça m'ennuierait.

— J'ai dit "souvenir", pas "cadeau".

— Tu me rassures ; et qu'est-ce que c'est ?

— Un bouchon de Butagaz. »

Un point pour lui.

## 48

« Verson, franchement, vous m'emmerdez. »

Cette fois, c'en est trop. Le procureur Duconfit n'apprécie pas que le divisionnaire vienne tout à la fois lui annoncer que, selon toute vraisemblance, Jean-Louis de Tavernon a été assassiné, et lui demander de ne rouvrir l'enquête que dans le plus grand secret.

« Monsieur (Verson prend la liberté d'oublier "le procureur"), je ne suis pas sûr que cette affaire n'ait pas des implications sérieuses, et nous n'aurons de chances d'attraper l'assassin que si nous gardons le silence.

— Je ne peux pas prendre tout seul une décision comme celle-là. Il faut que j'en réfère au parquet général. »

« Et le parquet général, c'est le procureur général Boisardent, un pétochard de première », pense aussitôt Verson. Mais il se reprend à voix haute :

« La raison d'État, vous connaissez, monsieur le procureur ? Eh bien, la raison d'État commande que les circonstances de la mort de M. de Tavernon soient tenues secrètes. Peut-être devrais-je en référer en haut lieu?

— Attendez, avant d'en arriver là, nous pouvons peut-être essayer de bien cadrer le problème. Combien de temps vous faut-il pour mettre la main sur le meurtrier présumé, je pense, bien entendu, à ce témoin qui s'est précipité sur la victime et qui s'est prétendu médecin?

— Difficile à dire. Il faut reprendre l'enquête à zéro. Excusez-moi de vous le dire, mais les CRS ne sont peut-être pas allés au fond des choses. Certains détails essentiels ont peut-être été omis, ou négligés. Tant que je n'aurai pas lu les PV de l'accident, je serai incapable de vous le dire. Mettons, je réfléchis tout haut, mettons que d'ici à la fin de la semaine je pourrai vous répondre plus précisément.

— Bien. Je vous donne jusqu'à la fin de la semaine. Jusque-là, motus, commissaire, c'est bien entendu?

— C'est moi qui vous le demande, monsieur, alors vous pensez si c'est entendu! »

Verson prend congé, comme toujours sans cordialité, simplement avec cette politesse froide dont il gratifie les magistrats. Tout à l'heure, il enverra sa propre secrétaire récupérer le dossier que les CRS, méticuleux, ont établi sur l'accident. Entre-temps, le procureur l'aura demandé pour une vérification de routine, histoire de ne pas éveiller les soupçons.

En milieu d'après-midi, Verson appelle Maier sur son portable.

« J'ai ce qu'il te faut. Je te propose de faire un point de départ, ensemble.

— Quand?

— Je passe chez toi dans la soirée. Tu ne bouges pas?

— Je t'attendrai. »

C'est parti.

Willy n'a pas perdu son temps. Ni ses relations. Avec un vieil ami de la maison qui a filé au Luxembourg sous un prétexte quelconque, il a pu retrouver les numéros que le portable « donné » par El Mismari a appelés. Puis, pour chacun d'eux, recherché le propriétaire, si c'est un portable, l'adresse, si c'est un poste fixe.

Les numéros livrent rapidement leur mystère ; les portables correspondent à des appareils à carte dont les possesseurs sont anonymes. Quant aux postes fixes, deux sont ceux de bistrots, un seul, pour un très bref appel d'ailleurs, est apparemment celui d'un appartement de l'avenue Émile-Zola. Il est sur liste rouge, mais Willy a tôt fait d'en connaître l'occupante, une certaine Marie-Noëlle Leteneur, autrement dit Marion.

Battant le fer pendant qu'il est chaud, Willy va chercher son ami Abou Kir, en prenant, fait exceptionnel, la voiture de Mathilde.

Ils remontent à présent l'avenue de la Motte-Piquet, s'engagent dans l'avenue Émile-Zola, aperçoivent de loin des barrières de chantier, des rubans de plastique rouge et blanc tendus. Sans s'arrêter, Willy passe devant l'immeuble à la façade éventrée et poursuit sa route comme si de rien n'était.

« Tu as vu à quel étage ?

— Je ne suis pas sûr, mais je crois bien que c'est le quatrième.

— Eh bien ! nous voilà avancés ! Ou il s'est foutu de toi, El Mismari, ou…

— … Ou bien il m'a mis en plein sur le coup.

— On va bien voir. En attendant, on va aller prendre un pot au café du coin. Gaffe à ta patte folle, Kader (il l'appelle souvent ainsi.), il faudrait pas qu'on se fasse repérer trop vite.

— J'arrive très bien à donner le change, mon petit

Goupil. Tu vas voir ma petite merveille, *made in Germany.* »

Willy ne répond rien, gare sa voiture soigneusement et va chercher un ticket de stationnement, sous l'œil amusé d'Abou Kir :

« T'es un vrai petit bourgeois. Respectueux des lois, et tout.

— Écoute ! je vais t'apprendre deux choses, rétorque Willy, qui feint d'être piqué au vif. Primo, Mathilde m'arrache les yeux si jamais je lui bigorne sa voiture. Deuxio, je ne tiens pas à me faire repérer, si d'aventure les RGPP se mettent à éplucher les carnets de contre-danse du quartier.

— Ils font ça ?

— Tu parles ! et c'est fou ce qu'on découvre, à partir de ces voitures dont les propriétaires oublient de payer la taxe Chibroque.

— Tibépleure !

— Tibépleure si tu veux. On ne se méfie jamais assez des traces qu'on laisse et qu'un bon ordinateur restitue en moins de deux. »

Ils sont arrivés devant une brasserie, à une cinquan-taine de mètres de l'immeuble dévasté. Ils s'installent au comptoir et Willy voit avec surprise son ami poser ses deux mains sur le zinc, l'une après l'autre, le plus naturellement du monde.

« Merde, alors ! chuchote-t-il. Comment tu fais ?

— Ça t'en bouche un coin, hein ? Figure-toi que j'ai un micromoteur électrique aux articulations du coude et de l'épaule et que je peux les manœuvrer douce-ment à partir de l'autre main. Et tu remarqueras que, si on ne le sait pas, on ne s'en aperçoit pas.

— Chapeau ! et ce sont les Allemands qui font ça ?

— Eh oui ! C'est encore un des bons effets de la guerre. Ils ont eu tant d'amputés qu'ils se sont fait une spécialité des prothèses articulées. Et maintenant, avec l'électronique, ils ont encore perfectionné le système.

153

« — Arrête, tu vas me donner envie de me faire couper un bras. »

Le géant sourit.

« Il n'y a qu'un inconvénient. »

Willy joue l'étonné :

« Et c'est ?

— Et c'est que c'est plus fragile. Alors je ne peux plus, quand j'interroge, mettre la main à la pâte, si tu vois ce que je veux dire. »

Tu parles s'il voit. Il en a tant vécu, ce brave Willy, de ces séances où il fallait à toute force arracher des aveux. Le regard tantôt arrogant, tantôt apeuré de ces types qui, après tout, se battaient pour leur pays, des vieux, des gamins, des « normaux ».

« Mais jamais de femmes, murmure-t-il machinalement entre ses dents.

— Qu'est-ce que tu dis ?

— Oh rien ! Des vieux souvenirs qui remontent, pas toujours très jolis ; et j'ai bien peur d'avoir laissé mon âme dans tout cela. »

Abou Kir pose une main affectueuse sur l'épaule de son vieux pote.

« Et nous ? tu crois qu'on fait mieux ? C'est encore pire, entre compatriotes. Mais avec ces types, on n'a jamais rien obtenu autrement. Et tu vois (il lève son bras articulé), je ne vous en voudrai jamais pour ça. »

Willy s'ébroue, reprend ses esprits et, en guise de conclusion, interpelle le garçon qui place devant eux les soucoupes à café.

« Vous avez eu la guerre, dans le quartier, ou quoi ?

— M'en parlez pas ! Quand ça a pété, j'ai cru qu'une bombe était tombée dans la rue. Je vous dis pas la panique. Ça courait dans tous les sens.

— Il y a eu des victimes ?

— Mais vous ne lisez pas les journaux, ma parole ! Oui, un mort, enfin, une morte, la locataire du quatrième, une certaine Marion.

— Si vous la connaissiez, ça a dû vous faire un choc !

154

– Tu parles si je la connaissais. Une fille super, qui venait dîner ici de temps en temps. Je crois bien qu'elle vivait un peu de ses charmes (il baisse la voix), mais gaffe, y a un flic ici qui surveille tout.

– Un flic, et pourquoi?

– Qu'est-ce que j'en sais, moi? Mais croyez-moi, je l'ai bien retapissé. Et c'est pas un type de la mondaine. Ça fait des jours et des jours qu'il passe ici. Il fait semblant de travailler dans le quartier, mais ça ne prend pas. »

Willy siffle, admiratif :

« Chapeau, mec! mais comment savez-vous ça?

– J'ai fait de la taule, quand j'ai déconné avec les petites frappes d'Issy-les-Moulineaux. Et j'ai appris à flairer un condé à dix lieues à la ronde. Tenez, il est en terrasse et il nous regarde en ce moment. »

Willy dit doucement à Abou Kir :

« Mets tes lunettes et regarde-moi bien en face. »

Intrigué, le général s'exécute. Herrmann le fixe intensément et répond au barman, sans se retourner;

« Le type avec une parka claire, qui boit un demi?

– À mon tour de dire chapeau! glisse le barman. Comment vous faites?

– Oh, c'est un vieux truc complètement éculé, les lunettes de mon copain me servent de rétroviseur. Tu vois, dit-il au barman, moi aussi j'ai vécu. (Il marque un temps.) Comme flic. »

L'autre ouvre des yeux comme des escarboucles.

« Flic? Ça alors, je vous avais pas repéré.

– Normal, j'ai quitté – et puis rassure-toi, j'ai jamais fait dans le droit commun. J'étais un peu spécial, si tu vois ce que je veux dire. »

Il voit très bien, le garçon; il voit si bien qu'il accepte sur-le-champ le contrat que lui propose Willy; il le renseignera discrètement sur ce qui se passera autour de l'appartement de Marion, surveillera le flic des RG et toutes les mouches qui viendraient tourner autour du morceau de viande.

155

« Tout ça ne m'avance guère, maugrée Abou Kir en remontant dans la voiture de Mathilde.

— Patience, mon vieux, nous avons appâté, il faut savoir attendre. »

## 50

En dépit de sa fatigue, Marion presse le pas. Elle a froid, elle a faim, son accoutrement est pitoyable, et elle sait qu'elle ne dispose que de quelques pauvres minutes, une dizaine tout au plus, sur le pète-sec qui va se lancer à sa poursuite, et ameuter des troupes fraîches pour une chasse à l'homme inégale.

Elle est en banlieue, semble-t-il, dans un environnement de pavillons hideux et de jardins que l'hiver a réduits à des espaces dévastés et sinistres. Elle se garde bien de tourner à la première rue, parce que c'est son premier réflexe et que, logiquement, le pète-sec pensera de même. De temps à autre, un coup d'œil par-dessus son épaule la rassure, rien à l'horizon, la prison est encore visible, mais loin, bien loin. Un coup d'œil à la montre, il est à peine deux heures de l'après-midi. Elle calcule que la nuit ne tombera pas avant six heures et que ça lui en fait quatre à attendre, la nuit qui la protégera, la sauvera.

Elle passe, presque en trottinant, devant un café et songe à s'arrêter. Risqué, le pète-sec est forcément en voiture. Il viendra immanquablement ici, lui ou un de ses hommes. Dans l'état où elle est, il n'y a aucune chance qu'elle passe inaperçue. Elle se force à réfléchir, elle sait que c'est de son intelligence, de sa capacité à anticiper, à jouer plus fin que ses ennemis que dépend son salut. Elle a alors un éclair : elle doit se cacher, disparaître, se volatiliser comme si elle n'avait jamais existé. Au moins jusqu'à la nuit. Et ensuite revenir se fondre dans Paris, Paris dont elle ne sait si elle se rapproche ou s'éloigne.

« Tu vas attraper la crève, s'interpelle-t-elle à voix basse, mais, pauvre conne, foutue pour foutue, mieux vaut que tu claques d'une fluxion de poitrine que torturée, martyrisée par des sadiques assoiffés de vengeance. »

Elle vient de franchir un pont de chemin de fer, s'arrête, réfléchit ; c'est peut-être sa chance, cette voie ferrée caillouteuse que la voiture du pète-sec ne pourra suivre. Presque en courant, elle descend le talus abrupt, se jette sur le ballast au moment où elle perçoit un bruit de moteur. Elle bondit sous le pont, entend distinctement une auto qui passe. Prémonition ou extrême lassitude, elle se laisse tomber plutôt qu'elle ne s'assied ; elle ôte ses chaussures hors d'usage, se masse les pieds pour passer le temps.

Encore une voiture. Cette fois, le moteur s'arrête. Le cœur de Marion se met à battre à grands coups. Elle imagine le pète-sec, cinq ou six mètres au-dessus d'elle, en train d'inspecter la voie du regard. Cela dure une éternité. Un claquement de portière, la voiture repart. C'est tout à fait la fuite des petits chiots dalmatiens dans le film de Walt Disney, sauf qu'elle n'est pas Cruella, mais une Perdita sans son Pongo.

Elle décide de rester encore, et sans bruit se recroqueville dans ses pauvres loques, dont elle oublie l'odeur et la crasse. Elle ferme les yeux et, pour la première fois depuis des jours, s'endort paisiblement.

Un léger bruit la réveille, peut-être au bout de quelques secondes. Ce sont des pas ; il y a, au-dessus de sa tête, quelqu'un qui fait les cent pas, un guetteur, une sentinelle dont elle est sûre qu'il est à sa recherche. Elle bénit l'inspiration qui l'a conduite ici et lui a soufflé de demeurer dans ce piètre abri. Car elle ne s'imagine pas rivalisant de vélocité sur le ballast avec qui que ce soit. Elle est même presque heureuse de l'entendre battre de la semelle, car aussi longtemps qu'elle perçoit ses pas elle n'a rien à craindre.

Le temps est effroyablement long ; le froid à présent la pénètre cruellement ; seule la peur la retient de trembler, de claquer des dents, de bouger. Elle vit l'attente du lièvre couché dans un sillon et qui entend les chiens fureter et les chasseurs aller et venir et s'interpeller. Un train passe, qui lui balance l'énorme claque d'un courant d'air glacial. Elle n'est plus qu'une boule de froid, mais elle respire un air autrement vivifiant que les remugles de sa cellule.

À nouveau, un bruit de moteur. Elle le reconnaît, c'est bien la même voiture. Avec cette fois, une voix, c'est bien celle du pète-sec qui interpelle toujours dans cette langue qu'elle ne connaît pas. Puis subitement, il s'exprime en français :

« C'est bizarre, j'ai même demandé au bar ; on ne l'a pas vue passer.

— Alors, elle s'est fait prendre en stop et elle doit être loin.

— Possible, mais continuons tout de même. Il faut absolument la retrouver, la salope ! »

« Pauvres cons ! » pense-t-elle.

La bouffée de haine qui la submerge lui fait du bien ; pour un peu, elle bondirait hors de sa cachette pour les défier, comme elle l'a fait deux fois dans la journée, terrassant, elle, la pauvre recluse, deux monstres dans la force de l'âge, tellement plus puissants qu'elle, mais affligés du pire handicap, la certitude de leur supériorité. Elle n'a pas à contenir longtemps sa pulsion, les voix s'éloignent, les portières claquent et la voiture repart.

Elle se décide enfin à sortir de son pont providentiel et part en claudiquant, cahotant sur l'étroit passage praticable le long du ballast. Elle ne sait pas si elle va vers Paris, et s'en remet à sa bonne étoile. Un second puis un troisième train passent, lancés à toute vitesse, qui la couchent presque par terre. Une première borne lui donne un chiffre, 37, elle continue, espérant le 36 qui signifierait qu'elle est dans la bonne direction, puisque le kilométrage est décompté à partir de Paris ; c'est le 38 qu'elle trouve. Elle en pleurerait ; elle fait demi-tour.

À présent, le jour décline. C'est la pénombre tant attendue, qui va mettre fin aux recherches. Elle se force à réfléchir pour ne pas s'écrouler, là, d'épuisement. Doit-elle rester sur la voie ferrée, où elle ne progresse que lentement, ou remonter sur la route ? Elle sait qu'elle ne fera pas comme ça la bonne trentaine de kilomètres qui la séparent de Paris. Elle trébuche, frissonne, s'encourage à voix haute : « Allez, Marion ! Ce que tu viens de faire est formidable, mais tu ne peux pas t'arrêter. Pense au bon lit qui t'attend, à la douche, à un verre de vin. »

La nuit est tombée, à présent. La pluie aussi, qui réchauffe quelque peu l'atmosphère et dont elle a l'impression qu'elle la lave de toutes ces journées de crasse et de souffrance. Depuis combien de temps la pauvre chose qu'elle est devenue cahote-t-elle ainsi, sur le petit sentier qu'elle devine le long des traverses ? Une lumière jaillit de l'obscurité, tandis qu'une voix masculine s'exclame :

« Mais qu'est-ce que vous faites ici, madame ? Vous êtes tombée du train ou quoi ? »

Elle ne distingue qu'une silhouette au-delà du halo lumineux. Elle sent les larmes lui monter aux yeux, ses jambes l'abandonnent.

À présent, le vent et la pluie lui fouettent le visage qu'elle tente d'abriter derrière le dos du jeune homme qui l'emporte, sur sa trial, vers ce qu'elle espère le plus, un bain chaud, un repas.

Quand elle s'est trouvée face à l'adjoint de sécurité de la SNCF, tout étonné lui-même d'une pareille rencontre, elle n'a pas eu la force de mentir. Elle lui a dit qu'elle s'était échappée, qu'un homme la poursuivait, une brute qui la maltraitait ; il n'a rien demandé d'autre et, spontanément, lui a offert de la conduire à Montlhéry, à quelques kilomètres de là, où ses parents tiennent une sorte d'auberge. Elle l'aurait embrassé.

La moto, docile, glisse sur l'asphalte entre deux rangées de maisons qui fuient, hagardes, dans le pinceau du phare. Elle se dit qu'elle aurait pu tout aussi bien disparaître, que nul ne s'en serait inquiété sauf, sans doute pour s'en sentir soulagé, le pète-sec.

Les façades se font plus proches et plus serrées. Une série de virages, et le jeune homme entre dans une cour pavée où l'engin tressaute avant de s'immobiliser. Il est le premier descendu, l'aide à descendre et lui dit simplement :

« Pardonnez-moi, mais il m'arrive d'amener des copines, ici ; mes parents me laissent la disposition d'une chambre sans me poser de questions. C'est la planque idéale. »

Elle sourit. Pour la première fois depuis bien longtemps. Elle regarde enfin sous la lumière de la cour ce grand garçon, s'aperçoit seulement alors qu'il est coloré, antillais sans doute, pense-t-elle, ma foi bien bâti. Et elle lui dit simplement « merci », emplissant son regard d'une buée bienfaisante.

« Moi, c'est Éric », lui a-t-il précisé ; elle suit donc Éric à travers couloirs et escaliers jusqu'à une porte sans numéro, fermée à clé. C'est sa garçonnière, ringarde à souhait, avec un mélange dissonant de posters à dix francs, d'objets hétéroclites qui témoignent des pérégrinations de l'occupant entre Ménilmontant et Chalon-sur-Saône, et, posée sur la table comme une invite, une bouteille à demi pleine d'un liquide ambré et audacieusement étiquetée « rhum d'amour ». Ça gueule le mauvais goût, mais aussi la naïveté, la gentillesse, et c'est pour Marion la plus jolie demeure qu'elle eût rêvée.

« Installez-vous, vous êtes chez vous ; je vais aller vous chercher quelque chose à manger. »

Il a disparu. Dans la salle de bains attenante, elle fait couler l'eau et, sans même attendre, se débarrasse de ses oripeaux, se glisse dans la baignoire et laisse l'eau tiède couler sur ses pauvres pieds meurtris et monter lentement le long de son corps. Elle s'enfouit peu à peu sous cette chaude et caressante couverture liquide, rejette la tête en arrière, laisse ses cheveux doucement flotter autour de son visage.

Elle entend la porte s'ouvrir.

« Ne vous dérangez pas, je vous apporte seulement un en-cas.

— Merci, Éric. S'il te plaît, peux-tu venir ? »

Il n'en croit pas ses oreilles. Il pousse doucement la porte et découvre, à ses pieds, allongée dans la longue alvéole d'émail, le corps d'une femme, curieusement déformé par l'épaisseur de l'eau, mais dont ce qui dépasse vaut toutes les promesses.

« Je ne te remercierai jamais assez, Éric. Laisse-moi me préparer et nous dînerons ensemble. Si tu veux bien. Et si tu peux me trouver des vêtements décents. »

Elle lui tend les bras, il se penche, elle lui offre ses lèvres, lui ceint le cou de ses bras ruisselants, se soulève à demi et l'embrasse, en copine, sur les joues. Il sent les seins de la jeune femme se coller contre sa chemise. Pour un peu, il en perdrait l'équilibre. Et pour la première fois de sa vie, il recule devant l'objet d'un si ful-

161

gurant désir. Il ressent une drôle de chose, à ce point étrange qu'il sort, soudain confus.

Son trouble n'a pas échappé à Marion, qui a vite recouvré sa lucidité. Une bonne demi-heure plus tard, ils sont assis l'un en face de l'autre, de part et d'autre de la petite table dressée dans la meilleure tradition des soupers galants. C'est elle qui s'en est chargée, changeant en quelques gestes, et au prix d'une autre disposition des meubles, le « baisodrome » en boudoir. Elle n'est revêtue que d'un peignoir de bain. Elle l'a sagement fermé, mais il devine les seins à son échancrure, les cuisses au léger entrebâillement du vêtement. Il la sent exténuée, mais soulagée, repue.

« Sers-moi encore un verre de vin. C'est bon, le vin », sourit-elle malgré sa lassitude.

Il branle du chef.

« C'est un petit vigneron des environs d'Angers qui nous vend ce menetou. Je l'aime beaucoup »

Ni l'un ni l'autre n'ont esquissé le moindre geste de tendresse, la moindre invite. Les pieds nus de Marion n'ont pas caressé son pantalon, l'échancrure du peignoir ne s'est pas ouverte.

Le dîner touche à sa fin. Marion a de plus en plus de mal à résister au sommeil, s'endort à demi. Prévenant, il comprend et se lève ;

« Je vais te laisser te reposer, Marion. À demain. »

Elle semble se réveiller soudain.

« S'il te plaît, ne me laisse pas seule. Viens dormir avec moi. »

Il n'a pas le cœur de refuser.

« D'accord, je vais me doucher. »

Il passe dans la salle de bains. Quand il revient, le cœur battant, cinq minutes après, il voit le peignoir par terre, près du lit. La jeune femme est couchée sur le ventre, manifestement nue sous le drap et la mince couverture. Nue, mais endormie.

Barzi, peu à peu, recouvre ses esprits. La surdité qui l'affecte n'est finalement pas si grave, c'est ce que lui disent les spécialistes de la clinique ; mais surtout, elle comporte bien des avantages, comme celui de le dispenser de longues et oiseuses explications sur ce qui lui est arrivé.

Il y a encore mieux ; la considération soudaine de Demi, l'affection, même, qu'elle lui témoigne, lui réchauffe le cœur. De partager un secret avec elle représente le summum de la félicité. Il n'est pas près de la décevoir. Et s'il faut se sacrifier pour la jeune femme, il le fera.

Il a quitté son lit pour des promenades dans le parc ou de longues stations devant la télévision, celle de la salle à manger où il prend ses repas, à la table de deux brigadiers-chefs à la retraite qui traînent des douleurs suspectes et d'un blanc-bec qui s'est ouvert une main en faisant du bricolage et tente de faire croire à un accident du travail.

Il en est précisément au jambon braisé-épinards quand paraît Jean-Charles, l'adjoint de Demi, ce type qui manifestement le méprise mais croit intelligent d'entrer dans ses bonnes grâces pour pénétrer ce qu'il subodore être le secret de la commissaire. Il s'avance vers lui, l'air dégagé, l'interpelle d'un « Alors Barzi, toujours à l'écoute ? » qui ne fait rire que lui. En plus, il ignore peut-être, le fat, que le vieil inspecteur n'autorise que ses proches à l'appeler « Barzi ». Et Jean-Charles n'est pas du lot.

Sans gêne, l'adjoint tire une chaise de la table à côté et vient s'asseoir à côté de Barzi. « Ma parole, il va me donner à bouffer », ronchonne *in petto* celui-ci. On n'en est pas loin, quand le dandy, avisant l'assiette appétissante, s'approprie la fourchette, pique un morceau de jambon et s'exclame :

« Mm! moelleux à souhait! On vous gâte, mon vieux! »

Barzi, pour lui marquer son mépris, et mettant à profit sa surdité supposée, reste impassible. Les trois autres sourient, un peu gênés.

Le repas expédié plus qu'achevé, le blessé annonce qu'il va faire un tour dans le parc. Décidément prévenant, Jean-Charles lui fait comprendre par gestes qu'il l'accompagne.

À présent, ils déambulent côte à côte, Barzi engoncé dans son vieux manteau râpé, Jean-Charles plus « classe » dans un Burberry couleur mastic. Il cause sans se lasser, ravi d'avoir trouvé l'auditoire idéal, un sourd. Quand il s'arrête pour reprendre son souffle, c'est le crissement du gravier qui fait un fond sonore à leur tête-à-tête. Machinalement, les deux hommes se sont mis au pas.

Parvenus au fond du parc, le commissaire s'arrête et interpelle :

« Au fait, tu trouves pas ça bizarre, toi, que tu te blesses le même jour et à la même heure qu'un appart explose avenue Émile-Zola, que ce soient les pompiers du secteur qui t'amènent ici et que tu souffres de brûlures? »

Barzi regarde son visiteur l'air interdit. Lequel reprend de plus belle :

« J'ai dans l'idée que Demi et toi, vous êtes de sacrés petits cachottiers. Et que vous me prenez pour un con. C'est pas bien et c'est risqué. Parce que figure-toi que vos astuces de balayeurs, c'est un peu léger pour me couillonner. Tu réponds pas? Évidemment, t'entends rien. C'est bien mieux comme ça. »

Ils reprennent leur promenade en sens inverse :

« Excuse-moi, Barzi, mais j'ai un coup de fil à donner. »

L'inspecteur n'a même pas tourné la tête. L'autre sort son portable, compose un numéro et se lance dans des explications sans doute passionnantes avec

164

son interlocuteur. Ils ont ralenti leur marche et Barzi affiche un petit sourire béat, à la limite de la niaiserie. Jean-Charles lui jette un coup d'œil comme il le ferait à son chien et poursuit ses explications. Quand enfin il met un terme à la conversation, Barzi est tellement absent qu'il ne s'en aperçoit pas immédiatement. Il sursaute quand l'autre lui pose la main sur l'épaule.

« Excuse-moi, mon vieux, mais je dois y aller. Décidément, ta surdité, c'est peut-être pratique, mais c'est un peu agaçant. Enfin, porte-toi bien, et à bientôt au boulot. »

Il rigole :

« On te mettra aux écoutes, ça sera super. »

Il ne croit pas si bien dire. Le vieux bonhomme qui repart en accentuant la courbure de son dos comme si toute la misère du monde l'accablait est pris d'une vraie jubilation. Il a gravé dans sa mémoire le numéro que Jean-Charles a appelé et, surtout, il a enregistré toute la conversation du prétentieux sur le petit magnéto qu'il serre précieusement sur son cœur. C'est Demi qui va être contente.

## 53

Le commandant Zvi Meier termine son exposé dans un silence religieux. De l'autre côté de la table, l'homme dont on ne voit jamais le visage, dont on ne prononce jamais le nom, le patron du Mossad. Un bonhomme d'apparence insignifiante, chez qui tout est gris, le cheveu, le costume et la chemise. Le drapeau bleu et blanc d'Israël planté sur sa hampe derrière lui apporte la seule tache claire dans un bureau où on ne doit pas rigoler tous les jours. À côté de lui, presque en retrait, le ministre de la Défense, ce vieux bouledogue de Moshé Bank, un sabra d'origine ashkénaze, père et mère russes et scientifiques de haut niveau.

« Voici ce que nous avons déduit, Ygal Elleg et moi, de ce rapport. Nul n'en connaît l'existence à l'ambassade, même pas l'ambassadeur…

– … Surtout pas l'ambassadeur, glisse perfidement le chef du Mossad, avec un air si profondément convaincu que nul ne peut savoir s'il plaisante ou non.

– Et nous avons pensé qu'il fallait vous le remettre en mains propres. Maintenant, j'ai fait mon travail, et je peux repartir la conscience en paix.

– Je ne crois pas. Un renseignement ne vaut quelque chose que s'il est recoupé plusieurs fois. Or, celui-ci repose sur plusieurs inconnues qu'il va falloir lever. Résumons-nous, dit-il en se tournant à demi vers le ministre de la Défense. Premièrement, dans des circonstances rocambolesques, une serviette contenant des fiches techniques classifiées "secret-défense" selon la nomenclature française, qui n'est pas bien méchante, soit dit en passant, est volée à un individu non identifié, disparu depuis.

– C'est normal qu'il n'ait pas porté plainte, bougonne le général Bank.

– Effectivement. Il n'empêche que le circuit emprunté par la suite par la sacoche pour parvenir jusqu'à nous est pour le moins hasardeux, c'est-à-dire chanceux. Le jeune qui la récupère, enfin, la vole, la confie à un inspecteur de police qui, affolé de sa découverte, la refile à un journaliste, ancien flic lui-même.

– N'oublions pas que le document est classé, que les Français ne rigolent pas avec leurs secrets et qu'il est bien possible qu'un vieux flic un peu encroûté ait cherché le plus facile. D'ailleurs, le journaliste, la source de notre chef d'antenne, offre toutes garanties de loyalisme et de patriotisme, puisque c'est un ancien de la maison.

166

– C'est toujours d'accord, mais il va falloir vérifier tout cela à fond.

– Je continue : la serviette contient surtout une enveloppe couverte par une classification OTAN, ce qui devient très sérieux. Ygal et toi l'avez ouverte, en avez photographié le contenu et rendu le tout à l'informateur. On peut donc penser que celui-ci, maintenant, va la communiquer à qui de droit, à la DST, je suppose, ou au secrétariat général de la Défense nationale. C'est un cheminement à suivre de très près.

– Je suis complètement d'accord, si nous le pouvons.

– Nous le pouvons. Bien, venons-en au fameux document. C'est une note de la DGSE faisant état du projet de vol des sept patrouilleurs rapides commandés aux CNC par le Koweït et sur le point d'être livrés. La note émet l'hypothèse que le commanditaire de l'opération serait un autre pays arabe, sans le préciser toutefois. On peut penser à l'Irak.

– Ou à l'Iran, ajoute le ministre.

– Ou à l'Iran, effectivement. Mais je souligne tout de suite que ce ne sont que des suppositions, que nous n'avons le droit ni de négliger, ni de prendre pour argent comptant. C'est bien cela?

– C'est bien cela, approuve le ministre, qui poursuit : Il y a effectivement beaucoup d'inconnues dans l'équation. Primo, comment les pirates, appelons-les ainsi, vont-ils s'emparer des bateaux dans un port de guerre? Secundo, comment pourront-ils les convoyer jusque dans les eaux du Golfe sans être interceptés? Pour ne citer que les plus évidentes. Mais l'idée n'est pas si extravagante. Après tout, nous avons fait la même chose en 1967.

– Avec bien des complicités, complète en souriant le patron du Mossad.

– Justement, reprend Moshé Bank, il ne faut pas exclure que certains milieux français leur donnent, à eux aussi, un coup de main.

– Comment?

– C'est justement ce que je te demande de savoir.

– Ta conclusion ?

– On vérifie tout et on ne dit rien.

– Même pas au Premier ministre ?

– Surtout pas. »

Il est travailliste.


## 54


Dans un sens, ça le flatte, Willy, qu'on fasse encore appel à lui ; d'un autre côté, ça l'oblige à laisser tomber l'écriture de son cinquième polar et de voir Norpois, son héros, lui glisser doucement entre les doigts. « Qui sait ce qu'il fera en mon absence ? » s'inquiète-t-il, tant ce policier de choix, élégant et racé, intuitif et farceur, est capable de prendre ses distances avec son auteur ; il l'a voulu au contraire de ce qu'il est, besogneux et taciturne, sans doute pour prendre, très discrètement, sa revanche sur tous les virtuoses du « flag », du « crâne » et de « l'intox » qu'il a croisés dans les couloirs, et, beaucoup plus rarement, sur le terrain.

Ça le rajeunit de se confier ainsi à son Norpois, de lui prêter ses pensées, de lui faire régler ses comptes. Car finalement, si Willy, comme tout le monde, est parti à cinquante-sept ans, il y a deux ans, il n'a jamais vraiment digéré cette règle absurde qui prive la police d'hommes au sommet de leur art qui, pour un peu, travailleraient à l'œil.

On l'a bien tenté, en lui proposant de pantoufler chez Dassault, puis à la Compagnie des signaux. Mais il répugne à l'idée de changer de camp et de se vendre. Alors, il a ouvert son petit fonds de commerce, discret et sans ennui. Il écrit des livres, policiers bien entendu et, quand on le sollicite, de plus en plus rarement, il rend service à ses derniers amis.

À présent, il récapitule : Alexandre, un vieil ami, vient lui confier ses doutes ; Abou Kir, autre ami fidèle et sûr, lui demande un service ; et Verson, ce vieux copain qu'il ne savait pas si chaleureux ni si généreux, lui propose de reprendre le collier, en douce.

Willy cultive l'amitié comme d'autres le rugby ou l'opéra ; il n'est donc pas question qu'il se dérobe. Mais il voudrait en finir rapidement, ne pas se retrouver englué dans des affaires à l'écart desquelles il s'est soigneusement tenu sa vie durant.

Il espère donc que la mort plus que suspecte de Jean-Louis de Tavernon va trouver un épilogue rapide, il se le répète en pressant le pas pour se rendre au rendez-vous que, finalement, Pierre Verson lui a donné, dans un petit café de la rue des Saussaies. « Tout le monde te connaît, dans ce bistrot, lui a glissé le commissaire, et on ne risque donc pas de s'étonner de nous y voir ensemble. »

« C'est toujours la même chose, à chaque fois que je viens dans ce quartier, il pleut », songe Willy, qui ajoute à voix haute pour lui-même : « C'est à croire qu'il ne pleut que dans cette rue de Paris. »

Enfin, il y est. L'heure relativement tardive fait que la clientèle habituelle des flics d'en face, le ministère de l'Intérieur, s'est raréfiée. Seuls sont attablés ou debout au zinc les permanenciers, ceux qui vont passer la nuit à attendre les mauvaises nouvelles et à répondre aux demandes et aux questions qui tombent du cabinet du ministre avec toute l'autorité que leur confère l'absence des chefs. Les portables leur simplifient la vie, puisqu'ils peuvent sans encombre donner l'impression qu'ils sont à leur bureau, tous les dossiers à portée de main. Ils savent que la même commodité est offerte à ceux qu'ils vont appeler à leur tour, les hommes du terrain, les commissaires et les officiers, qui sont peut-être en train d'honorer leur maîtresse en banlieue quand on les croit sagement chez eux et qui, de toute façon, répondent « j'arrive » ou « je m'en occupe ».

Verson est déjà là, depuis peu d'ailleurs, puisque sa veste est tavelée de taches sombres de pluie. Il a l'air renfrogné, c'est-à-dire son air normal.

« Salut ! Alors ? lance Willy en une formule lapidaire dont la cordialité de la poignée de main qui l'accompagne dément la banalité.

— Assieds-toi. Tu vas en avoir besoin. Figure-toi que le dénommé Frank Berthaud, le médecin qui a porté les premiers secours à Tavernon, n'est pas celui qu'on pense.

— Comment ça ?

— Il y a bien un docteur Frank Berthaud, qui a cessé d'exercer et vit à l'étranger, comme il l'a dit dans sa déposition. Il habite bien à l'adresse indiquée à Vienne, comme à Paris.

— C'est parfait, tout ça !

— À un détail près. Il est hospitalisé depuis deux mois au Mexique, à la suite d'un accident de voiture.

— C'était donc pas lui, sur l'autoroute A 13 ?

— Eh non ! ou alors, c'est pas lui qui est hospitalisé à Mexico.

— Tu as vérifié ?

— J'ai fait téléphoner hier, par Garcia, tu te souviens ? et là encore, pas de chance. Le vrai Berthaud a quitté la clinique il y a deux jours.

— Mais dis-moi, il n'a pas été convoqué à la suite de l'accident ?

— Il n'y avait aucune raison qu'il le soit. C'était un accident malheureusement banal, et le CRS qui l'a entendu par PV a fait normalement son boulot ; il n'y a pas eu d'ouverture d'information judiciaire, je te le rappelle.

— Bizarre, tout ça. Mais alors, l'autre, le passager, le nommé Limonet ?

— C'est encore une autre histoire. Ce Jean-Pierre Limonet prétend ne connaître Berthaud que depuis peu. Ils se seraient rencontrés en Afrique, au Gabon, où il a une affaire d'exportation de bois. Environ une

170

semaine avant l'accident, ils avaient pris rendez-vous pour aller visiter une usine d'aggloméré en Normandie où ils auraient investi tous les deux. Berthaud lui a proposé de faire route ensemble. C'est aussi bête que cela. Il a l'air de parfaite bonne foi.

— Et le chauffeur du camion belge?

— Un certain Van de Moorseele, Antoine. Lui habite Anvers, où il travaille dans une entreprise de récupération de matériels militaires, principalement de l'Est. Des camions, des Jeep, mais aussi des engins blindés, qui sont repeints, dont on change les moteurs et qui sont revendus à des pays nécessiteux, en Afrique surtout. Il semble que ce Van de Moorseele ait été un temps mercenaire, au Zaïre, puis aux Comores, enfin quand je dis il semble, c'est pratiquement certain. Il continuait dans la même branche, en plus soft.

— Il continuait? Pourquoi, il fait autre chose?

— Il est mort, piqué par des abeilles. »


## 55


Quand Marion se réveille, il n'est plus là. L'oreiller à côté d'elle marque encore le léger enfoncement de la tête et la couverture est légèrement rabattue. Elle étend les bras, s'étire, pour un peu, elle ronronnerait.

Puis, d'un coup, comme réveillée par un seau d'eau froide balancé à la volée, elle émerge. Est-ce possible qu'elle soit sortie du cauchemar? Est-elle bien dans cette chambre si calme où filtre, au bas des volets de la fenêtre, un rai malicieux de lumière?

Et les brutes, oui, les brutes, que sont-elles devenues?

Tout ce qu'elle vient de vivre lui remonte en mémoire, les coups, la crasse, l'obscurité, la déchéance, et puis l'évasion, la chance, la liberté.

171

Une nouvelle montée de larmes la gagne, douce-ment : « C'est bien, Marion, pleure, ça prouve que tu es bien vivante, que tu ne rêves pas. »

Elle se lève, nue, fait quelques pas, et revoit Éric. Éric dans la nuit, sur sa trial, dans la salle de bains, à table en face d'elle.

Elle est justement devant la table. Une feuille de papier avec un simple numéro de téléphone.

Elle a compris, elle ne l'oubliera pas, son petit Éric qui a dû souffrir mille morts de partager sa couche sans oser la prendre dans ses bras.

Marion s'attarde encore dans la baignoire, joue avec l'eau, refait l'inspection de son corps comme chaque fois qu'elle sort d'une épreuve amoureuse. Et pour-tant, ces jours qu'elle vient de vivre ont dépassé en hor-reur tout ce qu'elle pouvait imaginer. Peut-être même a-t-elle tué, pour la première fois de sa vie. Elle voudrait chasser ces images affreuses de son esprit, la première brute avec les couilles en bouillie, le second transpercé d'un coup de coutelas ; elle en frissonne dans son bain brûlant. Et puis, d'un coup, se dessinent en surimpres-sion sur ce film d'épouvante les scènes exaltantes de ses ébats avec ce bel officier de la Navy et celles, moins sen-suelles mais autrement passionnantes, avec cet « émir » venu des sables.

L'Américain comme le Koweïtien lui avaient été « proposés » dans le cadre des prestations qu'elle four-nissait à chaque salon, aéronautique ou naval, au Bourget. À vrai dire, elle aimait bien ces contrats que lui valaient un professionnalisme rigoureux, une plas-tique impeccable et sa parfaite connaissance de l'an-glais. Elle avait ainsi pris l'habitude de glaner sur l'oreiller des confidences dont ses employeurs, indus-triels ou services spécialisés, savaient la récompenser. Marion possédait comme un don du ciel la faculté de mettre en confiance, de faire parler, le plus souvent en feignant de ne pas bien comprendre ce que tel impru-dent ou tel bavard lui disait. Elle était, dans cet exercice finalement périlleux, d'une extrême prudence, refusait d'être « sonorisée » ou, pire, « filmée ». Elle ne voulait pas que son charmant minois et son aguichant postérieur aillent se perdre dans quelque officine pas nécessairement bienveillante. Elle se définissait elle-même comme une « auxiliaire de sécurité », avec ce petit sourire qui lui creusait deux fossettes.

Le commandant Mitchell – mais était-ce son vrai nom ? – lui avait été recommandé par Sarah. C'était quelques jours avant le salon naval du Bourget. Beau, athlétique, il se rangeait parmi ces morceaux de choix qui en font passer bien d'autres, moins ragoûtants ; visiblement, il prenait plaisir à ce qu'il faisait, et Marion ne pouvait que participer à sa recherche du plaisir. C'est tout à la fin d'un de leurs assauts, dans la bonbonnière de l'avenue Émile-Zola, qu'il lui avait jeté négligemment :

« Si j'osais, je te demanderais bien un petit service ?

– Et lequel ? avait minaudé la jeune femme, s'imaginant qu'il voulait jouer les prolongations.

– Pas grand-chose, un simple renseignement au sujet de petits bateaux qu'un pays arabe fait construire en France.

– Quel genre de renseignement ?

– Non, oublie tout ça, je disais cela pour faire l'intéressant. Et puis, ça n'est pas si facile. C'est d'ailleurs pourquoi c'est bien payé. »

Il y avait dans la réponse de Mitchell les deux arguments qui pouvaient la convaincre : la difficulté de l'entreprise et l'appât du gain. Elle avait donc protesté, insisté, et finalement offert ses services. Acceptés sur-le-champ.

Le contrat était simple : il s'agissait de séduire un des officiers supérieurs koweïtiens qui seraient en charge de la livraison des patrouilleurs rapides de Cherbourg, de savoir où se trouvaient les codes secrets qui en commandaient la manœuvre et, si possible, mais là, on atteignait le grand art, d'en prendre copie.

C'était l'occasion rêvée de changer de dimension ; de midinette du renseignement, elle devenait Mata Hari, cette éblouissante espionne qui enchante secrètement toutes les femmes.

Elle avait accepté le challenge, mieux, elle l'avait réclamé. Et elle avait tu tout ceci, à Sarah comme à quiconque.

Quelques jours plus tard, au salon du Bourget, cela avait été un jeu d'enfant que de se faire mettre en relation avec sa cible ; elle n'avait eu qu'à demander à Jean-Louis de Tavernon, pour qui elle travaillait occasionnellement, de lui présenter le marin koweïtien. Il l'avait fait de bonne grâce, sans poser de questions.

Mais son chef-d'œuvre, cela avait été la suite ; un récital de séduction auquel un eunuque oriental n'aurait pas résisté. Le malheureux officier, éperdu, voulut en faire sa concubine, lui offrit un pont d'or entre deux galipettes, se rendant, avec armes et bagages, à la première sommation, et tombant comme un débutant dans le piège à peine subtil qu'elle lui tendait :

« Tu me dis que c'est toi qui, en réalité, diriges toute l'opération ? Franchement, je ne te crois pas. Pourquoi confier une telle responsabilité à un simple officier ? Vous êtes à ce point pauvres en effectifs ? » avait-elle ironisé.

Piqué au vif, l'autre lui avait dit qu'il pouvait prouver qu'il ne se vantait pas, qu'il était réellement quelqu'un d'important.

« Chiche ! » avait-elle rétorqué.

La proposition, d'une folle imprudence, était alors tombée :

« Viens me voir à l'ambassade, ce soir, à la fermeture des bureaux, et je te montrerai que je ne mens pas.

— À l'ambassade ? Chic ! Chic ! s'était-elle écriée en battant des mains, dis-moi, mon amour, (il en frissonnait) est-ce que les tapis sont comme je les imagine ? J'ai toujours rêvé de faire l'amour sur des grands tapis moelleux, dans un palais oriental. Alors, va pour une

174

ambassade ! Mon grand chéri, est-ce que nous pourrons faire l'amour ? »

Sans réfléchir, il avait dit oui.

Le lendemain, Marion avait les renseignements demandés ; et elle avait pu communiquer à son commanditaire américain toutes les précisions qui lui permettraient d'aller, sans risque d'erreur, chercher à l'ambassade du Koweït les fameux codes secrets. Chercher, ou plutôt voler.

Elle avait même pu lui donner la couleur de la pochette ; pour le reste, walou ! c'était écrit en arabe.

## 56

Le pas long et silencieux de Demi ne surprend pas Barzi. Il l'attendait, sans mesurer le temps, comme un bon chien peut vivre sans nervosité les heures et les jours de l'attente et sentir, le premier, sinon le seul, l'approche lointaine de son maître.

Il l'accueille d'un bon sourire, elle le lui rend, avec un brin de tendresse en sus ; ces deux-là, si dissemblables, se comprennent si bien que tout l'hôpital devine leur complicité et que, à peine entrée dans le service, Demi est accueillie ici par un « il vous attend » et là par un « il va beaucoup mieux ».

Barzi n'a plus que faire de son lit. Il repousse avec indignation l'idée même de faire la sieste, « une douceur de gâteux », et passe de longues heures à lire. Il se lève de son fauteuil à l'irruption de Demi, lui laisse tendre une main douce et ferme qu'il prend avec timidité ; jamais elle ne lui avait si souvent serré la main.

« Vous allez me demander de mes nouvelles, patron. Eh bien, ça va mieux. Du côté de mes oreilles, il y a comme des petits bruits, et l'oto-rhino est optimiste. Alors, ses astuces, votre adjoint Jean-Charles, il peut

175

se les garder. Vous levez les sourcils ? Eh oui, ce cher commissaire a découvert mon existence, il est venu me voir. Notez que je ne suis pas dupe, il s'inquiète de nos relations. Alors, pour ne rien perdre de son précieux discours, j'ai fait un petit enregistrement. Le voici. Vous pourrez l'écouter tranquillement. Vous verrez, il y a à la fin une conversation téléphonique. Si vous voulez le numéro de son correspondant, je l'ai noté. »

Demi prend la craie et trace simplement ces trois mots : « Bravo et merci. » Après avoir empoché la bande magnétique et la feuille de calepin, elle reste encore quelque temps à supporter les bavardages de Barzi, qui n'a guère d'autre occasion de s'épancher, puis, gentiment, se lève, lui écrit « Au revoir, à demain », et, posant affectueusement sa main sur l'épaule du brave inspecteur, la presse imperceptiblement.

Dans sa voiture, quelques minutes plus tard, elle entend la confirmation des soupçons de Barzi, l'incrédulité de Jean-Charles quant à la version un peu simplette de l'accident de chauffe-eau (« Et pourtant c'est un peu vrai », rigole-t-elle.) et ses insinuations sur l'avenue Émile-Zola.

« Ça sent le roussi, pense-t-elle, il faut absolument que je crédibilise mon histoire de l'autre soir. » Elle poursuit l'écoute de la bande. Cette fois, c'est bigrement intéressant, il est question, à mots couverts, d'une prisonnière qui s'est évadée, de recherches infructueuses, du danger qu'elle représente. Jean-Charles assure qu'il va faire tout son possible pour la localiser et qu'il surveille déjà ses éventuels points de chute.

Elle démarre. Doucement, comme elle en a l'habitude, elle descend le boulevard Saint-Marcel, emprunte à droite le boulevard de Port-Royal pour longer le Val-de-Grâce ; au second feu, elle voit l'orange, accélère légèrement pour passer ; l'Alfa Romeo qui la suit fait de même. « Ça devait être juste, mon salaud, se dit-elle, on va voir si tu es gonflé. » Le feu suivant se présente encore à l'orange, elle tarde volontairement et ne bondit qu'au dernier moment. Le type derrière la suit encore et brûle carrément le feu rouge. Demi branche la sirène et stoppe, sur la voie de gauche. Elle descend de son véhicule et se dirige vers l'imprudent automobiliste.

Elle n'a que le temps de faire un bond de côté, l'Alfa a brusquement déboîté, viré à gauche sur les chapeaux de roues pour repartir dans l'autre sens à toute allure.

Pas suffisamment vite pour qu'elle ne relève pas le numéro.

« Ça va faire un chauffard de moins pour quelque temps », se promet-elle.

## 57

Ce soir, les Clapier reçoivent en vieux amis les Maier ; plus simplement, Raymond et Thérèse partagent leur souper avec Willy et Mathilde. Depuis le temps qu'elles se connaissent, les deux femmes ont su s'accorder merveilleusement à leurs maris ; Thérèse, discrète et fine mouche, cache sous l'apparence très conventionnelle de la femme d'officier qu'elle fut longtemps une ténacité, une pugnacité qui suppléent, quand il le faut, les fréquentes crises de découragement de son directorial époux ; elle fut blonde, a choisi de le rester et porte le cheveu court, à la manière des indéfrisables de sa propre mère. Un peu forte, mais sans céder aux premières atteintes de l'obésité, on dirait plutôt qu'elle est bien en chair. Finalement, sous ses allures de bonne ménagère, ce sont ses mains qui la trahissent, intelligentes à souhait.

Mathilde lui est totalement dissemblable. Brune, le dos cambré, elle joue de sa longue chevelure noire tantôt en la ramassant en un chignon très crâne, perché sur le haut de la tête, tantôt en la laissant flotter comme une promesse sensuelle. Le visage paraîtrait anguleux et dur, les pommettes hautes, le front dégagé, si ne brillait au fond des orbites un regard noir, inquisiteur et tenace. De Willy, elle efface le côté pépère ; elle stimule son ego, lui redonne de l'appétit quand il se laisserait aller aux pantoufles et à la bouillotte. D'ailleurs, à la différence de Thérèse, elle travaille, peut-être parce qu'elle est beaucoup plus jeune que son époux, mais aussi pour se réaliser pleinement. Elle tient un drôle de commerce, vendant des souvenirs de la guerre de 14, seulement de celle-ci : pêle-mêle, casques, ceinturons et même godillots se bousculent dans la trentaine de mètres carrés de son échoppe qui reçoit la visite des amoureux d'une certaine Histoire, des nostalgiques de l'ultime grandeur de nos armes. C'est pour elle l'occasion de longues conversations avec de vieux messieurs ou de jeunes étudiants, pour la plupart étrangers, dont on ne sait plus ce qui les fascine davantage, de l'héroïsme des poilus ou du regard de braise de cette femme encore désirable.

Thérèse et Mathilde ont fini par se connaître et s'apprécier. Elles ne parlent ni chiffons ni politique, mais problèmes de société, peine de mort, sida et vache folle, savent s'enrichir mutuellement, échangent livres et revues.

Finalement, ce sont les hommes qui s'estiment le moins ; Raymond considère Willy comme un bon vieux flic, sympa mais limité ; Willy a reniflé la pusillanimité de Raymond, son amour pour l'argent et la parade, et en rit sous cape. Toutefois, ni l'un ni l'autre ne tombent dans le travers d'un mépris facile. Ils se savent sérieux et honnêtes, ce qui n'est pas si mal.

Désireux de ne pas embrumer le dîner de sous-entendus auxquels leurs épouses ne comprendraient rien, Raymond a choisi de « traiter » Willy d'entrée de jeu et de le rassurer quant aux conséquences de la disparition de Tavernon sur la bonne marche de son chantier naval ; et il prend les devants en lui annonçant son intention de recommander Hélène à un sien ami, pour une situation à la Chambre syndicale de la métallurgie.

Impavide, Willy le laisse dérouler son écheveau de lieux communs et de formules toutes faites et, quand il le sent au bout de son répertoire, lui lance en plein foie :

« Dites-moi, Raymond, entre quat'z-yeux, que répondriez-vous si quelqu'un laissait entendre devant vous que la mort de Tavernon n'est pas naturelle, que l'accident a été voulu ?

— Franchement, si la situation n'était pas si tragique, je prendrais cela comme une foutaise. Qui pourrait en vouloir à ce brave Jean-Louis au point de décider et d'organiser sa mort ? C'est d'ailleurs ce que la police a retenu. Mais pourquoi me posez-vous cette question ?

— Tout simplement parce que son beau-père Alexandre a des doutes, qu'il ne comprend pas certaines choses, qu'il souhaite des éclaircissements, qu'il voudrait que je m'en charge.

— Vous ? Après tout, pourquoi pas ? Si quelqu'un doit faire une contre-enquête parallèle à celle des flics, vous êtes bien placé. Vous avez encore de solides relations à la Crim.

— Pas question. Je me suis peut-être un peu aventuré en acceptant de soutenir mon ami Alexandre, mais je me refuse à alerter la police sur ce que je crois, comme vous, n'être qu'une banale tragédie. Hélas !

— Alors ?

— Alors, quand je vous ai appelé tout à l'heure, je voulais vous demander de m'autoriser à enquêter sur Tavernon, au sein de votre entreprise. Oh, je vous rassure, je serai très discret et ne dévoilerai pas le véritable objet de ma mission. Mais si vous acceptiez de m'ouvrir quelques portes et quelques tiroirs, enfin, vous voyez ce que je veux dire...

— Je vois parfaitement bien, et c'est bien sûr d'ac-

179

cord. Je vais même vous proposer un petit marché ; je vais vous commander une étude, disons de sécurité, qui vous permettra de vous promener dans nos bureaux et dans nos ateliers et d'interroger à votre guise ; je vais même vous payer. (Il rit.) Une misère, Willy, disons vingt mille francs. Ça vous va ?

— Raymond, c'est très chic à vous. Je vais me faire tout petit, rassurez-vous. Et je ferai en sorte que ma "mission" ne dure pas longtemps. Un mois maximum. Et pour la bonne règle, et pour les fouilleurs de poubelles, je vous fournirai un rapport. Sans fautes d'orthographe », conclut-il en souriant.

Les deux hommes reprennent leur place au salon et se coulent en douceur dans le courant limpide d'une conversation sur la nouvelle mode des astrologues et des chiromanciennes.

« Décidément, s'émerveille Mathilde, on n'a rien inventé depuis Nostradamus.

— Ni depuis Cassandre », renchérit Raymond, ravi d'étaler sa culture.

Le souper est excellent, les vins de belle noblesse, ce n'est pas un de ces soupers de nouveaux riches arrosés au Pétrus, mais une cuisine très fine, goujonnettes de sole au gingembre, ailerons de volaille Saint-Barth, « une recette de Job que j'ai découverte à la télévision », commente Thérèse. Un seul fromage, un coulommiers onctueux « comme des cuisses de pucelle » : ça, c'est de Raymond, qui se fait foudroyer du regard par sa prude épouse. Et le château-Beychevelle dont deux bouteilles sont vidées jusqu'à la dernière goutte n'a pas failli à sa réputation.

Ce n'est qu'au moment du cognac, que Willy se contente de humer, que son hôte, visiblement satisfait de la tournure des événements, lui demande nonchalamment :

« Est-ce que le nom de Cheir vous dit quelque chose ?

— Parbleu ! Bien qu'invisible, le bonhomme est connu comme le loup blanc.

180

— En bien, en mal?

— Les deux. C'est paraît-il un type réglo. Mais il n'est pas étouffé par les scrupules. Au point que certains se demandent si ce n'est pas un Juif qui se fait passer pour un Arabe.

— Sans blague?

— Oh, je crois que ce n'est qu'une plaisanterie. Mais enfin, si d'aventure vous aviez à faire avec lui, n'oubliez jamais ceci : Cheir est l'homme d'un seul contrat; il n'en passera jamais deux avec vous.

— Ce qui veut dire?

— Ce qui veut dire qu'il se fiche éperdument de vous satisfaire, pourvu qu'il ait son compte. »

« Tout de même, pense-t-il une demi-heure plus tard en enfilant son pardessus, il me croit plus con que je ne le suis, ce Clapier. »

## 58

À Jérusalem, les instructions ont été données sur l'heure. Il faut d'urgence, toutes affaires cessantes, faire la lumière sur cette affaire de vedettes pour le Koweït, activer tous les amis, tous les collègues français, aller voir à Cherbourg où on en est de l'armement des bateaux, vérifier la belle histoire de Nadal et de Magdeleine, savoir d'où venait réellement le porte-documents volé. Une énorme tâche, en pays étranger, mais pas si étranger que ça, avec ces nombreuses amitiés, complicités, connexions qu'aucun autre pays ne peut s'offrir.

Ygal Elleg se tapote le menton. Facile à prescrire, difficile à administrer, bougonne-t-il en son for intérieur, retrouvant d'instinct le vocabulaire de ses années médicales. Surtout dans un temps aussi court; « je veux la réponse pour hier », a coutume de répondre son patron quand on lui demande de combien de temps on dispose. Enfin, il faut bien se mettre au travail, se répartir les tâches avec les quatre officiers de renseignements de l'ambassade, effectif raisonnable et suffisant quand il s'agit d'assurer les affaires courantes et la liaison avec les services français, mais aujourd'hui ridicule et dérisoire.

Non, le mieux va être de faire travailler pour lui les *Franzmänner*, comme on dit en yiddish. « Pour la DST, ça ne va pas être facile, car ils ont de fortes relations avec le monde arabe, mais la DGSE devrait être plus compréhensive ; après tout, elle reprend texto à son compte les infos que je lui transmets, pourquoi ne pourrait-elle pas pour une fois me renvoyer l'ascenseur ? Et puis, les casques à boulons du boulevard Mortier en sont restés à la guerre d'Algérie, n'ont pas digéré l'ignoble assassinat des moines de Tibéhérine et ne vont pas nous refuser un coup de main. »

Enfin, il y a cette note blanche qui révèle le projet de détournement des bateaux koweïtiens par un pays arabe. D'où vient-elle ? Sans doute de la DGSE, mais il faut s'en assurer.

Pour ne pas avoir l'air de dramatiser, Ygal décide de « taper » au niveau du directeur du renseignement, un « civil », ancien commissaire des RG, et sollicite une audience urgente. Sans même en demander l'objet, le divisionnaire Laurent Lemercier lui fait répondre qu'il l'attend. « En voilà au moins un qui m'aura fait gagner du temps », se félicite l'Israélien, serrant dans une pochette de cuir « en peau de *feddayin* » le document classifié « Cosmic ». Il ne sait pas s'il va le lui montrer, mais, au cas où cela serait nécessaire, il l'aura sous la main.

Peu de bâtiments sont aussi tristes et repérables que les casernes, et c'est probablement pourquoi les Français vont aussi facilement y installer les services de renseignements militaires. Elleg se fait invariablement cette réflexion quand il vient à la « Piscine ». « Au moins, se console-t-il, les bureaux sont spacieux, à défaut d'être confortables. »

Lemercier l'attend, secrètement flatté qu'on vienne le visiter, lui qui, aux RG, n'a jamais pu exprimer son immense talent et qui prend sa revanche dans cette maison où l'on claque des talons sur son passage. Il est grand, mince, un visage dégrossi à la hache dans le tronc d'un eucalyptus, dont son bureau empeste (il soigne ainsi son asthme) ; la voix grave, caverneuse, n'émet que des vérités d'évidence ; quand il est en verve, il se cite lui-même, songeant sans doute qu'il lui revient de préparer sa postérité.

La poignée de main est franche, le regard bien droit, ultime vérification avant la confrontation des renseignements et les questions tordues :

« Que me vaut, cher ami, le grand honneur de votre visite ? » s'enquiert Lemercier.

L'autre a préparé sa mise en route, il répond sans hésiter :

« Il nous est revenu par des sources, hors de France, se dépêche-t-il d'ajouter, que l'Irak se disposerait à commettre un coup d'éclat pour replacer au premier plan de l'activité internationale le problème de l'embargo et pour obliger la communauté internationale et la Ligue arabe à se positionner plus clairement. Je souhaitais savoir si vos propres sources, que je sais bien implantées et bien choisies, confirment nos renseignements. »

« Il se fout de ma gueule ou quoi ? » réfléchit le patron du renseignement, qui rétorque, avec importance :

« C'est un fait que les Irakiens veulent absolument reprendre leur place de martyrs internationaux, un moment confisquée par les Kosovars, les Palestiniens et les Afghans. En effet, il ne leur déplaît pas d'être ainsi traités, parce que, finalement, ils savent qu'ils affaiblissent la position morale des États-Unis. D'ailleurs, même chez vous, des voix s'élèvent pour demander la fin de l'embargo, ce qui prouve que ces mêmes responsables ont compris qu'il ne fallait plus ainsi martyriser Saddam Hussein.

— C'est vrai, admet Elleg, je connais des Juifs irakiens qui sont sincèrement atterrés de ce qui se passe à Bagdad.

— Certes, mais c'est un fait ("ça y est, son 'c'est un fait' le reprend", note l'Israélien) que l'Irak a toutes les raisons de vouloir faire un coup d'éclat. » Et il ajoute sans raison, comme ça, pour faire bien : « Même suicidaire. »

Le mot fait tilt dans le cortex cérébral d'Elleg qui veut aller plus loin, obtenir confirmation du papier qui lui brûle les doigts.

« Est-ce que, par exemple, une action contre les intérêts koweïtiens en France serait envisageable ? »

La réponse tombe, tranchée comme du bon pain, de la bouche du Français, qui sent l'opportunité de marquer des points :

« Tout à fait, et je peux vous dire que nous travaillons sur ce schéma. »

Elleg a compris. C'est bien la confirmation qu'il attendait, il enchaîne aussitôt :

« Pouvons-nous envisager d'échanger sur ce sujet ?

— Bien entendu. Nous vérifions actuellement une hypothèse et nous vous en parlerons.

— Les vedettes de Cherbourg ? »

Ça y est, il n'a pas pu se retenir de le lâcher. Lemercier ne peut avoir l'air moins informé que son visiteur. Mais il ne sait rien. Alors, il sourit, finement.

« Cette fois, c'est sûr, se dit Elleg, la DGSE est bien sur le coup. »

## 59

Qui la reconnaîtrait, avec ce jean délavé, ce pull uni-sexe et, suprême élégance qu'elle s'est offerte avec le fric de la brute, une casquette américaine où elle a enfermé ses cheveux enfin propres? Elle a quitté le plus discrètement possible le petit paradis qu'a été cette simple chambre. Allongeant le pas comme un homme, elle descend la rue qui doit la mener à la gare. Sur la table, à la place du papier d'Éric qu'elle a empoché, elle a laissé un mot de remerciement de sa belle écriture ronde, le concluant d'un « Je t'embrasse tendrement » qui va bien au-delà de ce qu'elle a l'habitude de faire ou de dire.

La boutique la plus proche lui a permis de faire aussi l'emplette d'une paire de tennis, et elle a retrouvé la sensation merveilleuse des chaussettes épaisses où ses pieds meurtris retrouvent leurs aises et leur confort; au détour de la rue, un coup d'œil circulaire ne signale rien d'anormal. Mais en ces quelques jours, la méfiance lui est devenue une seconde nature; aussi serre-t-elle dans sa main gauche plongée dans la poche son cher cran d'arrêt qui a complété ses achats et qui n'est pas vraiment « pour offrir », comme elle l'a dit au commerçant, un peu étonné.

La gare est en vue; banale et moche, désespérément vide à cette heure où les banlieusards sont déjà au boulot; elle prend son ticket au distributeur automatique, se fait la plus ordinaire qui soit, évite de montrer son visage au guichetier et à la buraliste, qui s'active à fouiller dans les rayons multicolores de périodiques; le train pour Paris ne s'arrêtera que dans vingt minutes; elle a tout le temps de téléphoner, d'enfin renouer avec le monde extérieur, de retrouver le cours de sa vie.

Marion compose le numéro de portable de Demi. C'est la seule personne à laquelle elle veut se fier. Ni à Sarah, ni à Solange qui se fait appeler Cynthia, sa meilleure amie, ni à cet officier de police de la mondaine qui l'a plus d'une fois tirée de scabreuses affaires. Non, décidément, c'est Demi qu'elle veut voir, et elle seule. Sonnerie, répondeur. Elle enregistre alors son message, bref et impersonnel, sans même se présenter. « Allô, je voulais te rassurer. Et proposer de nous voir aujourd'hui. Si tu le peux, rappelle-moi avant quinze minutes au numéro que je te donne. » Et elle énonce les dix chiffres du numéro de la cabine.

Elle n'attend pas longtemps. L'appareil de la cabine sonne. C'est Demi.

« Marion ! Enfin je peux te parler. Mais qu'es-tu devenue ? J'étais folle d'inquiétude, surtout après ce qui s'est passé à ton appart.

— Demi, tu ne me croiras pas quand je te raconterai ce qui m'est arrivé. Mais le temps presse. Je te propose, comme d'habitude au Bois, dans deux heures ?

— J'y serai. Je t'embrasse. »

Cela fait trois ou quatre fois qu'elles se retrouvent sur le parcours de jogging qui ceinture le grand lac du bois de Boulogne et trottinent de concert en échangeant tuyaux et papotages ; cela aide Demi à mieux connaître la vie secrète de son amie et du milieu de la prostitution de luxe ; cela permet à Marion d'entretenir une relation utile et agréable.

Deux heures plus tard, Marion court à petites foulées sur le chemin de terre dont elle connaît chaque racine et chaque détour, et parvient devant la cabane de location des barques, quand elle sent une présence derrière elle. Elle devine Demi et jette un coup d'œil par-dessus l'épaule, heureuse et détendue. À peine son champ visuel s'est-il meublé de la stature de l'autre coureur qu'elle se sent glacée de terreur ; ce n'est pas Demi mais le jeune type qui est venu à l'appartement avec le pète-sec, Himmler, sur la recommandation de Sarah. Il arrive derrière elle en soufflant avec application, comme un habitué de la course à pied. Leurs regards se croisent. L'œil habituellement ingénu de

186

François – puisque c'est ainsi qu'elle l'a entendu dénommer – est dur, implacable. Elle pousse un petit cri et accélère brutalement. Il ne paraît pas surpris par ce changement d'allure et allonge aussitôt la foulée. Ce n'est plus du jogging, mais le dernier tour du 5 000 mètres olympique. Sauf que cette fois, il ne suffit pas de passer la ligne en premier, il faut surtout regagner les vestiaires avant que la course ne s'achève.

Le désespoir redonne à Marion ses jambes de vingt ans, sans pour autant qu'elle puisse faire mieux que de maintenir François à plus de trois mètres. Encore ne doit-il pas forcer. Pourquoi ne saute-t-il pas tout de suite sur elle ? Un, deux coups d'œil jetés à gauche et derrière la renseignent très précisément sur l'évolution inéluctable de la situation : un second type est en train de les rattraper pour prêter main-forte au kidnappeur. Et sur la route, une voiture les suit ; au volant, Himmler.

Marion enregistre tout cela, calcule, échafaude. Et si elle sautait dans l'étang ? L'eau est glacée et ces types très entraînés doivent nager à merveille. Et ils la noieraient. Si elle piquait vers la route ? La voiture la bloquerait. Alors que faire ?

Elle court, aussi vite qu'elle le peut. D'ailleurs, elle ne court plus, elle fuit. Le second poursuivant a rejoint son compère ; à cinquante mètres devant eux, le chemin pédestre et la route se tangentent, et la voiture accélère pour aller se positionner dans la grande courbe où ce sera un jeu d'enfant de la faire basculer d'un coup d'épaule dans le véhicule dont la portière s'entrebâille.

Elle part au sprint, mais les types accélèrent, arrivent à sa hauteur. Elle boule au sol, comme à son cours de gym. Surpris, les deux hommes la dépassent et font deux mètres de trop. Comme un lièvre zigzagant dans les labours, elle repart dans l'autre sens, les brutes déchaînées sur ses talons.

Et c'est l'éclair, le miracle, un survêtement bleu ciel

187

qui surgit silencieusement, la croise sans un regard, exécute une incroyable cabriole dans les airs qui se termine par un shoot de la pointe du pied droit en plein dans la gueule de François. Sous la violence du choc, le jeune homme tombe. Mais il est sportif, le gaillard. En souplesse, il rebondit sur ses jambes.

« Il a l'air à peine sonné, se dit Demi, il faut que je le termine vite. »

Elle ne lui laisse pas le temps de complètement reprendre ses esprits. Le dixième de seconde de réflexe que le coup de pied lui a fait perdre est fatal. Une attaque, une feinte et le tranchant de la main de Demi le prend à toute volée en plein sur la pomme d'Adam.

La commissaire se retourne alors pour voir Marion aux prises avec le second type. Il l'étreint par la taille, la soulève et tente de partir en courant vers la voiture. Il ne va pas loin, Marion lui décoche entre les jambes une ruade désespérée qui le fait vaciller, elle le sent et plonge, l'entraînant dans sa chute. Et la tornade arrive ; Demi, décidément en pleine forme, l'expédie au pays des songes d'un coup de pied en pleine tempe.

À quelques mètres, François est étendu pour le compte, gargouillant et hoquetant ; pas fatiguée de ses travaux pratiques de self défense, Demi l'achève d'une manchette derrière la nuque. Un coup d'œil vers la route, la voiture du pète-sec vient de démarrer, laissant les deux hommes à un sort incertain.

Elles sont enfin face à face, pantelantes et incrédules. Leurs regards se croisent, lumineux, extasiés. Elles tombent dans les bras l'une de l'autre, mêlant tout ensemble exclamations, larmes, rires et sueur, farouchement étreintes, soudées l'une à l'autre dans une apothéose digne d'une victoire en Coupe du monde.

Marion pleure : « Demi ! oh Demi ! » ne sait-elle que dire, tandis que celle-ci lui caresse doucement les cheveux, en murmurant, comme à un enfant : « C'est fini, ma chérie, pleure, ça fait du bien. »

Marion soudain se raidit, se redresse :

« Et la voiture ? s'écrie-t-elle, où est passée la voiture ?

— Partie, Marion ; je crois qu'on lui a fait un peu peur ! »

Deux bonnes heures plus tard, après que Demi a appelé son collègue du XVIᵉ arrondissement pour lui demander de prendre livraison de deux types qui l'ont agressée pendant son jogging matinal – elle ne souffle mot de Marion –, vient le moment des explications et du résumé des chapitres précédents. C'est enfin la question du jour :

« Mais comment ont-ils fait pour me retrouver ? s'étonne Marion.

— Je ne sais pas qui "ils" sont, tu vas me le dire, mais je devine comment ils s'y sont pris ; il n'y avait qu'une possibilité : ils nous ont entendues au téléphone. Ce qui veut dire que c'est moi qui suis écoutée.

— Alors ?

— Alors, si ce ne sont pas des flics, il n'y a qu'une organisation disposant de "grandes oreilles" qui ait pu mettre mon portable sur écoute.

— Les Américains, par exemple ?

— Par exemple. Mais pas forcément. »


## 60


Noël Nadal n'en revient pas. À peine sorti de chez lui, il tombe nez à nez avec Pouliquen, son ancien collègue de la DST devenu son correspondant, rue Néla-ton. Exactement comme si les Israéliens le lui avaient envoyé pour prendre livraison du précieux dossier, bien emballé, l'enveloppe « Cosmic » recollée comme si nul n'y avait touché. L'air étonné qu'il prend n'est donc nullement feint, le policier ne prenant pas de gants pour lui signifier que, lui, l'attendait.

« J'ai hésité à monter chez toi, commence-t-il, tu connais mon respect de la vie privée. »

Ça, franchement, c'est drôle, venant de la part d'un type qui l'a surpris un jour en pleine conversation intime avec une jeune stagiaire du journal qu'il initiait dans son bureau aux devoirs de la communication rapprochée. Il fanfaronne :

« Tu as bien fait, mon lit est encore chaud de mes ébats amoureux ; mais que me vaut l'honneur ?

— L'envie de prendre un café avec toi, et puis une ou deux choses à te dire.

— Pour le café, c'est d'accord. Si tu l'offres. Pour le reste, je t'écoute. »

Cinq minutes plus tard, il connaît le reste. Pouliquen est breton, du pays de Léon, et ne pratique pas l'art de la litote. Il va droit au but :

« J'aimerais bien savoir ce que fricote Elleg avec la DGSE. Ça fait plusieurs fois que nous observons son manège. Ce matin encore, ton ami Zvi est allé boulevard Mortier, sans se cacher.

— Eh bien, c'est simple, demande-le-lui ; à lui ou à tes potes de la DGSE. Parce que je suppose que s'il ne se cache pas, c'est que leurs discussions ne doivent pas être bien mystérieuses.

— Si, justement. Je connais les Juifs. Ils ne font rien comme les autres. Ils rasent les murs pour parler du beau temps ; ils se montrent en plein Paris pour échanger des secrets. Alors, essaie de savoir ce qu'ils manigancent.

— Si je comprends bien, tu me prends pour un agent du Mossad.

— Je ne sais pas s'ils t'ont donné une carte, mais tu es sûrement dans le grand livre de la reconnaissance sioniste. Alors, essaie de ne pas oublier que tu as une autre patrie. »

Parbleu, il ne l'oublie pas. Et c'est bien pourquoi, explique Nadal en substance, il tient à remettre à son ami Pouliquen certain dossier qui lui est tombé entre

190

les mains par un concours de circonstances qu'il ne peut divulguer, conclut-il.

Le flic siffle en ouvrant la chemise :

« Qu'est-ce que c'est que ces fiches ? Du secret-défense ? Tu m'ennuies, mon vieux, je peux pas dire que je les ai trouvées dans le caniveau, quand même. Et puis quoi ? Merde ! Qu'est-ce que c'est que cette enveloppe ?

— J'en sais rien, ouvre-la.

— Mais c'est du "Cosmic" ! Tu te tends compte, du "Cosmic" ? J'ai pas le droit d'y toucher ! Oh, tu m'emmerdes, tu m'emmerdes !

— Si je t'emmerde tant que ça, rends-moi le paquet.

— Pas question. C'est trop tard. Mais il va falloir que je t'entende.

— Par PV ?

— Oui, par PV. »

Nadal s'étonne lui-même de son calme. Il sourit à Pouliquen et lui dit doucement, à la fois pour le calmer et n'être pas entendu :

« Si je te disais que c'est un flic qui m'a donné ce dossier, tu ne me croirais pas, et c'est pourtant la vérité. Le hic, c'est que ce flic, je ne te donnerai jamais son nom, parce qu'il m'a fait confiance et que même si tu me fous une procédure au cul, on ne me reprochera jamais d'avoir protégé un informateur. Alors, raconte ce que tu veux, que j'ai trouvé une sacoche abandonnée dans les chiottes d'un bousbir ou au pied de l'Obélisque, ou encore que tu l'as vue dans la Seine et que tu as plongé pour la récupérer, je m'en fous. J'ai eu ce truc entre les mains, j'aurais pu le porter à mes amis israéliens, comme tu le dis si bien, mais j'ai choisi de te le confier à toi, c'est tout.

— Et qu'est-ce qui me garantit, justement, que tu ne l'as pas montré aux types du Mossad ?

— Rien, strictement rien. Je peux même te dire que je les ai lues, ces fiches.

— Et alors ?

191

« – Je ne sais pas pourquoi elles sont estampillées "secret-défense".

– Et l'enveloppe?

– Alors là, c'est autre chose. Courageux, oui, fouille-merde, c'est certain. Mais téméraire, sûrement pas. Je ne l'ai pas ouverte.

– Et Elleg? »

Nadal ne répond pas. Il fixe Pouliquen de toute la conviction qu'il peut; l'autre baisse les yeux. C'est gagné.


## 61


Il ne sait pas au juste pourquoi, mais Willy exècre la banlieue; ces alignements de maisonnettes prétentieuses, avec leurs décorations de briques vernissées ou leurs sculptures de ciment peint, lui soulèvent le cœur, et il leur préfère les masses de béton dont tant d'architectes à court d'imagination ont fait don à la France. Même le soleil ne peut s'habituer à fréquenter ces rues sans âme dont les plaques disent la banalité, la rue des Tilleuls, la rue des Marronniers ou la couleur politique de la municipalité, de l'avenue Jean-Jaurès au boulevard Maurice-Thorez.

Le plus consternant, c'est qu'on se perd dans cette banlieue presque aussi sûrement que dans la forêt amazonienne, si peu de passants se résignant à fréquenter ces espaces de neurasthénie.

Willy a deux atouts, qu'il a toujours cultivés au-delà du raisonnable : le temps et la patience. Jamais il ne s'est pressé, jamais il n'a trépigné. Les neurones de son cerveau ont besoin de lentement se connecter pour que s'organisent les gestes et que tombent les paroles qui en aucun cas ne trahissent inquiétude ou agacement. Ce qui énerve, chez lui, c'est cette incapacité à s'énerver. Il le sait, il en joue.

Aussi, quand il arrête sa voiture, la petite Clio de Mathilde, devant le 17 de l'avenue des Bouvreuils à La Garenne-Colombes, il a déjà en tête les premières répliques du scénario qu'il a imaginé pour rencontrer Jean-Pierre Limonet.

Il sonne à la porte de fer qu'un aimable panneau « chien méchant » dissuade de franchir pour gagner le perron prétentieux de pierres apparentes qui doit équivaloir pour les occupants des lieux aux marches convoitées de l'Élysée. Nul aboiement, mais, au bout de vingt ou trente secondes, la porte de la maison s'ouvre sur la silhouette rassurante d'une vieille dame :

« Monsieur ?

— Bonjour madame. (Willy a pris sa grosse voix bien rassurante.) Je suis bien chez M. Limonet ?

— Oui, monsieur, vous désirez le voir ? »

Il esquisse comme un léger rire :

« Bien sûr, madame, si cela ne le dérange pas, ni vous, j'espère.

— Non, bien sûr, mais à quel sujet ?

— Je suis un des adjoints du colonel Desportes, le chef de la garde présidentielle du président Bongo, et je venais lui apporter un message.

— Il vous connaît ?

— Je ne le pense pas, mais moi, je le connais bien. Et je l'apprécie, ajoute-t-il pour rassurer tout à fait la dame.

— Entrez, monsieur. »

Civil autant que peut l'être un flic, Willy n'avait pas bougé d'un pouce. Il se hasarde dans le jardinet, monte les deux marches qui lui permettent de s'incliner légèrement devant la brave personne qui lui tend la main.

« Entrez, je vais prévenir mon fils. »

L'homme qui apparaît à l'entrée du salon où Willy déguste déjà le petit café de la maman paraît presque aussi âgé qu'elle. Le cheveu rare virant sur le « jaune vieillard », la trogne cuivrée et burinée d'un viveur, il a

193

inscrit dans son patrimoine visible les signes d'une vie agitée. Rien ne lui ressemble dans cette petite maison criante de mauvais goût et de gentillesse, si ce n'est deux ivoires sculptés en têtes de nègre, un arc et son carquois, et enfin un tambour au fût de bois tendu de peau de buffle, posé sur le sol comme un succédané de table ou de siège.

Il se dégage de son allure lourde une impression de profonde lassitude que viennent brusquement démentir, quand il fixe enfin Willy, deux yeux bleus étonnamment clairs, comme délavés ; il fixe son interlocuteur, lui tend la main.

« Monsieur ? demande-t-il ; le voile dans la gorge dénonce le fumeur.

— Cousinet, Guillaume Cousinet, assure Willy qui soutient le regard, je ne crois pas que nous nous soyions rencontrés, je ne vais qu'occasionnellement au Gabon, surtout à Franceville. »

Franceville, c'est un gros bourg au sud du Gabon, aux marches du Congo voisin, c'est surtout la patrie d'un certain Omar Bongo. Limonet répond, un peu vite :

« Je ne suis allé qu'une fois au Gabon, j'avais peu de chances de vous y voir.

— C'est vrai, concède Willy, mais ça n'a pas d'importance. Excusez-moi, monsieur Limonet, mais je suis venu vous porter un message verbal de mon chef, le colonel Desportes.

— Je suis censé le connaître ? interrompt le fiston à sa maman.

— Lui vous connaît, tranche Willy. Il m'a chargé de vous dire que votre opération de Lisieux l'intéressait, mais qu'il ne voulait pas que ça se sache. (Il prend un air entendu.) Vous comprenez, ce ne sont pas ses propres fonds. »

Un éclair d'inquiétude a cligné dans la prunelle de l'homme d'affaires. Willy, qui au passage remercie mentalement Verson de ses renseignements sur Limo-

194

net, en est sûr ; mais il ne veut pas pousser son avantage, pour ne pas éveiller la méfiance de son interlocuteur. Il se contente d'ajouter, bonasse :

« Vous comprenez, avec toutes ces écoutes, pourquoi il ne vous a pas téléphoné.

— Parfaitement, rétorque l'autre, soulagé de quelque mystérieux fardeau.

— Une chose gêne quand même nos amis, répond Willy, c'est la présence de ce monsieur qui a dû vous accompagner en Normandie, monsieur… ? et il traîne comme pour chercher le nom.

— Berthaud, complète Limonet.

— C'est ça, Berthaud. Vous le connaissez bien, ce monsieur ?

— Euh, un peu. Il m'a été recommandé. Et je ne l'ai vu qu'une seule fois.

— Lors de votre voyage ?

— C'est ça. »

Willy marque un temps. Il fixe son hôte, qui lui paraît mal à l'aise. Bon prince, pour la seconde fois, il conclut :

« Eh bien, monsieur Limonet, j'ai été ravi. Bien entendu, vous ne m'avez jamais vu.

— Bien entendu. »

À peine assis dans sa voiture, il jette un coup d'œil dans le rétroviseur qu'il avait orienté tout à l'heure, avant de descendre, en direction de la maison. Très distinctement, il voit un rideau bouger. C'est donc bien cela, le type se méfie et va réagir.

Il récapitule les indices qu'il a récoltés : un arc d'Amazonie au milieu de « souvenirs » africains, probablement même une trace d'étiquette que ce tout petit morceau de papier blanc à la base du tambour ; et puis, surtout, sa proposition d'investissement, une pure invention, qu'il a avalée sans sourciller.

Willy n'a pas le moindre doute. Limonet, si c'est bien lui, va bouger. Il ne se risquera pas à téléphoner, de peur d'être écouté. Le vieux flic sent que le gibier va sortir du bois. Il démarre gentiment, tourne trois fois à gauche autour du pâté de maisons pour venir se positionner au coin de l'avenue des Bouvreuils, prenant bien garde de ne pas laisser dépasser le capot. Il descend de sa voiture, se débarrasse prestement de sa gabardine et enfile une blouse bleue. Une casquette de toile complète le déguisement.

Ainsi accoutré, il se perd dans la contemplation d'une bouche d'égout, souhaitant de toutes ses forces que l'animal ne traîne pas trop.

Ses calculs sont judicieux. À peine cinq minutes, et du coin de l'œil, il repère, à une cinquantaine de mètres, une voiture, une 204 à ce qu'il lui semble, qui sort du garage de Limonet. Pas d'arrêt, c'est la maman qui doit faire office de portier. Willy se redresse, suit du regard l'auto jusqu'à ce qu'elle disparaisse au fond de l'avenue, à gauche. Son téléphone sonne.

Il décroche tout en se hâtant vers la Clio de Mathilde.

« Vous aviez raison, patron, il est sorti. Je le file.

— Fais quand même attention. J'arrive.

— Prenez votre temps. »

C'est le petit livreur du pizzas de son quartier qu'il a soudoyé pour deux cent francs et qui, posté au fond de l'avenue, a vu passer Limonet. Le gamin, sans crainte de se faire repérer, s'est lancé à sa poursuite. À présent, pétaradant sans vergogne, il slalome entre les voitures qui se pressent, déjà plus nombreuses, avenue de Paris. Au deuxième feu, il a refait son retard et prend un malin plaisir à venir se coller devant le capot de la 204.

Au tour de Willy de prendre le relais. Patiemment, il évite de passer devant la maison de Limonet avant que la porte du garage soit refermée, puis s'applique à rouler normalement dans les rues, vides à cette heure, de La Garenne-Colombes. Une fois parvenu sur la grande artère centrale de l'avenue de Paris, il refait son retard, guidé par les indications du gamin.

196

Il voit à présent la Peugeot, laisse deux voitures entre Limonet et lui, et lance dans son micro :

« Merci, Tony, je m'en occupe.

— Vous ne voulez pas… ? hasarde le jeune homme, manifestement exalté par l'aventure.

— Non merci. À tout à l'heure.

— OK. »

Pour Willy, c'est comme un plaisir retrouvé de ses jeunes années d'inspecteur que de filocher Limonet. D'autant que le type ne s'aventure pas bien loin dans Paris et s'enfile, sitôt dépassé le parc Monceau, dans le parking souterrain de l'avenue Hoche.

Le policier, sans gêne, range son véhicule sur le seul emplacement libre, le stationnement des taxis au bout de l'avenue. L'œil rivé à son rétroviseur, il attend.

« Une chance sur deux qu'il ressorte en voiture, une sur deux qu'il aille à pied au Royal Monceau. »

La première est la bonne. Une minute plus tard, la 204 repasse devant lui, en direction du parc. Willy démarre tranquillement. La filoche continue. Maintenant soigneusement son écart, il se retrouve rapidement avenue de Messine, rue La Boétie.

« Enfin » soupire-t-il quand Limonet range sa voiture à proximité de l'église Saint-Philippe-du-Roule. Sagement, il stoppe en même temps, en plein sur un bateau. Il se fout bien de la contravention.


## 62


Sa ligne directe sonne. Clapier décroche, marmonne un « allô » un peu rogue.

« Cheir à l'appareil. Je ne vais pas vous déranger longtemps ; simplement pour vérifier que le virement vous est bien parvenu.

— Il l'est.

« – Bien. Dans ces conditions, pouvons-nous fixer la date de la visite ? »

Clapier n'hésite pas. En manager organisé, il a déjà prévu la date, saisissant l'aubaine d'un déplacement des Koweïtiens auxquels il a offert un voyage d'agrément en Angleterre, histoire de leur montrer que Cherbourg n'a pas l'exclusivité des parapluies.

« J'ai une bonne opportunité après-demain. Si cela vous convient, nous partirions ensemble de Paris. Nous pourrions arriver la veille au soir, c'est-à-dire demain, visiter le chantier dans la matinée et terminer par une petite sortie en mer en début d'après-midi.

– C'est absolument parfait. Simplement, je vou-drais vous demander si nous pourrions faire cette virée avec mes experts. Bien entendu, je compte sur vous pour qu'ils n'aient pas le mal de mer, ajoute-t-il si sérieuse-ment que Clapier ignore s'il plaisante ou s'il est sérieux.

– Abdul, ce qui est promis sera tenu. Vous serez, vous et vos amis, étonnés des performances de mes bateaux, et je saurai ne pas vous faire regretter votre choix. Un dernier mot, simplement.

– Lequel ?

– Ne le prenez pas mal, mais vous connaissez les riva-lités entre Arabes. Si vous pouviez faire en sorte que vos experts n'aient pas l'air… euh…

– Trop arabes, éclate de rire Cheir, ne vous faites aucun souci, ils ont toute l'apparence d'anciens de l'École navale, la vôtre, bien sûr !

– Combien serez-vous ? Je vous le demande pour la sécurité, vous comprenez.

– Six. Je peux vous donner les noms.

– Non, non, c'est inutile. De toute façon, nous sommes très vigilants. »

Quand il raccroche, Cheir a son sourire des meil-leurs jours. Il va sans doute pouvoir rattraper, grâce à sa petite visite, la boulette commise par ses associés quand ils se sont fait piquer aussi bêtement la doc qu'il avait commandée.

Reste à régler quelques détails, comme la neutralisation de cette pute et de sa protectrice, avant qu'elles aient eu le temps de faire des ravages. Décidément, il a eu tort de se séparer de Kart ; ce type valait tous les connards qui peuplent les antichambres de la CIA.

Il soupire : « Enfin, ils paient bien, tout de même. »

63

Il arrive que le poisson morde plus vite qu'on ne l'espère. C'est Mortimer, le barman, qui appelle :

« Chef – ça me fait tout drôle d'appeler "chef" un poulet...

— Un ancien poulet, coupe Willy.

— Bof ! Ancien ou pas, vous restez un poulet. Notez bien que vous avez dû être un type réglo et que votre tronche me botte. Alors je vais vous balancer ce que j'ai maté. Le gonze qui vient au bar n'est plus seul. Il y en a un autre, mais y font pas équipe. Je me demande même s'ils se sont reniflés. Parce que l'autre, il est pas con, il s'est installé dans l'appart au-dessus du café.

— Et comment savez-vous ?

— Dites donc, chef, vous me prenez pour un cave ou quoi ? Vous m'avez filé une mission, je l'assume. J'ai vu un type passer deux fois dans la rue, la troisième je suis sorti, mine de rien, et je l'ai vu entrer dans l'immeuble par la porte d'à côté. Le reste n'a été qu'un jeu d'enfant.

— Le reste ?

— J'ai repéré la planque et je suis allé zyeuter. (Il siffle.) Mais y a une serrure de sûreté. Alors, forcément, je peux pas entrer sans que ça se voie. (Il prononce vouaille.) Qu'est-ce que je fais ?

— Rien. Tu me surveilles les allées et venues du type,

199

tu notes les heures, le temps qu'il reste dans l'appartement.

— C'est tout ?

— Non. Quand tu finis ton service ?

— Dans une heure.

— Alors dans deux heures à l'Institut médico-légal, quai de la Rapée.

— Vous avez pas mieux ?

— C'est l'endroit le plus discret de Paris. »

Willy réfléchit. Ça pue la planque de surveillance. En plus, maintenant, grâce aux techniques nouvelles, on n'a plus besoin de ces interminables séances à la jumelle où la vigilance finit par s'endormir, qui mobilisent trop de monde et qui ne sont pas très discrètes avec des tas d'allées et venues. Tandis que des caméras, équipées pour la vision nocturne, ça marche tout le temps, ça retransmet et ça enregistre.

Mais est-ce si sûr ? Il ne voit pas bien en quoi un appartement soufflé par une explosion peut intéresser quelqu'un. Il n'y a manifestement plus rien à voir dans le tas de cendres qui est ouvert à tous les vents au quatrième.

L'affaire se présente bizarrement. Alors, il récapitule sur une feuille, de son écriture en pattes de mouche. Un, son ami Abou Kir vient lui parler d'un numéro de téléphone, sur liste rouge évidemment, lequel correspond à un appartement soufflé par une explosion. Deux, l'occupante est morte. Trois, les RG surveillent les lieux. Quatre, il y a toutes chances pour que quelqu'un d'autre s'y intéresse. Conclusion, il faut aller voir.

Il appelle Abou Kir. Ils ont juste le temps de se retrouver à Châtelet.

## 64

Barzi en est tout chose. Pour sa sortie, Demi en personne est venue le chercher. Détendue comme si elle sortait d'un colloque sur l'opiomanie de Pierre Loti, elle lui conte par le menu les péripéties du « retour » de Marion. Pour finalement en venir à l'essentiel, lui demander de continuer à faire équipe avec elle dans cette histoire à laquelle il ne comprend pas grand-chose. Et cela se passe très simplement :

« Mon cher Barzi, je vais te confier une mission que toi seul peut remplir. Je te demande d'héberger Marion et de veiller sur elle. Comme tu le ferais pour moi. C'est une chic fille, je te l'assure. Manifestement, on lui en veut beaucoup, je ne sais pas qui ni pourquoi. Seul un flic coriace peut lui apporter cette protection et me donnera à moi le temps de remonter la pelote jusqu'au terroriste qui a fait péter son boudoir et toi avec. Ce petit bout de ficelle que je tiens, c'est toi qui vas m'aider à tirer dessus, doucement. Je vais même te dire, j'ai été filochée à la sortie de l'hôpital, l'autre jour. Et pas par n'importe qui, par un flic des RG, comme par hasard un copain de promo de Jean-Charles à l'école des inspecteurs de Cannes-Écluses. Tu comprends qu'on va devoir jouer serré. »

Le cœur de Barzi se met à cogner. Que Demi en fasse son confident, c'était déjà magnifique. Qu'il devienne gardien de sérail, c'est le bonheur absolu.

Demi s'est arrangée pour venir le cueillir dans la soirée. Barzi en a été quitte pour l'attendre toute la journée, puisque le chef de service lui a octroyé son bon de sortie après la visite du matin. Il en a profité pour mettre ses notes au propre, puis est allé s'assoupir dans la salle de télévision. Peu à peu, il recouvre l'audition, mais il s'est tellement amusé de constater combien un sourd appelle la confidence qu'il ne se presse pas de

201

quitter son rôle d'idiot patenté. En quelques jours d'hôpital, avec le défilé de tous les collègues du service, il en a appris bien plus qu'en vingt ans de placard ou même qu'un honorable curé de paroisse dans son confessionnal. Mais celui qui l'intéresse, parce que d'instinct il flaire le faisan, c'est Jean-Charles ; et puis, il ne supporte pas la condescendance de ce matamore, qui veut faire oublier qu'il n'a jamais pu passer le concours de Saint-Cyr au Mont-d'Or, et qui n'a dû sa promotion qu'à des amitiés troubles, sans qu'on sache bien si elles sont politiques ou syndicales.

Ils sont à présent installés côte à côte dans la Clio qui sent bon le jasmin et filent avenue de Suffren, en direction de la Seine. C'est bientôt l'avenue Franklin-D.-Roosevelt, le rond-point des Champs-Élysées, le parking souterrain ; sans hésiter, Demi descend au niveau – 4, le plus bas, remonte lentement l'allée centrale, donne un double appel de phares et stoppe à la hauteur d'une silhouette qui vient de surgir entre deux voitures. Ni femme, ni homme avec sa casquette enfoncée sur les yeux et son accoutrement unisexe, c'est Marion qui s'engouffre dans la Clio.

Barzi s'est à peine retourné pour lui sourire. Demi, tout à sa conduite, pas du tout.

Dehors, sous la pluie, les Champs-Élysées avalent la voiture à sa sortie du parking et lui font une traînée vaporeuse. Bien difficile de la repérer dans la cohorte qui s'engage vers la Concorde et parmi toutes ces traces mates sur la chaussée luisante. Demi pilote avec cette sûreté et ce calme qui annoncent une extrême concentration. On ne s'aperçoit même pas qu'elle va vite, très vite. Un tour de la plus célèbre place du monde, autour de l'obélisque froidement volé à l'Égypte, et nos trois comparses remontent l'avenue Gabriel puis l'avenue Matignon vers le ministère de l'Intérieur. C'est une de ces astuces que l'on enseigne dans les écoles de police que de passer lentement devant la maison mère pour vérifier qu'on n'est pas suivi. Elle se penche alors vers Barzi et lève les sourcils, comme pour lui demander « où ? ».

Il a compris, indique les rues, l'une après l'autre, mais garde pour lui, comme par un vieux réflexe, la destination finale. Sans s'en être entretenus, ils se méfient instinctivement d'une écoute, d'un micro planqué quelque part, d'une puce glissée dans un vêtement. Parfois même, Barzi se contente d'un geste, d'un mouvement de tête. Dans l'étroit habitacle, nul ne moufte. Les avenues, les rues défilent jusqu'à la rue Retrou, à Asnières, aussi déserte et médiocre qu'une usine désaffectée. Demi gare la Clio, à hauteur du n° 22.

Un long moment d'attente ; nulle tête aux fenêtres, nulle ombre à l'horizon. Barzi descend, seul, ouvre la porte, disparaît. Une petite minute plus tard, un claquement de volet donne le signal. Les deux jeunes femmes sortent à leur tour, s'engouffrent dans l'entrée pisseuse, pour la vue comme pour l'odeur. Les voici qui pénètrent dans l'antre du vieil inspecteur. C'est un remugle de gâteaux secs et de soupe de poissons qui leur chatouille les narines ; manifestement, les lieux n'ont pas été aérés depuis longtemps.

Elles n'y font même pas attention, tant il leur paraît touchant, le bonhomme qui dit simplement à Marion :
« Entrez, vous êtes ici chez vous. »

C'est la deuxième fois en quelques jours que la jeune femme reçoit le témoignage d'une aussi simple amitié. Elle regarde ce petit homme, terne comme un retraité du Crédit lyonnais, objectivement plutôt laid avec son costume lustré, ses chaussures craquelées, et, pense-t-elle, des chaussettes boudinées. Mais il lui paraît beau comme le saint Georges des images pieuses de son enfance si comme il faut, dans son Berry natal.

Les larmes lui montent aux yeux. Barzi le voit, et, s'enhardissant d'avoir retrouvé ses pénates, s'approche, lui prend les mains pour lui murmurer d'une voix aussi profonde qu'il le faut :

« Non, madame, ne pleurez pas, vous ne risquez plus rien, ici. Je ne suis peut-être pas très impressionnant, mais je connais bien toutes les ficelles de mon métier. Et celui qui me dénichera ici n'est pas encore né. »

Il baisse la voix comme s'il craignait d'être entendu :

« C'est la maison de ma mère. À sa mort, je n'ai pas voulu la vendre, et je l'ai gardée telle quelle. Oh, bien sûr, ce n'est pas comme chez vous, mais vous vous y sentirez bien. Et puis, achève-t-il pour la convaincre, je cuisine pas mal, vous savez.

– En attendant, Barzi, c'est moi qui régale », claironne Demi, en brandissant comme un trophée le sac de papier kraft qu'elle a bourré de victuailles.

En deux temps trois mouvements, la table est dressée dans la cuisine où la maman de Barzi devait mitonner les petits plats de fête quand son « grand policier de fils » lui faisait visite. Dans le joyeux tohu-bohu des succions, des claquements de mâchoires et du gazouillis du château-Larigaudière qui, inépuisable, coule dans les verres de cristal de la vieille dame, ils se retrouvent enfin, heureux comme des collégiens, Marion plus émue que ses compagnons.

Quand vient le moment du départ, que Demi juge raisonnable de sonner, elle prend tendrement dans ses bras celle qu'elle a bien failli ne jamais revoir et, devant Barzi qui en reste bouche bée, l'embrasse longuement sur la bouche.

« Je repasserai demain soir, ma chatte, glisse-t-elle à voix très basse, et se retournant vers Barzi : Je te la confie. Tu sais ce que ça veut dire. »

Quand elle reprend sa voiture, démarrant sans hâte, elle attend d'être rentrée dans Paris pour rallumer son portable. Inutile de signaler sa présence à Asnières.

## 65

Nadal s'agace un peu de l'insistance de Zvi à le rencontrer rapidement. Copain, d'accord, et même un peu plus. Un tuyau par-ci par-là pour justifier ses mensualités de vingt mille francs, mais de là à lui balancer le pedigree de Magdeleine et à lui raconter l'histoire de Momo, là, c'est franchement trop.

D'autant plus que cette histoire rocambolesque de vol à la tire rue de Rivoli ne lui semble pas très catholique, surtout pour être avalée par des Juifs. Car, après tout, est-il si sûr de Magdeleine ? Celui-ci n'est-il pas en train de lui monter un chantier ? Ce qui le dérange, Nadal, c'est ce jeu de trompe-couillon où tous les coups sont permis et où, à force de tricher, on ne reconnaît plus les tricheurs. Il remue toutes ces pensées tourbillonnantes dans sa tête, marchant vers son rendez-vous. Arrivé au coin de la rue d'Aboukir, il s'arrête pour laisser passer une voiture, regarde machinalement derrière lui et se crispe aussitôt. Presque à le toucher, impassibles et massifs, deux hommes, dont il sait aussitôt ce qu'ils sont, à défaut de deviner qui ils sont.

Il est suivi, grossièrement, sans précaution, sans doute plus par intimidation que par souci de connaître ses allées et venues. D'un coup, une bouffée de chaleur le submerge jusqu'à l'inonder d'une sueur âcre et poisseuse. Son cœur bat la chamade, sa gorge est sèche. C'est la trouille, totale, fatale, immense.

Tout de suite, il s'en veut de s'être fourré dans les emmerdes, avec ce Zvi qui le poursuit, le harcèle, alors qu'il ne fait que lui rendre service. Quel chieur, ce type ! Pour un peu, il en deviendrait antisémite, d'autant que les deux types paraissent plus profilés pour émarger à la défunte Gestapo qu'à l'Irgoun. Ses lunettes se sont embuées et la pluie fine qui accompagne le glissement des voitures lui retranche encore quelques parcelles de vision.

Il descend le trottoir mécaniquement, englué dans le flot de piétons indifférents à son angoisse, hésite, parvenu de l'autre côté, sur la direction à prendre, jette un nouveau coup d'œil par-dessus son épaule : personne. Il fait carrément demi-tour, scrute la cohue moutonnière, ne voit rien qui confirme son affreuse vision. Il manque de se pincer, et pourtant il est sûr de bien avoir « photographié » ces deux types.

Tout de même, sa tension a dû monter de quelques points, et il reprend sa route vers le restaurant où l'attend son ami l'attaché militaire. Il est désormais sur ses gardes, surveille ses arrières, multiplie les précautions, essayant de semer un invisible adversaire, à chaque essai un peu plus rassuré.

Zvi Meier l'attend, trois clopes écrasées dans le cendrier attestant du retard de Nadal. Il ne manifeste pourtant ni agacement ni joie à la vue de son informateur qui se glisse sur sa chaise, au fond de la salle où, manifestement, l'Israélien a ses habitudes. Inutile de bredouiller des excuses, surtout ne pas faire part de ses soupçons, de sa peur panique de tout à l'heure. Immensément calme, Meier passe tout de suite à l'essentiel.

« Ce que tu m'as communiqué est très intéressant, et nous avons décidé de faire un geste. Un beau geste. Tu trouveras cela dans ton vestiaire quand tu le récupéreras. Mais il faudrait que tu nous aides un peu plus. Nous avons absolument besoin de valider ton information, ce qui veut dire que nous devons savoir comment ce dossier t'est tombé entre les mains.

— Mais je te l'ai dit, c'est un copain, un flic de banlieue qui l'a obtenu d'un jeune Beur qui l'avait lui-même volé.

— Comme ça, par hasard.

— Le hasard, ça existe.

— Pas chez nous. C'est un peu trop beau, ton histoire. Note bien que je ne te soupçonne pas une seconde. Mais je n'en dirai pas autant de ton flic de banlieue, qui s'appelle comment, au fait ? »

Il sait parfaitement que Nadal le lui a dit, Magdeleine, un nom facile à retenir. Mais il veut la confirmation et, plus encore, cherche à déstabiliser Nadal, à le pousser à la faute. Le journaliste a compris et ne tombe pas dans le panneau.

« Magdeleine, tout simplement. Comme Jean Valjean, lance-t-il avec son sourire le plus désarmant. Et je te rassure tout de suite, non seulement c'est un vieux de la vieille qui ne se laisse pas facilement monter le bourrichon, mais en plus il a récupéré lui-même la sacoche, enfin, presque.

— Tu me l'as dit. N'empêche que ça sent un peu le faisandé, ton roman. »

Lui, en tout cas, il prêche le faux pour savoir le vrai.

« Ça n'est pas l'avis de tout le monde », rétorque Nadal d'un air entendu.

Et Zvi entend parfaitement.

« Vas-tu pouvoir au moins me dire si le document est authentique ?

— Il l'est. »

Là, Nadal va un peu vite. Pouliquen ne lui a rien certifié, ne l'a même pas encore rappelé. Mais il est tellement agacé par les sous-entendus de l'Israélien qu'il ne lui déplaît pas de lui faire la morale. Il ajoute :

« C'est bien de se méfier. C'est même important. Mais il ne faut pas tomber dans la paranoïa. »

Les deux compères se fixent un moment du regard. Puis, brusquement, la tension retombe, d'autant que le premier plat arrive, un rôti de veau farci au gingembre, à l'ail et au persil, qui leur arrache une montée de salive.

Nadal adore manger. Elleg lui donne le sentiment de partager le même péché. Ils font assaut de compliments, sur le vin, tout de même français, sur les baklavas évidemment libanais. La suite et la fin du repas sont l'occasion d'échanges amicaux que ne vient même pas ternir la dernière instruction de Meier à son ami, quand celui-ci tâte, à travers la poche de son imper, l'enveloppe de sa récompense :

« Essaie tout de même de vérifier ce que t'as raconté ton Magdeleine. »

Quelques secondes plus tard, Noël Nadal est de nouveau dans la rue, grouillante et chahuteuse. Il est heureux, il a bien gagné sa journée, il s'en doute en palpant son argent, même s'il ne l'a pas encore compté. Une bourrade, une de plus, et il sent ses jambes se dérober sous lui, un flash lui dévorer le visage.

Deux hommes, deux costauds s'éloignent sans se presser.

## 66

Quand Willy et Abou Kir se pointent à l'Institut médico-légal avec la mine contrite de ceux qui ont perdu un proche et viennent vérifier que l'héritage est bien assuré, dans les dossiers du notaire, Laouari, alias Mortimer, est déjà là. Pour faire plus vrai, il a endossé un pardessus anthracite dont la coupe remonte à la guerre de 14 et le tissu au Front populaire. Il tourne vers eux, à leur arrivée, un visage ravagé de tristesse. Le tableau serait convaincant si l'œil ne brillait par instants d'une lueur étrange, exaltée, joyeuse.

Ni Willy ni Abou Kir ne s'y trompent : leur indic est tout émoustillé par son nouveau rôle. Ils savent sans même se consulter qu'ils doivent le calmer, le ramener à la prudence.

Un professionnel ne se réjouit pas plus qu'un All Black qui vient de marquer un essai. Car c'est au moment où il se lâche, qu'inévitablement, il fait une connerie.

En même temps, il ne faut pas décourager le bonhomme. Ils ont besoin de lui, de sa position stratégique, de son immense bonne volonté. Il raconte :

« Je vous l'ai déjà dit, j'ai vite retapissé ce mec qui

208

passait souvent devant le bistrot et rentrait dans l'immeuble à côté. »

Willy ne pipe pas, non plus qu'Abou Kir.

« Je vous ai déjà dit ce qu'y avait dans l'appart du dessus. Du matos comme j'en connais pas. Alors, j'y suis retourné et j'ai pris des photos. Visez un peu ! »

Il sort de sa poche une pochette jaune orangée d'où il extirpe des clichés, plutôt bien pris, que Willy prend un à un pour les passer ensuite à son ami. Il hoche la tête, comme pour souligner l'intérêt de la chose, et questionne à son tour :

« On peut visiter ?

– Sans problème, je sais à quelle heure le type arrive…

– … Toujours le même ?

– Toujours le même. Et de toute façon, je ferai le guet pour vous éviter des ennuis. »

Les deux compères se regardent ; d'un coup d'œil, ils décident de lui faire confiance. C'est entendu, ils iront voir sur place, et ils aviseront dès que possible.

Willy sait bien qu'il est engagé dans une course contre la montre. Le procureur Duconfit n'a donné qu'un infime délai à Verson, et il faut foncer. Alors, puisque l'opportunité passe devant lui, il la saisit. Ils vont aller, de ce pas, avenue Émile-Zola. Le type est passé ce matin même et ne reviendra pas de la journée. Il faut seulement qu'il s'assure du concours de son vieux Diami, son homme de tous les coups fourrés et tordus, en retraite comme lui, mais toujours disponible pour celui qu'il vénère comme un dieu vivant.

De son portable, il compose le numéro que trois personnes seulement connaissent. À se demander pourquoi ce vieux Diami a le téléphone. En tout cas, il répond. Bien sûr, sans poser une seule question, sans demander une heure de délai. Sans le savoir, il est le dernier de sa race, ce minutieux qui adore tripatouiller l'électronique. Qui se baptise lui-même le « cambrioleur de l'invisible ». Qui plonge avec délices dans les réseaux, dresse les puces de métal comme on le faisait autrefois de celles qu'on produisait dans les foires, flatte les circuits et les intègre avec facilité. L'appel de Willy le comble au-delà de toute espérance, son vieux cœur frappe à grands coups dans la chétive poitrine où ne fonctionne plus qu'un poumon, cancer oblige. Sans savoir ce que lui veut celui qui restera toujours « son » patron, Willy n'a rien dit au téléphone, il plonge dans son placard à secrets et prépare, méthodiquement professionnel, sa vieille mallette de cuir craquelé.

Il sera au rendez-vous, tout à l'heure, au bistrot de Mortimer.

## 67

La Mercedes de Clapier file sur l'autoroute A13, avalant les douces déclivités de la vallée de la Seine avec un bel appétit. Derrière, l'Espace des CNC suit sans effort, se coulant dans la trace de la berline.

C'est Raymond qui conduit, Cheir assis à son côté, les sièges arrière occupés par Rachid Begbeder, le principal financier des CNC, et un personnage qui paraîtrait insignifiant s'il n'arborait un drôle de béret, manifestement trop petit pour son crâne : c'est Walter Gresli, collaborateur suisse du milliardaire saoudien.

Soucieux de convaincre ses clients de la justesse de leur choix, Clapier énumère les supériorités que son patrouilleur affiche sur ses concurrents allemands, anglais, américains et singapouriens : maniabilité, furtivité pour échapper aux radars, brouillage électronique de la « signature », c'est-à-dire du bruit émis dans la mer par les moteurs, les arbres et les deux hélices, autonomie augmentée par les réservoirs supplémentaires qui doivent permettre de rallier le Golfe sans ravitaillement, et enfin puissance de feu. Il expose, il étale, il explique avec cette faconde qui révèle un ego de bonnes dimensions. La démonstration, car c'en est une, ne faiblit pas, relancée adroitement par Cheir, qui a dû suivre une formation accélérée en génie naval, lui qui, il y a peu, déclarait son ignorance crasse dans les choses de la mer.

Clapier ne semble pas s'en apercevoir, tout à son sujet, heureux de briller devant Gresli, qu'il soupçonne de le prendre pour un imbécile. Le Suisse ne bronche pas, n'émet pas un son, du moins jusqu'à ce que Caen soit atteint puis traversé. Il hasarde alors une question anodine :

« Je présume que les programmes de navigation et de tir sont informatisés, monsieur le président ?

— Tout à fait, je dirais même informatisés et protégés.

— Par exemple ?

— Eh bien, imaginons que le commandant du patrouilleur décide de suivre un parcours le long du littoral ; il aura sur un écran couleur la carte très précise des fonds sous-marins, avec la mention de tous les obstacles ou dangers, mines, épaves, récifs, et un système automatique d'inversion des hélices s'il se risquait dans des eaux trop peu profondes.

— En somme, une garantie anti-accidents ?

— Exactement. Ce bateau ne peut pas s'échouer ni se faire déchirer sur un rocher, sauf panne de machine, évidemment. Et encore, en ce cas, des protections pneumatiques autogonflables garantissent du pire. »

Cheir siffle d'admiration et glisse à son tour :

« Ça doit valoir une fortune, un système comme celui-ci ? Et vous le vendez avec le patrouilleur ?

— C'est effectivement très cher, ce qui vous explique nos prix élevés. Mais nous n'avons le droit de le livrer sur les unités que nous vendons qu'avec une double sauvegarde ; les logiciels ne sont installés à bord que le jour de la livraison, et la Marine nationale dispose de tous les codes de tir, ce qui lui permettrait, le cas échéant, de déclencher des contre-mesures.

211

– Ce qui veut dire ?

– Ce qui veut dire que si quelqu'un s'avisait de prendre pour cible les intérêts français, nous neutraliserions aussitôt ses ordres, et qu'il ne pourrait plus que naviguer, sans aucune capacité d'ouvrir le feu. »

Cheir se met à rire :

« Rassurez-vous, la France ne figure pas au nombre de nos objectifs. Mais si je comprends bien, cela implique que les pays auxquels vous vendez soient vos alliés ?

– Exactement. En quelque sorte, nous "contrôlons" nos clients. »

Cheir laisse passer un blanc. Puis il enchaîne :

« Tout de même, je dois vous dire que mes clients à moi veulent disposer de bâtiments performants sans contrôle de qui que ce soit.

– Je comprends. Mais dans ce cas, commandez et installez votre propre système d'armes.

– Oui, oui, c'est effectivement une solution. Il faut que nous réfléchissions. »

La Mercedes s'engage sur la déviation de Bayeux. Clapier lève le pied, prudent, et relance la conversation :

« Il y aurait bien une solution. »

Cheir rebondit aussitôt :

« Ah ? et laquelle ?

– Adressez-vous directement à Thomson. Ils ont le bras long.

– Et vous connaissez quelqu'un, vous, chez Thomson ?

– Ça pourrait se trouver. »

Cherbourg n'est plus qu'à cent kilomètres.

## 68

Diami a procédé en deux temps. D'abord, il est allé inspecter les serrures de l'appartement d'à côté. Il en est revenu aussi calme que le jour de son mariage.

« C'est du bon matériel, mais ça ira, a-t-il assuré. Une heure maximum, sans doute moins, et nous serons dans les lieux. J'irai seul ouvrir la porte. C'est ma condition. De toute façon, si je me faisais prendre, cela ne serait pas bien grave…

— Deux ans de placard, quand même, glisse Willy.

— Je m'en fous. Tandis que vous, et vous surtout (et il fixe le Manchot), ça ferait très vilain dans le décor. Et puis, j'ai ma méthode que je n'ai pas envie de vous expliquer », ajoute-t-il, faussement agressif, pour dissimuler son vrai courage.

Toute la journée, il avait fourbi son matériel. Ce soir, il est seul face à son destin, souhaitant que Mortimer ne se soit pas trompé, puisqu'il a assuré que le type ne venait jamais la nuit. Il est aussi et surtout face à la porte d'un appartement sans doute modeste et à des serrures qui sont toujours ses complices.

« Aucune serrure ne résiste, répète-t-il sans cesse. Ce n'est qu'une question de temps et de patience. » Le seul risque, c'est de se faire surprendre par un quidam ou par un guetteur durant les délicats moments où il lui faut bien interroger le mécanisme, le sonder, le violer ; pour cela, il compte sur la chance, sur son flair, et aussi sur quelques astuces, comme celle de sonner longuement avant de chatouiller la serrure. Aujourd'hui, tout va bien. En une demi-heure, l'affaire est réglée.

L'entrée dans laquelle il se trouve, sitôt la porte ouverte, n'offre rien de bien particulier. Diami vérifie qu'elle n'est pas sécurisée avant de pénétrer dans le living-room, meublé avec ce goût très kitsch des années 30. Deux larges fauteuils aux accoudoirs de bois, un canapé bien raide sur lequel la courtisane la plus éhontée n'aurait pas envie de faire l'amour. Avant de s'y risquer, le vieux malin observe longuement, détaille chaque mètre carré, et pousse enfin un soupir de soulagement en découvrant, au pied d'un bureau couleur miel, une mallette entrouverte, comme oubliée par un possesseur peu soigneux mais dont il devine qu'il s'agit d'un *snapper*, autrement dit d'un analyseur instantané de large bandes, évidemment *made in USA*.

Pour un peu, il en oublierait de respirer, le brave Diami, qui rêve depuis des mois sinon des années de posséder un tel bijou, capable d'analyser instantanément et de rediffuser une masse de données supérieure à la capacité de téléphonie de n'importe quel satellite de communication, de l'ordre de quarante mille appels simultanés. « Un marteau pilon pour écraser une mouche », marmonne-t-il en s'approchant du prodige technologique qui, si futé et performant soit-il, ne décèle pas son approche, tout simplement parce qu'il n'est pas programmé pour cela.

Regarder sans toucher, respecter l'intégrité de la mallette comme on le fait de la pudeur d'une pucelle, ce sont les maîtres mots de Diami quand il est confronté à ce genre de situation. Ce n'est évidemment pas commode d'analyser le fonctionnement d'un matériel qu'on n'a jamais vu, de devoir se contenter de fils qui courent, de cartes à puce bien visibles, sans y glisser ne fût-ce que la pointe d'une aiguille, la lueur d'une lampe-stylo. Sauf pour un homme qui possède patience et connaissance et qui reconnaît progressivement les multiples fonctions de la mallette. Ainsi, il identifie un démultiplieur de canaux de voix, un processeur de visioconférence, heureusement désactivé, et un boîtier dont il jurerait qu'il s'agit d'un dictionnaire de mots-clés. C'est de la belle technologie, de celles qui font rêver les services pauvres, ou même « moyens ». De celles que peut seule se payer une grande centrale de renseignements. Cela pue la CIA, ou quelque chose d'approchant.

Tout de suite, Diami se donne le challenge insensé de pirater ce beau matériel, mais il sait qu'il ne le pourrait qu'avec le renfort de ses copains de la division technique de la DST. Il ne faut pas rêver, c'est hors de question. Il est donc inutile de s'éterniser ici. Tout de même, pour n'être pas venu pour rien, il place dans une moulure du plafond un micro enregistreur comme on en faisait dans les années 80. Cela tiendra quarante-huit heures, le temps de revenir ici avec un matériel d'une tout autre catégorie. Et puis, il arrive qu'à la pêche on prenne un gros poisson avec une épingle en guise d'hameçon et de la ficelle au lieu de Nylon.

Il aimerait bien percer les secrets de la boîte entrouverte, et se fait le serment de la barboter si jamais les circonstances s'y prêtent. C'est en retournant dans sa tête ces exaltantes perspectives qu'il rejoint au bar d'à côté le trio hétéroclite qui en est à descendre sa deuxième bouteille de côtes-de-bourg.

## 69

Enfin une pleine journée de remise en forme. Tard levée, Marion trouve dans la cuisine le petit déjeuner que lui a préparé Barzi. Croissants, thé à la bergamote, comment diable a-t-il fait pour deviner ses préférences? D'autant que le bonhomme s'est esquivé, laissant un mot sur la table : « Je vais faire quelques courses. Vous êtes chez vous. Ne sortez pas, ne répondez pas au téléphone. »

La dernière bouchée engloutie, la jeune femme entreprend de faire le tour du propriétaire. C'est une maisonnette de banlieue comme on en voit dans les films de ciné-club, moche, et pourtant tellement accueillante. Tout ici respire la gentillesse et la mièvrerie, les patins dans la salle de séjour, les chaises sagement disposées autour de la table de salle à manger où trône une soupière aux flancs rebondis, les fauteuils chippendale avec des carrés de tapisserie brodés à la main sur le siège et sur les accoudoirs. Rien n'a dû changer depuis la disparition de la vieille dame, pas même la télé en noir et blanc qui ne diffuse, Marion s'en assure, que les cinq chaînes des années 80.

Le téléphone sonne. Respectueuse de la consigne, Marion ne décroche pas. À la cinquième sonnerie, le répondeur se déclenche et la voix de Barzi retentit dans la pièce, débitant sur l'air de « J'ai marché dedans » un de ces messages qui ne marquent pas par leur originalité. Succédant à la rengaine du vieux flic, c'est, comme un grand coup de clairon, le timbre de Demi qui emplit la pièce. Et qui va droit au but.

« Allô, Marion ? Tu peux répondre ? Je pense que tu es là.

— Oui, bien sûr, répond Marion qui a décroché le récepteur, tu es au bureau ?

— Qu'est-ce que tu crois ? qu'on paie les flics à ne rien faire ? Je suis même au bureau depuis sept heures, si tu veux savoir. Un petit arriéré de travail à combler. Mais rassure-toi, ce soir, je sors un peu plus tôt et je viens te retrouver. Il faut que nous allions faire un tour ensemble.

— Y a pas de risque ?

— On va faire en sorte qu'il y en ait pas. Mais Barzi ne nous accompagnera pas. Dis-le-lui. Disons à cinq heures.

— Dix-sept heures ?

— Si tu veux. Sois prête, plutôt sport, jeans et pull. Et si tu pouvais t'arranger pour ne pas te ressembler, ce serait parfait.

— D'accord. Merci, Demi, je n'oublierai pas ce que tu fais pour moi, en ce moment.

216

« – Tatata, tais-toi, et n'oublie pas que je ne veux pas avoir fait ça pour rien. »

Marion repose le combiné, toute chose. Si elle n'aimait pas autant les hommes...

En attendant, elle va s'installer devant la télé et entreprend de dérouiller son corps par une bonne séance d'assouplissements et d'abdominaux. En petite tenue, short et maillot puisés dans le grand sac où Demi a glissé nettement plus que le nécessaire. Quand elle entend la porte d'entrée s'ouvrir, elle ne se retourne même pas, assurée de la présence de Barzi, qui, effectivement, reste pétrifié sur le seuil, les bras lestés de deux énormes cabas d'où émergent feuilles de salade et queues de poireaux.

Elle finit par se retourner. La sueur qui perle sur son visage et colle le mince tissu sur ses seins dégage une houle de sensualité qu'elle ne cherche pas à dissimuler. Elle lui sourit et murmure, comme pour elle-même : « Si j'osais, je te prouverais bien combien je te suis reconnaissante, mon brave Barzi. » Une fraction de seconde, elle a l'impression qu'il l'a entendue, mais non, ce n'est pas possible.

Elle reprend ses exercices, les achève, et vient enfin dans la cuisine où s'affaire le bonhomme, le ventre ceint d'un tablier de toile bleue.

« Barzi, aurais-tu des ciseaux ? » demande-t-elle d'une voix forte en faisant de l'index et du médius de la main droite le geste de couper.

Pour sûr, qu'il en a. Se torchant la bouche d'un revers de main, il pose la cuiller qu'il vient de porter à ses lèvres pour goûter la sauce du lapin qui mijote, et part dans la salle de bains, Marion sur ses talons. De l'invraisemblable fouillis du premier tiroir, il extirpe effectivement des ciseaux de coiffeur, une tondeuse à main et un rasoir à manche qu'il pose sur le lavabo.

« J'espère que c'est bien ce qu'il vous faut, dit-il, et prenez votre temps. Ce ne sera pas prêt avant trois quarts d'heure. »

217

Marion, devant la glace, relève une à une ses mèches blondes, les laisse retomber, et, enfin décidée, se saisit des ciseaux. Une demi-heure plus tard, c'est un blondinet aux cheveux courts, ébouriffés, qui vient s'asseoir à la table de la cuisine. Devant l'air ahuri de Barzi, elle se relève, l'embrasse sur les deux joues et s'esclaffe en lui envoyant une bourrade :

« Si les voisins nous voyaient, ils nous prendraient pour un petit ménage de pédés. »

Presque aussitôt, elle rougit : « Et si Barzi était homo ? »

## 70

Le spectacle serait digne d'une sous-production des studios de New Delhi s'il ne se tenait dans l'arrière-salle d'un café de la rue de Malte, à deux pas de la place de la République. L'épaisse fumée qui virevolte lentement en âcres volutes indiquerait clairement à un aveugle que les participants sont arabes, le coup d'œil le moins exercé précisant leur origine irakienne. Ce sont comme des clones de Saddam Hussein qui devisent calmement, la lèvre supérieure enfouie sous une moustache dont il semblait que Staline avait emporté le secret dans sa tombe.

C'est sans doute en l'honneur du seul glabre de la petite assemblée que les Irakiens s'expriment en anglais. Celui-ci, assis en bout de table, tapote sur son demi de bière, la mine tout à la fois appliquée et soupçonneuse, tandis qu'un athlétique quadra, plus gorille qu'*Homo sapiens*, explique d'une voix caverneuse les conclusions qu'il tire de son récent voyage à Cherbourg.

Il est un des passagers de l'Espace qui filait allègrement sur l'autoroute de Normandie dans le sillage de la Mercedes de Clapier. Il raconte, non pas le voyage sans histoire, dont les agrestes à-côtés lui ont manifestement échappé, mais le port, les vedettes, le boulevard de bateaux que représente la Manche.

« Le boss des CNC ne nous a rien épargné. Les chantiers, situés en bord de mer, pratiquement sur les quais, et les vedettes, fin prêtes, pour le Koweït. Il nous les a fait visiter et nous avons pu tout mémoriser, tout noter.

— Tout photographier? interrompt un petit trapu, assis pratiquement en face de celui qui semble être le chef.

— Tout visualiser, oui, corrige celui-ci. Je crois surtout que Rachid et Hassan ont pu tester la bête en prenant les commandes quand nous sommes sortis en mer.

— Et alors?

— Alors, ils vont vous le dire. Ce sont de belles machines, rapides, nerveuses, manœuvrantes, n'est-ce pas, Rachid?

— Affirmatif, commandant. Je n'ai jamais eu entre les mains un pareil monstre, et je suis sûr que nous allons nous régaler pour Sea Tempest. »

Le mot ne fait broncher personne, parmi les moustachus. Pourtant, au bout de la table, une voix se fait entendre, basse et retenue. C'est l'imberbe qui intervient, dans un anglais impeccable, de celui que parlent les Français quand ils veulent bien se mettre en frais. Il a eu beau ne pas forcer le ton, parlant presque « dans sa barbe », tous les regards se tournent vers lui. Il poursuit, certain d'être écouté sinon entendu :

« N'oubliez pas que pour tout le monde, vous êtes irakiens, loyalistes, insiste-t-il. Mais n'allez pas le clamer sur les toits. Laissez-le deviner. Donc, profil bas jusqu'au jour J.

— Qui est pour bientôt, ajoute le chef d'un air entendu.

— À partir de ce soir, soyez prêts, confirme le Français, toujours dans l'ombre, ça peut démarrer très vite, dès qu'on aura réglé un petit préalable. »

Son regard croise celui du chef, qui opine discrètement.

« C'est tout ce que j'avais à vous dire. Pour le règlement, le nécessaire est fait sur vos comptes depuis ce matin. L'autre versement sera effectué dès la minute où vous aurez levé l'ancre. »

Le chef fixe le Français :

« Je vais être très clair tout de même. Dis à tes amis que c'est pour maintenant, je dis bien maintenant. Sinon, pour éviter qu'on remonte jusqu'à nous, c'est eux qu'on devra mettre hors circuit. »

Réprimant un frisson, le Français se lève, tend la main au commandant, fait un petit geste en direction des autres et gagne la sortie du bar. Quand il passe à hauteur du comptoir, les néons multicolores qui font clignoter la silhouette de la barmaid éclairent son visage d'une lumière crue. Blachon, l'ancien inspecteur de la CIII, rajuste le col de sa parka et sort.


# 71


Demi décide de faire les derniers quatre cents mètres à pied. Inutile de se faire repérer en stationnant devant la maison familiale de Barzi. Elle a terminé son service, et soigneusement vérifié que nul ne traînait dans les parages. Puis elle est rentrée chez elle, laissant sa voiture de service en stationnement à sa place habituelle ; heureusement que Barzi lui a laissé les clés de sa propre voiture qu'elle utilise momentanément pour ses « rendez-vous conspiratifs », comme on dit dans la maison DST. Elle brinquebale, la vieille Ami 6, mais le moulin tourne comme une horloge, et dans Paris, ça suffit amplement.

À peine descendue, elle appuie sur la touche verte de son portable, vérifie que le numéro de Barzi s'affiche bien, appuie de nouveau, écoute les deux premières sonneries, enfonce la touche rouge. Barzi est prévenu.

Deux minutes plus tard, elle pousse le portillon du jardinet ; en haut du perron, la porte s'ouvre sans bruit. C'est Barzi, dont elle serre la main, et Marion, qu'elle prend dans ses bras.

« Ma foi, tu es redevenue toi-même. Bravo, Barzi ! »

Et, joignant le geste à une parole inutile, elle bat des mains.

« Je n'ai pas fait grand-chose, je ne suis pas d'une très bonne compagnie, avec ma semi-surdité.

– Ta, ta, ta, intervient Marion, Barzi est un merveilleux compagnon, attentionné, discret. Et en plus, ajoute-t-elle, malicieuse, il ne me drague pas. »

Le vieux n'a manifestement pas entendu. Il se contente de sourire aux propos supposés aimables de son invitée. C'est vrai que cette nuit et cette journée de repos ont rendu à Marion l'éclat de sa séduction et, ce qui importe bien davantage, une forme physique acceptable. Ses pieds la font encore souffrir, mais elle se sent prête à courir, à sauter, à avaler les obstacles qu'une mauvaise fortune lui ferait rencontrer.

Justement, Demi lui propose d'aller enfin visiter ce qu'il reste de son appartement. Marion veut vérifier quelque chose, elle l'a dit à son amie sans lui préciser de quoi il s'agit.

Pour leur expédition, Barzi ne peut guère leur être utile. Demi le lui confirme par écrit, sur une feuille, et, devant le regard implorant de son inspecteur, lui plante un vigoureux baiser sur chaque joue, assorti d'une tape dans le dos qui le rassure sur les capacités pugilistiques de la jeune femme. Mais ce n'est ni le moment de traîner ni celui de s'apitoyer, Marion ne sera en sécurité que lorsque l'affaire sera tirée au clair et ses agresseurs mis hors d'état de nuire.

Quand elles se glissent, quelques instants plus tard, dans la guimbarde gémissante de Barzi, étrangement semblables dans leur accoutrement noir, pulls, pantalons moulants et casquettes de feutre, leur excitation est palpable. Demi, surtout, sent la vérité lui apparaître comme un point lumineux au fond d'un tunnel.

C'est elle qui a pris le volant, avalant les rues avec cette nonchalance que procure le sentiment retrouvé de l'impunité. Elle n'a habituellement pas la hantise de la filature, cela n'entre pas dans son quotidien. Aussi se laisse-t-elle aller, peut-être imprudemment, à aller titiller les messieurs rangés qui, le portable à l'oreille, la main gauche sur le volant, expliquent à leur épouse qu'ils sont sur le chemin du retour ou règlent un dernier rendez-vous pour le lendemain.

Précisément, son portable, Demi ne l'a pas branché, pensant que cette précaution suffit à déjouer ainsi une éventuelle filature. Pourtant, quelque part dans Paris, un scanner l'a identifiée et la suit inexorablement, rue par rue.

72

La voix tremble d'une rage mal contenue. Cheir a une sainte horreur des emmerdeurs et des trouillards. Des trouillards, surtout. Et il a interdit qu'on lui téléphone, même pour lui donner l'heure. Alors, l'appel de Blachon ne peut que l'horripiler. Il ne veut pas savoir si celui-ci a toutes les raisons du monde de vouloir le rencontrer.

« Vous êtes sûr que voulez me voir, monsieur ? » affecte-t-il comme pour un éventuel indiscret qui l'écouterait en direct.

L'autre comprend à demi-mot et confirme :

« Oui, ce n'est pas quelque chose d'important mais

d'urgent, répond le flic, inversant ainsi l'ordre des priorités pour embrouiller les pistes.

— Alors, venez, j'ai un quart d'heure à vous consacrer. »

Dix minutes plus tard, le fringant officier de police, tiré à quatre épingles comme il se doit quand on va au Crillon, se trouve devant la porte de la suite 323. Il sait qu'on ne frappe pas.

Il n'a que quelques secondes à attendre. La porte s'ouvre. Le cerbère de service fait un pas dans le couloir, vérifie à droite et à gauche.

Blachon a déjà été aspiré dans le salon anglais. Cheir, en pantalon de lin froissé et veste d'intérieur, tire une longue bouffée sur son cigare, signe évident, chez lui, d'énervement contenu :

« Qu'est-ce qu'il y a de si important, monsieur l'inspecteur ? laisse-t-il sourdre de ses lèvres fines.

— On s'énerve à propos de la fille, entame le flic, sans même préciser qui est ce "on" que chacun semble connaître. On a sa fuite sur l'estomac, même si on n'y est pour rien, s'empresse-t-il d'ajouter en voyant l'homme d'affaires balayer l'air d'une main lourdement baguée. En fait, poursuit-il, il faut maintenant choisir : ou bien on récupère ce qu'elle nous a volé, ou bien on la supprime.

— Ils sont idiots, ou quoi, vos amis ? interrompt brutalement Cheir. Ils s'imaginent qu'ils vont aller loin avec des bateaux naviguant à vue, sans possibilité de répliquer à un simple chasseur de baleines ? Figurez-vous que j'ai vérifié moi-même. Les Français, vos compatriotes, qui ne sont tout de même pas si cons, ont tout verrouillé, et les patrouilleurs perdent l'essentiel de leur intérêt si les logiciels de tir et de détection sous-marine et aérienne ne sont pas à bord. Et en admettant que je m'adresse à Thomson pour les équiper, cela demandera des mois. Et, siffle-t-il, entre ses dents, je ne crois pas qu'ils soient disposés à attendre des mois.

— Ils ne peuvent pas.

— C'est bien ce que je disais. Donc, nous revenons à la case départ : ça ne sert à rien de liquider la fille si nous n'obtenons pas ses aveux. Vos commanditaires ont été trop patients et trop gentils avec elle. Ils ont voulu adopter les bonnes vieilles méthodes de leur maison mère et ils se sont plantés. Il faudrait peut-être revenir à des manières éprouvées par quelques siècles de pratique. »

Blachon frissonne inconsciemment.

Cheir sourit cruellement :

« Avant d'arriver à la douleur dépassée, comme vous dites, elle a le temps d'en chier, comme vous dites encore. Alors commencez par la récupérer. Je me charge du reste. »

Il marque une pause et, subitement redevenu parfaitement urbain, il reprend, après avoir aspiré une grande goulée de son Cohiba :

« Comment allez-vous vous y prendre ?

— J'ai ma petite idée.

— Ah, voici quand même une bonne nouvelle. Et peut-on savoir comment ?

— C'est par une femme commissaire, poursuit Blachon sans paraître remarquer la moue qui, d'un coup, fait avancer la lèvre inférieure de Cheir. Elle est très copine avec Marion et, d'après la description que m'en ont faite nos amis, je suis presque sûr que c'est elle qui nous l'a fait manquer l'autre jour, au bois de Boulogne. Elle va nous faire remonter jusqu'à la fille. Avec les moyens de nos amis, c'est quasi imparable.

— Mais alors, pourquoi venez-vous me parler de tout ça ?

— Simplement pour savoir si votre homme de Peshawar va bientôt arriver. Parce que ça va urger. »

Cheir a comme une bouffée de chaleur. Quel coup de chance que les Algériens n'aient pas identifié El Mismari et l'aient relâché. Du moins, à ce que lui a dit sa source.

« Aucune inquiétude. Il sera là à temps. »

Là, il bluffe. Parce qu'à la vérité, il n'en sait rien.

Blachon se lève. Il a compris. Il serre la main de Cheir sans un mot, pivote sur les talons.

À peine lui a-t-il tourné le dos que Cheir le rappelle, comme on le fait d'un chien :

« Au fait, Blachon ? »

Nouveau demi-tour du policier.

« Monsieur ?

— Votre commissaire à la retraite que vous êtes censé surveiller...

— Maier ?

— Oui, c'est ça. Vous êtes sûr que son amitié pour Tavernon ne va pas l'amener à fourrer le nez dans nos affaires ?

— Tout à fait sûr. J'ai personnellement vérifié. Et fait vérifier.

— Par qui ?

— Par un copain de la financière. »

Brave Ducarton, il a enfumé le Blachon en lui racontant que Willy est définitivement rangé des voitures.

Quand l'informateur grassement payé de Cheir prend congé, cette fois définitivement, le milliardaire ne le raccompagne pas.

« Décidément, pense-t-il, il faut se méfier de tout le monde, dans cette partie de billard à quatre bandes, des Américains, des Irakiens, de ses propres séides. » Parce que ce pauvre inspecteur, il ne le tient que pour un vulgaire coursier.


## 73


Les transmissions de pensée, ça existe. En tout cas, rien n'interdit d'y croire. Au moment où Blachon quitte Cheir, Tom Smith pousse la porte du bureau d'à côté, à l'ambassade de l'avenue Gabriel, et interpelle le rond-de-cuir grassouillet qui trône derrière un bureau métallique, insulte vulgaire au raffinement des lieux. Le Louis XV ne va pas bien avec le machinchrome.

« Vous avez retrouvé le contact ?

— En partie, boss. Nous savons qu'elle est à Asnières et nous avons même localisé le quartier, mais la garce ne se montre pas, ne téléphone pas. Quant à sa protectrice, c'est bien un flic français, une belle femme, d'ailleurs. Je compte beaucoup sur elle.

— Et l'avenue Émile-Zola ?

— Voyez vous-même. La surveillance est permanente. Si elle se pointe là-bas, même déguisée en petite souris, nous le saurons aussitôt.

— En somme, les pièges sont prêts, le gibier n'a plus qu'à venir ?

— Évidemment, boss. »

Tom hoche la tête d'un air entendu. C'est sûr que le papier tue-mouches est en place, et que les deux mignonnes n'ont plus qu'à s'y coller les pattes. Mais il a mieux, un agent dans la place qui le renseigne très précisément sur les allées et venues de Demi. Il a beau être américain, féru de technologie et rengorgé de la toute-puissance du réseau Échelon, le « vieux » Tom n'a pas jeté à la poubelle vingt-cinq ans d'espionnage à l'ancienne et de bonnes vieilles méthodes. Au fond, et c'est bien ce que lui reprochent ses jeunes supérieurs, il est plus européen qu'américain, et ce portrait de Gehlen dans son bureau en agace plus d'un. Mais Tom est trop près de la retraite pour changer et pour s'en affliger.

Tout de même, Jean-Charles lui coûte cher, et le service, toujours pointilleux sur les dépenses, admet difficilement qu'un Frenchie lui coûte plus de dollars qu'un transfuge soviétique ou une taupe à l'Élysée. Pour le tarif qui est le sien, il pourrait être plus efficace et ne pas louper des opérations aussi faciles que le kidnapping d'une pute. Ce ne sont pas les mecs de la mafia new-yorkaise qui l'auraient manquée, alors que ces minables de la Stasi ont perdu la main.

« Dès que j'ai du nouveau, je vous préviens, boss. À n'importe quelle heure, je suppose ? »

Tom se secoue pour sortir de sa rêverie.

« Bien sûr. Je veux être tenu au courant à la minute. Je commence à me méfier des conneries des uns et des autres. Mais attention à la discrétion. Les codes doivent être utilisés comme prévu ; compris ?

— Reçu cinq sur cinq. »

Tom regagne son bureau. Il se sent tout de même un peu fébrile, comme dans ces moments rares et exquis où l'on sent monter la jouissance de la victoire. Sur son portable, il appuie sur une touche comme on le fait d'une sonnette, sachant que son correspondant va devoir le rappeler, dans quelques minutes, aux ordres, comme toujours.

Il n'a pas longtemps à attendre. Une discrète musique l'avertit que Jean-Charles, puisque c'est de lui qu'il s'agit, est en ligne. La communication est évidemment cryptée, et Tom sait que le policier s'est assuré de la discrétion du lieu où il se trouve.

« Patachon sort du golf », annonce ce dernier pour laisser entendre que Blachon vient de rencontrer Cheir. Le rapprochement approximatif entre un dix-huit trous et l'origine saoudienne de l'homme d'affaires est dû à l'inspiration généreuse de l'Américain et ne le fait même plus sourire. Il poursuit sans être interrompu :

« Il lui a expliqué l'impatience des moustachus ; mais nous savons que nous ne pouvons pas prendre le risque de déclencher la phase "*Barfleur*" si nous n'avons pas garanti nos arrières en neutralisant la fille. Et là, j'ai besoin de vous.

— Dès que la souris met le nez dans la tapette, je vous sonne, répond Tom, qui poursuit : Mais n'oubliez pas que vous n'aurez que très peu de temps pour intervenir, de l'ordre d'une heure.

227

— C'est plus que suffisant, si c'est avenue Émile-Zola. N'importe où ailleurs dans Paris, ça risque d'être plus coton.

— Comme on dit chez vous, démerdez-vous, et comme on dit chez nous, *God bless America.* »

## 74

« Demi, il faut que je te parle. »

Marion s'est tournée vers son amie, le dos à la portière. Le ton est pressant. Pourtant, Demi répond comme si de rien n'était :

« Je m'y attendais, ou plutôt, je t'attendais. Car je ne comprends pas bien cette histoire d'un petit paquet que tu dois à tout prix récupérer, comme si ta vie en dépendait.

— La mienne et celle de beaucoup d'autres. Ce paquet, c'est un logiciel, mais pas n'importe lequel. C'est un logiciel militaire, à ce que je crois, bien que mes commanditaires ne m'aient pas renseignée sur ce point.

— Tes commanditaires ?

— Oui, tu sais comment je travaille. Sur recommandations. (Elle sourit.) Un jour, Sarah m'a envoyé un certain commandant Mitchell, un Américain, qui m'a demandé de le renseigner sur le dispositif de sécurité de l'ambassade du Koweït. Comme il payait bien, j'ai accepté, et je suis même arrivée à entrer dans les lieux, en séduisant un diplomate koweïtien, et à repérer le coffre où se trouvait le paquet.

— Une vraie Mata Hari, ironise Demi. Mais sans doute sais-tu les risques de ce nouveau métier ? »

Marion soupire :

« Je commence à comprendre. Bref, reprend-elle, j'ai communiqué à Mitchell un plan des lieux que j'ai fait moi-même, ainsi que le code du coffre. »

Demi siffle d'admiration :

« Tu as piqué les codes ?

— Un jeu d'enfant. Il m'a suffi de lui demander de me montrer un document secret pour me prouver qu'il était bien celui qu'il prétendait être, le numéro 2 de l'ambassade, et il l'a fait. Les hommes sont des paons prétentieux qui font les pires imprudences quand il s'agit de se mettre en valeur.

— Mais la combinaison ?

— Il suffit d'écouter, surtout sans regarder, et de mémoriser le nombre de clics.

— Je ne te savais pas si experte.

— C'était un jeu auquel je me livrais avec mon frère, quand j'étais petite. Papa avait un coffre qui en réalité ne lui servait à rien. Mais comme il se prenait pour un homme d'affaires important, il l'avait fait installer dans son bureau et y rangeait les stylos et presse-papiers qu'il distribuait à ses clients. Pierre, c'est mon frère, et moi, nous nous amusions à lui en chiper, et il avait beau changer la combinaison, on trouvait toujours. Papa trouvait ça très amusant.

— Bravo, Marion ! Alors, tu donnes à ton Mike.

— … Mitchell.

— … Mitchell, si tu veux, les renseignements qu'il voulait. Je suppose qu'il a envoyé une équipe de monte-en-l'air à l'ambassade et qu'ils ont, grâce à toi, piqué ce fameux logiciel…

— … Que mon diplomate m'avait montré, j'ai oublié de te le dire.

— Bon, mais alors, je ne comprends pas bien la suite. Comment ce logiciel t'est tombé entre les mains ?

— C'est un autre de mes clients qui me l'a donné et m'a demandé de le planquer. »

Demi bondit sur son siège :

« Quoi ? Tu as balancé tout ça à un autre ? Tu te rends compte de ce que tu es en train de me dire ?

— Hélas oui ! Je dois tout te dire, Demi, et s'il m'arrivait quelque chose…

— Déconne pas.

— Et s'il m'arrivait quelque chose, il faudrait bien que quelqu'un sache. Depuis quelques années, je travaille pour un officier français, du moins je le croyais.

— Un officier ? de la DGSE ?

— Je ne sais pas. Peut-être. En tout cas, un type bien, qui me demande de temps en temps de "faire les salons" ou de "faire parler l'oreiller".

— Faire "parler l'oreiller", je vois, mais "faire les salons" ?

— C'est simple ; ça veut dire que je drague au salon de l'armement, à Londres, à Stuttgart ou au Bourget, des militaires qu'il me désigne à l'avance. Je couche avec, et je suis souvent payée deux fois. Par le type et par Edgard.

— Edgard ?

— Disons qu'il s'appelle Edgard. J'ai juré de ne pas donner son nom.

— Je commence à comprendre. Mais alors revenons à notre histoire. Tu me dis que tu as renseigné Mitchell, et c'est Edgard qui te remet les logiciels. Tu ne vas pas me dire qu'ils travaillent ensemble ?

— Pas du tout. L'un est américain, l'autre français ; c'est moi qui ai parlé à Edgard de la "commande" de Mitchell.

— Ce service-là aussi, il te l'a payé ?

— Il me paie bien. Et pas seulement en "Pascal". C'est un bon coup, tu sais. »

Demi soupire et sourit.

« Marion, glisse-t-elle comme un discret reproche, tu vas finir par me faire croire que tu aimes ce que tu fais.

— Mais bien sûr. Enfin, se reprend-elle, parfois. Et quand je prends mon pied, ça me soulage de tous les peine-à-jouir ou de tous les vicelards qui me demandent n'importe quoi. Comme ceux qui viennent avec leur femme…

— À ce qu'ils disent.

— Oui. Enfin, je reviens à Edgard. Je lui ai tout

230

raconté au sujet de Mitchell, et quelques jours après, il est venu me voir en me demandant de planquer un paquet. Comme je lui demandais ce que c'était, il m'a répondu : "Sache seulement que c'est ce que les Amerloques ont piqué aux Koweïtiens. Ne me demande pas comment je l'ai eu." Je lui ai demandé : "C'est dangereux d'avoir ça chez soi ?" Il m'a répondu : "On va bien voir". »

Petit à petit, le voile se déchire sur le mystère Marion. Demi comprend que l'affaire est scabreuse, et qu'elle ne va pas pouvoir la garder bien longtemps pour elle. D'autant que de nombreux points d'interrogation subsistent. Qui sont réellement Mitchell et Edgard ? Comment l'un a-t-il pris ce que l'autre a volé ? Pourquoi n'a-t-on jamais entendu parler d'un vol à l'ambassade du Koweït ?

Toutes ces questions se bousculent dans son esprit. Jusqu'à ce que, d'un coup, un éclair la saisisse. Ce qui est urgent et important, c'est de récupérer le logiciel. Il faut foncer. Après on verra bien. Elle se tourne vers Marion.

« Où allons-nous ?

— Chez moi, avenue Émile-Zola »

Ça va faire deux mouches dans le pétrin.


## 75


« Encore cinquante bornes, et nous allons nous taper la cloche au Gargantua. »

La salive lui en vient jusqu'à la pointe des dents, à ce brave Marcel Piédagnel, à la pensée de l'entrecôte moelleuse qui va laisser couler, une à une, ses gouttes de graisse sur la braise frémissante. Ce brave Marcel, qui porte le prénom qu'il faut pour installer ses quatre-vingt-dix kilos de muscles au volant des énormes camions de l'entreprise Le Marival, il en a fait, des centaines de milliers de kilomètres au volant de ces dévoreurs de bitume qui soutiennent allègrement la comparaison avec les effrayants bahuts qui foncent sur les droites lignes des routes américaines. Sans doute, le métier n'est plus ce qu'il était, quand les directions n'étaient pas assistées, quand les freins lâchaient parfois, quand le froid, surtout, habitait les cabines, mais Marcel, sans renier cette nostalgie qui le berce dans ses rêveries, ne s'en plaint guère, avec son dos en capilotade et ses jambes si lourdes au lever.

« T'as raison, Marcel, vivement un bon coup de beaujolais. »

Il s'appelle aussi Marcel, Marcel Lécuyer, le copilote qui l'assiste dans ses traversées au long cours, du fin fond de l'Allemagne à l'usine de La Hague ; il ne faut pas que le convoi s'arrête, à cause de ces connards d'écolos qui dégonflent les pneus ou brisent les vitres de la cabine s'ils ont la mauvaise idée de vouloir aller manger ou pisser à deux. Alors M. Le Marival a mis deux chauffeurs qui se relaient, de la centrale nucléaire où ils chargent les châteaux de plomb bourrés de barres d'uranium jusqu'à l'usine de la Cogema, tout au bout du Cotentin.

Les deux Marcel s'entendent bien et font une bonne équipe. Lécuyer, de quinze ans plus jeune que Piédagnel, accepte sans mot dire les ordres de son aîné. Il sait que dans six mois celui-ci se retirera dans sa petite maison du Becquet et ira faire un coup de pêche chaque matin dans les eaux délicieusement fraîches de la Manche cotentine. Ils partagent tout, la fatigue des longs trajets, mais aussi l'abstinence totale, côté vin et alcool, bien sûr, parce que, pour ce qui est des gonzesses, ils s'en font une, de temps en temps, qu'ils besognent à tour de rôle sur la couchette arrière. C'est un des petits secrets qu'ils cultivent en commun, avec leurs petits resquillages sur les notes de frais et les pleins faits à l'étranger. Le patron n'est pas dupe, mais

ne s'en inquiète guère, car il connaît l'honnêteté fon-
cière de ces deux-là, leur dévouement, leur courage
aussi.

Le moteur ronronne sans effort, dégageant de forts
effluves de somnolence auxquels le conducteur du
moment résiste comme il peut. À ses côtés, le copilote
laisse aller sa tête aux soubresauts de la route.

Rien ne vaut la vue du gendarme pour réveiller le
conducteur envahi par le sommeil. Curieusement, les
deux Marcel les ont vus en même temps, les pandores,
qui, les motos sur leur béquille, se tiennent au milieu
de l'autoroute. De grands gestes, le lourd mastodonte
s'arrête docilement. Un motard casqué s'approche :

« Il y a plus loin un piège tendu par les écolos. Ils ont
prévu de vous faire stopper, d'immobiliser le camion et
d'appeler la presse.

— Merde ! grogne Piédagnel, on en a ras le cul, de
leurs conneries. On va pas passer la nuit avec ces jean-
foutre ! »

Le gendarme semble sourire :

« Rassurez-vous, leur coup est prévu. Suivez-nous,
nous allons vous dévier sur Bricquebec. »

Le brave chauffeur pousse un soupir de soulagement. Finalement, ils sont sympas, ces gendarmes. Il
redémarre doucement derrière les deux motards qui
se suivent, raides sur leurs machines, offrant leurs
larges croupes à la vision reconnaissante de Marcel
Premier.

Tout à sa conduite, celui-ci, qui connaît le bocage
comme sa poche, ne remarque pas tout de suite que
la route qu'ils suivent n'est pas du tout celle de Bricquebec. Pourtant, au bout d'un quart d'heure, il lance un
appel de phares, ralentit. Les motards comprennent, et
le plus proche se laisse glisser jusqu'à la portière :

« Un problème ?

— Non, non. Mais ce n'est pas la route de Bricquebec.

— C'est exact. Mais les écolos se sont aperçus qu'on

233

les avait feintés, et ils se déplacent. Alors on navigue à vue.

– Je comprends. »

C'est vrai qu'à force de se faire posséder par des flics bien plus malins qu'on ne croit, les Verts ou les Robins des bois ont appris la mobilité et la surprise. Rendu à sa docilité naturelle envers les gendarmes, Marcel Premier suit sans plus se poser de questions.

C'est l'inventaire des routes départementales que fait le convoi, tournant à droite, à gauche, jusqu'à ce qu'apparaisse devant les yeux un peu étonnés des deux routiers l'énorme masse du hangar à dirigeable d'Écausseville. Les portes en sont ouvertes, les motos y pénètrent, et, sur l'initiative ferme de la maréchaussée, le camion à leur suite.

Un terrain de football tiendrait à l'aise sous la voûte immense qui abritait avant la guerre d'énormes cigares de voile et d'aluminium. Même colossal, le bahut semble tout petit au milieu du hangar. Un dernier soupir et le moteur s'arrête. Les deux Marcel descendent, l'air de plus en plus interrogateur.

« Qu'est-ce qui se passe ? Il faut se cacher, maintenant ? »

Ils n'ont pas le temps d'en voir davantage. Un éblouissement leur arrache la vie.


## 76


Limonet connaît le code. Il pousse la lourde porte d'entrée du 4, rue de la Baume, à deux pas de Saint-Philippe-du-Roule, et pénètre sous la voûte carrelée. Bien qu'il ne soit venu que deux fois, il reconnaît parfaitement les lieux. « Porte de droite, cinquième étage gauche », il entend encore la voix du *Sturmbannführer* – c'est ainsi qu'il l'appelle *in petto* – à leur première rencontre. Sans hésiter, il choisit l'escalier, à la fois pour son cœur qu'il faut faire travailler et par prudence. Si on le suivait… Mais non, ce n'est pas possible, il a bien fait attention et il est absolument sûr de n'avoir pas été repéré.

Deux coups de sonnette brefs, un temps, puis un troisième coup, prolongé, toujours comme le Boche le lui a dit.

C'est d'ailleurs ce dernier qui vient lui ouvrir, le pète-sec lui-même. Veste d'intérieur, un cigare doux entre les doigts, il personnifie le rentier aisé qu'il eût été avec délices si la Stasi n'avait, bien trop tôt à son goût, mis fin à ses services. Le sourire, quoique retenu, paraît de bon augure à Limonet, qui tient à s'expliquer d'entrée :

« Je ne vous dérange pas, cher ami ?

— Pas le moins du monde. Donnez-vous la peine d'entrer. »

La voix, marquée d'une pointe d'accent tonique, paraît un rien ironique et inquiétante à l'homme d'affaires :

« Je présume qu'il y a quelque urgence, n'est-ce pas ?

— Je ne suis pas bien sûr, mais cela se pourrait.

— Asseyez-vous donc et contez-moi tout cela. »

Le canapé est profond, le café rapidement servi aussi clair que du thé, mais le cognac que l'Allemand fait tourner délicatement dans son verre est irrésistible. Limonet raconte la visite de Cousinet, « s'il s'appelle réellement Cousinet, ce dont je doute », le message du colonel Desportes. L'œil de son hôte s'arrondissant, Limonet précise :

« Ah, mais Desportes, il existe bel et bien. J'en ai entendu parler.

— Et vous le connaissez ?

— Non, mais je peux…

— Trop tard. Dommage. Poursuivez, ordonne-t-il, à peine poliment.

— C'est quand il m'a parlé de Lisieux que sa visite

235

m'a paru louche. Car je serais très étonné que Desportes ait entendu parler de cette affaire.

— Il ne faut pas exclure qu'il connaisse quelqu'un à Lisieux qui lui en ait parlé.

— Alors que nous ne les avions même pas vus?

— Oh, vous savez, les industriels français prennent souvent leurs désirs pour des réalités. Surtout quand ils sont en difficulté. Enfin, considérons comme tout juste possible, mais peu probable, que les Gabonais aient eu vent d'un projet de rachat de la scierie de Lisieux. C'est tout?

— Non, il m'a demandé si je connaissais Berthaud.

— Et alors?

— Alors, j'ai dit oui.

— Et sa réaction?

— Rien, il n'a pas insisté.

— Bizarre. C'est pas votre avis?

— Oui, bien sûr. C'est même pour ça que j'ai voulu vous prévenir tout de suite, sans téléphoner, bien entendu.

— Et vous avez bien fait. Il ne vous a rien dit d'autre?

— Rien.

— Pas un mot, justement, sur l'accident avec Berthaud? »

Dans la poche intérieure de sa veste, le vibreur du portable se déclenche. L'Allemand jette un coup d'œil sur les trois mots qui s'affichent sur le minuscule écran. L'autre répond imperturbablement :

« Non, il ne semblait pas être au courant.

— Parfait. Eh bien, mon cher Limonet, on dirait qu'une fois encore vous avez bien manœuvré. Encore un cognac?

— Volontiers. Mais je ne voudrais pas m'attarder. (Il sourit niaisement.) La sécurité, vous comprenez?

— Si je comprends! Mais, ici, en plein jour, en plein Paris, quoi de plus normal que de rendre visite à un vieil ami? Allons, cul sec! »

Les deux hommes sont à présent debout, face à face.

Limonet porte le verre tulipe à ses lèvres, bascule la tête en arrière. Juste la sensation brûlante de l'alcool et la terrible manchette du « Sturmbannführer » qui le cueille sur la pomme d'Adam. Un hoquet, et il s'affale sur la moquette.

Dehors, Willy a commencé sa planque.

77

« J'ai du nouveau.

– Moi aussi.

– Alors, comme d'habitude ?

– Non, plutôt chez moi. Mathilde sera contente de te revoir. »

En trois phrases, le rendez-vous est fixé. Verson, pour cette visite impromptue, s'est même fait précéder d'un bouquet de fleurs champêtres, dont il sait que Mathilde raffole. C'est elle qui lui ouvre la porte :

« Oh, Pierre ! Que vous êtes délicat. Vous n'avez donc rien oublié ?

– Rien, Mathilde. L'aurais-je voulu… »

Il la prend dans ses bras, tendrement. La chatte brune ne résiste pas, se laisse aller au délicat baiser qu'il dépose au coin des lèvres, juste pour lui signifier qu'il l'aime toujours, mais qu'il veut, en tout cas aujourd'hui, garder ses distances. Les souvenirs ne sont pas si loin de leurs étreintes clandestines qu'ils puissent aussi simplement se considérer comme de bons copains.

Willy, qui apparaît quelques secondes après, ne semble rien remarquer. Visiblement, il est heureux de revoir Verson, de lui raconter sa rencontre avec Limonet, et impatient d'apprendre les découvertes de son ami. Il commence, raconte sa visite à La Garenne-Colombes, la filature, jusqu'à la rue Saint-Philippe-du-Roule, la planque.

« Je suis resté quatre heures à surveiller la voiture. Deux fois, un type est venu remettre un ticket de stationnement.

— Probablement qu'on a pensé qu'il n'était pas utile de faire repérer la bagnole.

— C'est aussi ce que j'ai pensé. Puis, au bout de quatre heures, le même type est revenu, a pris le volant et a démarré.

— Tu l'as suivi?

— Non, le type, cette fois, m'avait l'air d'un vrai pro. Et puis, ce qui comptait, c'était de savoir quand sortirait Limonet.

— Et alors?

— Il n'est jamais sorti.

— Comment ça?

— Au bout de quatre heures, je me suis fait relayer. Par un gamin qui livre des pizzas et m'avait aidé dans ma filoche. Parce qu'au début de la poursuite, j'ai fait attention de ne pas me risquer dans des rues désertes où il m'aurait tout de suite reniflé. Et le gamin, ma fois, s'en est bien tiré.

— Tu ne vas pas me dire qu'il est resté jusqu'à maintenant?

— Non, bien sûr, mais il a prolongé la planque pendant six heures, ce qui fait dix au total. Et Limonet n'est pas ressorti.

— Ils l'ont bouffé, ou quoi?

— Possible, répond, imperturbable, Willy qui enchaîne avec le même sérieux : à moins qu'il ne soit parti par les égouts. »

Mathilde, interloquée, le coupe :

« Je ne voudrais pas interrompre une conversation d'un tel niveau, mais les rognons ne se mangent que rosés.

— Des rognons? avec la vache folle?

— Pierre, soyons sérieux. À votre âge, vous ne risquez plus rien, et puis, votre cerveau de flic est déjà plein de trous. Allons, à table! »

Celle-ci est ronde, opportunément, ce qui simplifie la disposition des couverts, puisque chacun est à côté des deux autres. Et on repart sur les révélations que la maîtresse de maison entend sans les écouter, apparemment soucieuse de bien traiter ses hommes. C'est à Willy de s'inquiéter :

« Et toi, qu'as-tu trouvé de neuf ?

— Tu n'en reviendras pas. Tu te rappelles que Berthaud, le médecin qui a si bien ranimé Jean-Louis de Tavernon, ne semble pas être le bon ?

— Oui, bien sûr ! Mais qui est-ce ?

— C'est ce que je suis en train de remonter. Et j'ai pas eu à chercher bien loin. Chez Bala.

— Chez Bala ? »

Bala, ainsi surnommé pour sa ressemblance avec un ancien ministre des Finances, dirige à la DST la sous-direction « E » chargée de l'espionnage économique.

« C'est ça, chez nous. Il y a toutes chances pour que notre Berthaud soit est-allemand, très précisément un ancien de la Stasi, reconverti dans les "affaires". Il parle parfaitement le français, n'est pas identifiable facilement, mais je vais obtenir sa photo. »

Willy siffle d'admiration :

« Tu n'as pas perdu la main, mon vieux Pierre. »

Du coup, il se fait affectueux. L'autre se rengorge, heureux de l'effet qu'il fait sur Mathilde.

« Et comment as-tu trouvé tout cela ?

— C'est grâce à Garcia. Tu sais, l'inspecteur qui a téléphoné à Mexico. Je lui ai payé le voyage. Il est allé vérifier sur place et a tout de suite senti l'embrouille. Comme il est plus futé qu'une meute de renards, il n'a pas pipé, mais soudoyé l'employé aux écritures de l'hôpital où le vrai Berthaud était censé avoir été hospitalisé ; et il a appris que ça aussi, c'était bidon. Il n'y a plus ni vrai ni faux Berthaud.

— Et qui a pu monter une combinaison aussi débile ?

— À ton avis, qui est assez influent au Mexique pour

239

obtenir ce genre de faveur et assez balourd pour payer en dollars ?

— Ça va, j'ai compris.

— Du coup, poursuit Verson, avec ton renseignement et le mien, je vais retourner voir mon cher procureur Duconfit et obtenir qu'il prolonge notre mission officieuse. Il ne peut que dire oui. »

Willy sent à ce moment la grosse tête de Juvénia se poser affectueusement sur sa cuisse. Les bons yeux de la chienne roulent vers le haut pour implorer une caresse. Il lui sourit et conclut :

« Je crois que nous tenons un bout de la pelote.

— C'est grâce à toi, Willy, et à tes soupçons aussi ridicules que fondés. »

Les deux compères lèvent leurs verres.

C'est le moment que choisit le téléphone pour sonner.

### 78

Elles ont choisi l'accoutrement des gouapes de banlieue et la provocation des filles de Lesbos, descendant l'avenue Émile-Zola en se tenant par la taille et en échangeant des œillades langoureuses. Mortimer, qui essuie ses verres en surveillant la salle et le trottoir, s'exclame tout haut : « Merde ! des nanas roulées comme ça qui vont s'envoyer en l'air, c'est vraiment… » Il s'interrompt dans sa bougonne réflexion. L'espace d'une seconde, Marion s'est retournée, a jeté un coup d'œil dans le café familier, puis s'est de nouveau intéressée à sa compagne. « Si je ne savais pas qu'elle est morte, j'aurais juré que c'était Marion », songe-t-il à présent. Et, comme souvent quand ce genre de déclic se produit, il suit des yeux le couple provocant.

Il les voit très distinctement lever les yeux vers la

façade éventrée de l'immeuble du 125 *bis*, et, sans marquer la moindre hésitation, franchir la porte cochère. Il a bien vu la réincarnation de Marion faire le code. Le mirage devient doute. Le patron est absent, quelques rares clients finissent la soirée dans des discussions oiseuses, aucun emmerdeur au comptoir. Il décroche le téléphone.

« Chef, je vous dérange ? »

À l'autre bout du fil, Willy conserve cette égalité d'humeur qui l'a toujours fait apprécier de ses collaborateurs ; et puis Verson est à deux mètres de lui, et il ne se soucie pas d'éveiller le plus léger soupçon.

« Non, pas du tout. Je comprends bien que vous n'ayez pu me joindre plus tôt, cher ami. »

Le ton, le « cher ami », font comprendre à Mortimer que Willy n'est pas complètement libre de parler. Il enchaîne :

« Je vois que vous n'êtes pas seul. Mais je voulais sans tarder vous prévenir d'un truc bizarre. Vous savez, la fille, la call-girl qui a été tuée dans l'explosion de son appartement, je suis à peu près sûr de l'avoir vue passer, il y a trois minutes. Et elle est entrée dans l'immeuble.

— Je comprends, mon cher. Écoutez, tenez-moi au courant, et s'il faut intervenir, je le ferai, vous le savez bien.

— Patron, dites-moi par oui ou par non si je me trompe. Je continue à surveiller l'immeuble et si quelque chose survient, je vous bigophone aussitôt ?

— C'est exactement ça. »

Willy se retourne. Pierre et Mathilde conversent à voix basse, partie pour ne pas le déranger, partie pour qu'il n'entende pas. Mais il s'en fout. Car ses pensées le conduisent vers cette jeune femme aussi sûrement que le numéro de téléphone donné par El Mismari. Quelle relation y a-t-il entre eux ? Entre un terroriste professionnel, un tueur patenté, et une call-girl dont Willy imagine bien qu'elle préfère les coups de reins aux coups de fusil ? Son pif de flic retrouve le fumet sauvage

241

de la traque, il flaire la bonne piste et, s'il n'avait pas ce brave Verson dans les pattes, il se précipiterait avenue Émile-Zola.

Il ne piaffe pas longtemps. Pierre est un couche-tôt qui ne se perd jamais en discussions interminables. Et comme il sait que ses amis ont aussi une forte envie d'aller se coucher, il prétexte d'avoir à retourner au service chercher des papiers pour embrasser Mathilde et serrer la main de Willy.

Comme un vieux couple bien organisé, les Maier se partagent les menues tâches de l'après-dîner. C'est Willy qui dispose couverts, assiettes et plats dans le lave-vaisselle, rince les verres à la main et sort Juvénia pour son ultime promenade. À peine est-il rentré que Mathilde se précipite :

« Il faut que tu rappelles un certain Mortimer. C'est urgent. »

Willy décroche aussitôt. Son indic est tout excité :

« Chef, il se passe des choses bizarres. Y a des types qui se sont postés à proximité de l'immeuble du 125 *bis*. Ils sont dans trois voitures. À mon avis, ils sont pas là pour rigoler.

– J'arrive. »

Mathilde n'a entendu que la laconique réponse de Willy qui, déjà, dégringole l'escalier, Juvénia sur ses talons, et fourrage dans sa poche pour extraire son portable. Elle a compris, mi-inquiète, mi-satisfaite, que son Willy a repris du service.


79


Le courant d'air saisit les deux jeunes femmes ; la brèche ouverte dans la façade fait de la nuit noire comme un arrière-plan inquiétant à ce qui fut le bou-doir de Marion. Un flot de larmes lui monte aux yeux.

Pour ne pas éclater, elle prend la main de Demi et lui chuchote à l'oreille : « Ne restons pas ici. De toute façon, ce n'est pas dans l'appartement que nous trouverons ce que nous cherchons. »

De la tête, la jeune commissaire acquiesce. Elles redescendent à pas de loup l'escalier, dont les murs, la moquette exhalent encore une âcre odeur de brûlé. Toujours sans bruit, toujours tenant Demi par la main, Marion guide son amie vers la cave. Elle allume enfin : devant elles, un long couloir bordé de portes pleines, manifestement blindées. À mi-parcours se trouve une grille d'évacuation des eaux. Elle s'agenouille, la soulève et, fouillant précautionneusement, sort un petit paquet de plastique scotché.

« C'est ici que je cache une clé, pour le cas où..., dit-elle à voix basse. Nous y sommes. »

C'est la porte 26 qui leur livre le spectacle d'un incroyable foutoir. Meubles, tapis, caisses, bagages se disputent l'honneur de tomber dans les bras du premier imprudent qui se risquerait à fouiller le fragile édifice. N'écoutant que son courage, Marion commence à tout déballer dans le couloir ; il n'est plus question de discrétion, puisqu'elle fait autant de bruit qu'une nuée de gosses dans les poubelles de Quito. Demi se contente de regarder, soulagée de voir son amie retrouver son entrain, déplaçant parfois une chaise ou un vieux vélo pour dégager un peu l'entrée. Il ne faut pas plus de dix minutes pour qu'enfin Marion se redresse, triomphante, et brandisse une petite enveloppe de papier kraft.

« Voilà pourquoi on a voulu me...

– Torturer, salope ! » retentit une forte voix d'homme à hauteur de l'escalier.

Tétanisée, la jeune femme voit surgir l'un des monstres, le type aux couilles en compote. Mais le flingue qu'il brandit n'est pas de pacotille et, pour bien le montrer, il tire au jugé dans leur direction, avec un épouvantable vacarme.

Des deux mains, Demi a projeté son amie dans la cave, s'y rencogne elle-même. Elle n'a pas le temps de lire l'effroi dans les yeux de Marion, toute à décoller de sa cheville le petit pistolet qui ne la quitte guère. Elles sont hors du champ visuel de la brute qui, rendu prudent par sa dernière mésaventure, gueule :

« Alors, les gouines, vous sortez gentiment les mains sur la tête, le paquet dans la gueule, et on verra ce qu'on peut faire. Autant vous dire que vous n'avez aucune chance, et que la maison est cernée. »

Pour toute réponse, Demi tire à son tour, à la volée. Un hurlement ponctue son coup de feu. Sans bien le vouloir, elle lui a collé une balle dans le genou. Le calibre a beau être modeste, elle lui a tout de même fait éclater la rotule.

Lui gueule comme un veau « ma patte ! ma patte ! », confirmant ainsi son appartenance à l'espèce bovine. Il a disparu dans l'escalier, et les deux jeunes femmes entendent confusément des échanges à voix basse et les petits cris de la brute, qu'on doit hisser dans l'escalier. Manifestement, « ils » ne s'attendaient pas à ce genre de réception. Les deux jeunes femmes échangent un regard où entre autant d'amour que d'inquiétude. Marion voudrait parler, mais Demi, un doigt sur les lèvres, lui fait signe d'écouter. Les chuchotements n'ont pas cessé.

Et puis, d'un coup, c'est le déchaînement ; une fusillade terrifiante leur déchire les tympans. Enfin, presque. Cela dure une bonne vingtaine de secondes. Comme dans un de ces films américains où le nombre de coups de feu est inversement proportionnel à la consistance du scénario. Le genre de situation où ça fait du bien quand ça s'arrête.

Quand Demi, qui s'est instinctivement recroquevillée, lève le nez, il est trop tard. Deux balèzes les tiennent en joue à l'entrée de la cave, avec des fusils à pompe. Elle regarde son 6.35, sourit pour elle-même et conclut en se levant :

« Bon, vous avez gagné. Enfin, presque. Où est votre chef?

— Ici, madame le commissaire. »

C'est plus fort que lui. Ce criminel endurci, ce tueur au sang-froid, a conservé de son séjour à la Stasi une politesse qui tranche avec la vulgarité de ses hommes de main. Le faux-vrai Berthaud, alias Himmler, puisqu'il s'agit de lui, s'avance :

« C'est mieux ainsi, croyez-moi. Donnez-moi gentiment ce que vous tenez là, sans faire de bêtise, n'est-ce pas?

— Pas si simple. »

Demi, en effet, tient d'une main l'enveloppe, de l'autre, à quelques centimètres, son petit pistolet. Elle tire, et les deux logiciels sont foutus. Le pète-sec n'a nul besoin d'explication pour comprendre. Il va à l'essentiel, car le temps presse. L'infernal boucan a bien dû réveiller quelques voisins qui se sont rués sur leur téléphone.

« Vos conditions?

— Laissez partir mon amie et je vous suis... avec les logiciels. »

La commissaire sait bien que Marion n'aura la vie sauve qu'aussi longtemps qu'elle, Demi, sera en situation de bousiller les chers petits CD. Elle calcule que, si elle les suit, ils devront la relâcher. Abattre un flic, c'est trop grave. Et puis, au fond d'elle sourd la jouissance de l'aventure ; c'est peut-être un pari fou, mais c'est le seul moyen de sauver Marion.

La réponse tombe plus vite qu'elle ne le prévoyait.

« C'est entendu. Que la pute reste ici. Vous, vous sortez entre nous, gentiment, sans faire de scandale. Au premier geste, au premier cri, je vous fais exploser la tête.

— Non. (C'est Demi à présent qui fixe ses conditions.) Non, nous sortons tous ensemble. Madame (elle insiste sur le mot) vient avec nous et partira librement dans la rue. Quand elle se sera suffisamment éloignée, je viendrai avec vous. Et vous me relâcherez, comme vous l'avez promis.

— Alors, tout de suite.

— Faites sortir vos chiens d'abord. Je ne veux avoir que vous derrière moi. »

Le pète-sec fait un signe de la main. Les deux gorilles sortent, Marion et Demi en retrait, celle-ci prenant bien garde de maintenir le canon de son pistolet contre l'enveloppe. Berthaud ferme la marche.

Parvenues sur le palier du rez-de-chaussée, les deux jeunes femmes découvrent, se détachant sur le fond clair de la voûte, quatre autres malabars figés comme des statues, le canon de leurs Uzi braqués vers elles. Ce serait presque beau si ce n'était aussi angoissant. Elles sont tout de suite sur le trottoir.

Demi sent ou devine le raidissement de Marion. Elle lui souffle comme une caresse : « Va, Marion, ne te fais aucun souci pour moi. Je sais ce que je fais. »

La call-girl tourne vers elle un visage baigné de larmes. Demi doit être forte pour deux. D'une voix qu'elle parvient à rendre ferme et décidée, elle intime à son amie :

« Va, file. Je te retrouverai bientôt. »

Il y a comme un vacillement, comme un flageolement dans les jambes de Marion. Il faut cependant qu'elle tienne. Ce ne serait pas le moment de flancher. Elle se contrôle, parvient à s'éloigner comme mécaniquement.

Demi, pour couvrir sa fuite, se dirige vers la voiture dont la porte arrière est ouverte. Elle s'y engouffre, fière d'avoir une nouvelle fois sauvé Marion.

Dans la seconde qui suit, les trois voitures ont démarré. Le hurlement des moteurs poussés à plein régime submerge Demi. Et couvre le crachement sourd d'un silencieux.

## 80

Comme convenu, Willy a cueilli Abou Kir à la bouche de métro Richard-Lenoir, et il roule maintenant dans un Paris qui s'est remis au crachin. Il le fait sans prendre le moindre risque, avec une sûreté de gestes qui prouve qu'il n'a pas en vain passé trente-cinq ans de sa vie en police active. Rien ne serait plus fâcheux qu'un accrochage qui les immobiliserait pour de longues minutes alors qu'il suffit de se caler sur le rythme des feux pour avaler sans encombre les quelques kilomètres qui les séparent de l'avenue Émile-Zola.

Parvenu au bout de l'avenue, Willy se coiffe d'une casquette anglaise, Abou Kir sort de la poche de sa houppelande une sorte de chapeau tyrolien dont la couleur verdâtre évoque irrésistiblement les coulées moussues des urinoirs d'antan.

Sans un regard pour la brasserie où Mortimer fait le guet, ils longent la façade du 125 *bis* et tournent dès qu'ils le peuvent sur leur gauche, une centaine de mètres plus loin. Sitôt le coin de la rue passé, la Clio s'arrête. Willy se tourne vers son ami :

« T'as remarqué les trois voitures ?

— Oui, un chauffeur dans chacune.

— C'est sûrement pas un ministre en balade.

— Je crois pas, non, surtout avec de telles bacchantes. On dirait des gendarmes.

— Eh ben, allons voir. »

À peine ont-ils chacun de leur côté entrouvert la portière qu'un grondement sourd leur parvient, un peu comme une benne de cailloux qu'on déverserait sur la chaussée. Mais l'oreille d'Abou Kir ne s'y trompe pas :

« Ma parole, ça canarde, dans le coin ! »

On dirait une fusillade éloignée. Qui dure un long moment.

« T'as raison. Alors gaffe, hein, camarade ! »

Ils partent d'un bon pas, repiquent à droite sur l'avenue qu'ils remontent en direction du 125 *bis*, devisant à voix basse comme deux anciens combattants de retour d'une réunion de section. À peine ont-ils parcouru quelques dizaines de mètres que déboule de « leur » immeuble une petite troupe compacte, deux femmes et une demi-douzaine d'hommes. Le petit groupe s'arrête, une des deux femmes s'en détache, sans qu'ils puissent discerner ses traits puisqu'elle leur tourne le dos, et descend l'avenue.

Subitement pressés, les autres sautent dans les trois voitures, claquement de portières. La seconde femme est montée dans le second véhicule, tenant quelque chose entre ses deux mains.

Au moment où les voitures, des Mercedes, parviennent à leur hauteur, ils aperçoivent la première femme qui trébuche, une fois, deux fois, chancelle, cherche à se rattraper à la façade et finit par glisser à terre.

Leur réaction est identique. Ils partent au pas de course. L'un et l'autre entraînés à ce genre d'exercice, il ne leur faut que quelques secondes pour être à côté de la jeune femme qui, c'est alors seulement qu'ils s'en aperçoivent, est face contre terre, agitée de soubresauts. Avec d'infinies précautions, ils la retournent doucement et découvrent au niveau de la poitrine une large tache de sang.

Dans ce domaine, Abou Kir est le plus expert. Il se baisse, cueille Marion comme il le ferait d'une enfant et intime à Willy :

« Vite, au café, téléphone au SAMU. »

Willy l'a regardé, incrédule. « Comment fait-il tout ça avec sa prothèse ? » Ce n'est pourtant pas le moment de résoudre cet épineux problème. Car l'Algérien part à grandes enjambées en veillant à ne pas secouer la jeune femme, qui gémit. Willy se rue vers la brasserie où Mortimer, qui a vu la scène, a tout compris ; une banquette couverte à la hâte d'une nappe reçoit la blessée qui semble recouvrer ses esprits. Elle ouvre des yeux apeurés vers ces deux vieux messieurs qui bredouillent les habituelle sottises : « Ne vous en faites pas. On va vous sortir de là. Le SAMU arrive. »

Elle hoquette, veut parler, souffle enfin :

« Il faut prévenir Jean-Louis de Tavernon. Ils ont les logiciels. »

Et, comme dans les bons films, elle s'évanouit.

## 81

Le spectacle est hallucinant. Autour de l'énorme masse, des spectres blancs s'agitent, brandissant d'énormes pinces comme des crabes grouillant sur une charogne. Les opérations de déchargement du château de plomb, bourré de barres d'uranium à peine refroidies, ont commencé.

Les risques sont énormes de transvaser ainsi du combustible nucléaire qui crache de la radioactivité comme l'Etna des torrents de lave, de l'empiler dans une cuve cylindrique arrimée à une banale remorque de camion. Mais c'est le pari fou qu'ont fait ces hommes qui se croient protégés par leurs casques de scaphandrier et leurs combinaisons et, patiemment, construisent une bombe silencieuse.

À peine sorties du château, les barres sont plongées dans l'eau de la citerne, qui va les rendre inoffensives pour aussi longtemps qu'aucun incident ne surviendra, une fuite banale du récipient, une chute, un écrasement.

À l'écart de la demi-douzaine de manutentionnaires, dans un petit bâtiment préfabriqué posé au bout du hangar, une sorte de géant blond au regard d'acier devise avec un moustachu moyen-oriental qui

249

tire nerveusement sur sa Marlboro prétendument « light ».

« Il faut partir dans deux heures. Le car-ferry "décolle" à 23 heures, et si nous voulons être sûrs d'embarquer, le camion doit se présenter trois heures avant.

— Ça ira, assure l'Oriental, simplement, j'espère que les autres seront au rendez-vous.

— Ils y seront. Ils ont récupéré ce qu'ils cherchaient et prennent la route en ce moment même. Et ils roulent un peu plus vite que nous.

— C'est sûr. Surtout que nous devrons rouler doucement. Le moindre accident serait catastrophique.

— Pour qui ? »

Le grand blond lance sa vanne sans sourciller. L'autre le regarde, ne sachant s'il se paie sa tête ou s'il est sérieux. Il prend le parti de ne pas répondre et, pour se donner une contenance, interpelle par gestes un des hommes en blanc. L'autre, qui a manifestement vu, répond en levant le pouce, ce qui peut tout aussi bien vouloir dire qu'il ne reste plus qu'une heure de travail ou que tout est OK.

« Il va falloir se rhabiller pour traverser ce putain de hangar, lance le brun.

— C'est vrai qu'il est bien contaminé, à présent. »

Et de ceci, le grand blond se fiche éperdument.

Encore un long moment, et un type vient taper aux carreaux de la baraque.

« C'est le moment. »

Les deux hommes revêtent les combinaisons qui gisaient à terre, se coiffent d'étranges heaumes translucides et sortent tranquillement. Devant eux, le camion-remorque démarre doucement avec sa précieuse cargaison. C'est sous l'apparence banale d'une entreprise de déménagement qu'il va prendre la route.

Un à un, les hommes sortent du hangar, en referment soigneusement la porte colossale, se débarrassent de leurs combinaisons aussitôt enfouies dans des fûts métalliques. Une voiture et un minicar les attendent, qui encadrent le camion-remorque. Ainsi constitué, le convoi s'ébranle.

Dans la voiture, le brun s'inquiète :

« Il va pas faire bon se promener dans le voisinage, avec toute cette radioactivité.

— Alors ça, c'est pas mon affaire. Et puis, il paraît que ça donne des bébés avec des bras supplémentaires. Et l'agriculture manque de bras. »

Le blond n'est pas vraiment un sentimental.

## 82

À demi écrasée entre deux mastodontes, Demi n'a guère le loisir d'admirer le paysage ni de goûter le confort de la Mercedes. D'ailleurs, à peine sont-ils hors de vue de l'avenue Émile-Zola qu'elle tend l'enveloppe à Berthaud, sachant qu'il ne sert à rien de prolonger le suspense. Beau joueur, l'Allemand remercie et ajoute, l'air navré :

« Je tiendrai parole et vous serez libérée. Mais en professionnelle que vous êtes, vous comprenez que je tienne à ce que vous nous accompagniez jusqu'à notre destination finale.

— Qui est ?

— Un port de l'Ouest. »

Demi ne répond pas. Elle sait bien qu'il n'en dira pas davantage, du moins pour aussi longtemps qu'il voudra l'épargner. Finalement, elle aime mieux ça, et la relative politesse du pète-sec lui paraît de meilleur augure que les trognes renfrognées des deux gorilles.

Loin derrière, le plus souvent hors de vue des trois Mercedes, Willy, au volant de sa petite Clio, retrouve le style et la roublardise d'un Rouletabille franchouillard. À son côté, Abou Kir scrute l'autoroute, à la recherche des lumières rouges du cortège, annonçant leurs manœuvres et réglant l'allure.

« Ils doublent un, puis deux camions, se rabattent ; attention, ils vont être en descente, puis remonter une côte en courbe ; ralentis, sinon nous serons visibles.

— Comment arrives-tu à voir tout ça, Abou ? La nuit, toutes les voitures se ressemblent ; Tu ne vas pas tout de même me dire que les feux des Mercedes sont d'une couleur particulière ?

— C'est bien plus simple. Il suffit de repérer les trois voitures de même type qui se suivent ; avec le même écartement des feux arrière.

— La nuit ?

— La nuit. »

Willy sourit gentiment :

« Et tu veux me faire gober ça ?

— Tu oublies une chose, mon bon Willy. Dans le maquis, lorsque nous luttions contre l'armée coloniale (il s'arrête, attendant une réaction de son ami, qui ne vient pas) donc, quand nous nous battions les uns contre les autres, le terrain de l'ALN, c'était la nuit. C'était la nuit que nous tendions des embuscades, et j'ai appris à repérer les convois militaires, à lire leurs parcours, à les prévoir, à les sentir. La nuit, je redeviens chasseur, parce que j'ai longtemps été gibier. Alors tu parles si c'est un jeu d'enfant que de suivre trois bagnoles sur une autoroute de France, bien dégagée, bien propre.

— Oui, je comprends. Et puisque nous sommes sur le sujet, je vais moi aussi te dire quelque chose. J'ai servi en Algérie, sous-lieutenant dans un régiment de spahis. Eh bien, s'il y a une chose dont je suis heureux, c'est que nous puissions comme ça, toi et moi, parler de cette sale guerre. »

Abou Kir ne répond pas. Les deux hommes se taisent, l'ancien gamin de l'ALN tout à ses pensées qui l'emmènent aux temps lointains de ses premières années d'homme, Willy tout aux paroles de la fille.

« Prévenir Jean-Louis de Tavernon », qu'est-ce que ça veut dire ? Elle le connaît donc ? Et elle ignore qu'il est mort ? Et cette histoire de logiciels ?

Il faut qu'il prévienne Verson et, par conséquent, lui révèle la présence d'Abou Kir. Mais ceci, il ne le fera qu'après, avec l'accord du Manchot.

En attendant, dans la petite Clio, Goupil mains rouges raconte à son ami la curieuse histoire de Jean-Louis de Tavernon, sa mort suspecte et son enquête sur Berthaud et Limonet.

« Heureusement que je ne suis plus en activité, rigole Willy à l'intention d'Abou Kir, sinon j'étais bon pour la retraite.

— Et chez nous, pour un avancement, corrige le général, qui change brusquement de conversation : Regarde, ils stoppent à la station BP.

— Je m'arrête ?

— Non, file, on va les reprendre plus loin. »

Quand la Clio parvient devant la bretelle d'entrée de la station-service, les trois véhicules sont déjà arrêtés devant les pompes. La petite voiture passe, noyée dans la circulation, plus intense aux abords de Caen. Dix kilomètres plus loin, la première aire de stationnement fait l'affaire, et la petite voiture file se poster à la sortie, Abou Kir guettant l'arrivée du cortège.

Cinq minutes plus tard, les trois Mercedes passent en trombe devant eux.

« Eh ben, ils n'ont pas traîné, grommelle Willy en lançant sa vaillante Clio sur la trace des grosses limousines.

— Normal, ils ont un otage avec eux », commente Abou Kir.

Bientôt Caen s'annonce, contournée par le nord. Le cortège s'engage sur la voie rapide qui conduit à Bayeux.

« Je lève le pied, décide Willy. Ils vont à Cherbourg.

— Comment le sais-tu ?

— Disons que c'est le pif du flic. Et puis, ajoute-t-il,

253

modeste, y a franchement pas d'autre destination, maintenant. »

Abou Kir objecte :

« Il va bien falloir les rattraper avant Cherbourg.

— Si tu veux, mais il y a toutes les chances pour qu'ils aillent sur le port.

— Toujours le flair du flic ?

— Exactement. »

Willy ne se trompe pas. Comme Abou Kir oublie de lui dire que son agent double à la villa d'Hydra, l'informateur de Cheir, lui a parlé de Cherbourg, où devait se rendre feu El Mismari, ils continuent l'un et l'autre à se mentir gentiment.

## 83

Verson n'aime pas les hôpitaux. Et pourtant, il faut bien qu'il aille voir de quoi il retourne avec cette fille que Willy lui a laissée sur les bras en l'appelant de son portable. Il lui a tout expliqué, la fusillade, la femme enlevée, l'autre descendue, et puis ces mots de l'agonisante : « Prévenir Jean-Louis de Tavernon. "Ils" ont les logiciels. » Il a seulement « oublié » d'expliquer pourquoi il se trouvait fortuitement avenue Émile-Zola, ou plutôt s'en est tiré avec un « je t'expliquerai plus tard » qui ne l'engage pas beaucoup.

Verson sait combien Willy est réglo. Il ne s'affole ni ne s'énerve donc pas. L'essentiel n'est pas de savoir comment, mais de savoir tout court, et même de savoir pourquoi. Savoir que Marion connaît Tavernon, ou plutôt le connaissait, qu'elle possédait quelque chose qu'il lui avait confié, qu'elle ignore sa mort.

Il a fait rechercher qui est cette Marion, a retrouvé sa trace, appris l'explosion de son appartement, sa mort présumée. Et voici que, coucou me revoilà, la call-girl ressuscite, réapparaît dans son immeuble, et avec qui, s'il vous plaît, avec une femme commissaire, une certaine Demi, qu'il a déjà croisée trois ou quatre fois à l'Office de répression du trafic des êtres humains, une super mondaine, en quelque sorte.

Il comprend que la partie est compliquée, mais, avec la jubilation secrète du joueur d'échecs qu'il est, voit se mettre en place les pièces sur un échiquier jusqu'à présent bien vide.

Verson se rend directement au service de la réa, où Marion a été transportée après son opération. À travers la vitre, il distingue un corps allongé, immobile, auquel seuls les tuyaux qui l'assaillent de toutes parts donnent quelque soupçon de vie. Patiemment, il attend la sortie de l'interne qui s'affaire en plantant de nouvelles aiguilles et en installant de nouvelles perfusions. La porte s'ouvre enfin. Paraît une toute jeune femme brune, que sa veste verte grossièrement taillée et toute froissée ne parvient pas à enlaidir.

« Comment va-t-elle ?

— Pas brillant. La balle a perforé le poumon, frôlé le cœur et s'est logée dans la colonne vertébrale. Le chirurgien a pu l'extraire. Mais elle a perdu beaucoup de sang.

— Ses chances ?

— Faibles. Mais elle est jeune, et on ne sait jamais. Vous êtes de la police ?

— Oui.

— Pas question de l'interroger. Nous allons la maintenir en sommeil artificiel pendant deux ou trois jours, si elle tient jusque-là.

— Et après ?

— Après, elle aura doublé ses chances de survie, ce qui ne fera quand même pas grand-chose.

— Merci, docteur. Je vous laisse. »

Il s'éloigne, revient sur ses pas.

« Je vais placer un policier en faction. Vous comprenez, c'est tout de même un crime.

– Je comprends. Mais je vous demanderai d'être discrets ; nous ne tenons pas à la présence de personnes extérieures à l'hôpital.

– Je comprends. Surtout des flics ? »

Elle ne répond pas.

Il s'éloigne de nouveau, cette fois sans retour.

Parvenu dans le hall d'accueil de l'hôpital, il sort son téléphone portable, appelle une collègue de la PJ pour que soient données les instructions nécessaires à la garde de Marion, puis compose le numéro de Willy.

« Allô, Willy, ou es-tu ?

– À Cherbourg.

– Qu'est-ce que tu fous à Cherbourg ? Tu achètes un parapluie ?

– Non, ce sont nos touristes qui nous ont amenés là.

– Nous ?

– Tu sais bien que je ne suis pas seul.

– Bien sûr. Mais j'ignore avec qui tu es.

– Un ami algérien.

– Je le connais ?

– Bien sûr. Mais c'est pas le plus important. Ce qui compte, c'est ce qui va se passer ici. Car nos types sont entrés voici dix minutes dans un hôtel du port et n'en sont pas ressortis.

– Et la femme ?

– Elle est avec eux. Apparemment, ils ne l'ont pas brutalisée.

– Alors, écoute-moi bien, Willy. Cette femme est flic.

– Flic ? Merde alors ! Tu sais ça comment ?

– On a retrouvé son portable de service. Et je connais son adjoint.

– Et elle s'appelle ?

– On l'appelle Demi.

– Je devrais la connaître ?

– Si tu t'intéresses aux belles femmes, oui. Elle est entrée à la PJ, aux stups, avant que tu ne partes en retraite. Et puis elle est partie à la super mondaine. »

Willy a beau se creuser la cervelle, il ne voit pas du

tout qui est cette Demi. C'est pas grave. Il est beaucoup plus important qu'il rassure Verson.

« T'en fais pas, Pierre. On va planquer et on va te la ramener, ta Demi.

— Fais gaffe, Willy, c'est plus de ton âge.

— Je te rappelle dans deux heures. »

Willy se retourne vers Abou Kir.

« C'est pas le tout, il faut qu'on dorme un peu.

— Dors. Moi, tu sais, ça ne me dérange pas du tout de faire le guet.

— Je sais, le felouze. »

Abou Kir sourit, gentiment. Willy bascule le dossier de son siège, ferme les yeux.

D'où il est, le général algérien, redevenu combattant de base, surveille parfaitement l'entrée de l'hôtel.


## 84


Sagement, le camion-remorque va prendre sa place dans la file des poids lourds qui s'étire sur le quai d'embarquement, juste derrière un frigorifique dont il y a tout lieu de penser qu'il va attirer l'attention des douaniers. Cent cinquante mètres plus loin, l'étrave monstrueuse du car-ferry *Barfleur* est soulevée, avalant un à un les monstres d'acier. Le grondement qui sort des entrailles du navire couvre le ronronnement des moteurs Diesel. De temps à autre, une voix de femme tombe du haut-parleur pour donner en anglais des instructions dont nul ne semble se soucier.

Ça ne loupe pas. Un ultime contrôle pour débusquer d'éventuels immigrants clandestins tombe sur le frigorifique, que deux képis font ouvrir, inspectent et laissent passer comme à regret. Le camion bourré d'uranium suit tranquillement. La passerelle gémit à son passage. Il est maintenant dans l'antre du *Barfleur*, roule vers l'emplacement qui lui est assigné, s'immobilise.

Les trois « déménageurs » qui occupent la cabine ne s'y attardent pas. On a eu beau leur expliquer que l'eau de la cuve interdisait toute émanation de radioactivité, ils préfèrent aller respirer l'air du large sur le pont. Il sera bien temps tout à l'heure. Quelques minutes plus tard, c'est le minicar qui pénètre dans l'entrepont du car-ferry. Six hommes en descendent, bruns, moustachus, sous l'œil indifférent du personnel de cale que leur ressemblance avec Saddam Hussein n'intrigue même pas. Ils se séparent aussitôt et s'égayent par groupes de deux au *free shop* du bord, à la cafétéria et dans le salon des passagers. La foule les engloutit.

Ils ont bien le temps. Le chargement de l'énorme masse flottante qui traverse la Manche au rythme de deux liaisons quotidiennes, une dans chaque sens, ne se fait pas si vite, car il faut prendre soin du parfait arrimage des véhicules, de la disposition des charges, travail délicat et fastidieux qui garantit la sécurité de tous. Lentement, le bateau fait son plein de voitures et de poids lourds. Dans la nuit humide et froide, les conducteurs affichent des mines fatiguées et résignées. Ce sont, pour la plupart, des Anglais et des Espagnols. Curieusement, il y a peu de Français. Manifestement, tout ce qui respire et s'agite ne semble le faire qu'à contrecœur.

Les trois hommes du camion de déménagement sont allés se placer sur le pont supérieur, si agréable dans les soirées d'été. Mais cette nuit, il est désert. Accoudés au bastingage, les yeux rivés sur les chantiers des CNC, à quatre cents mètres de là, ils observent les deux patrouilleurs rapides immobilisés à quai. L'un d'eux a même sorti une lunette d'approche avec laquelle il scrute soigneusement les deux navires, s'appliquant à y déceler quelque indice d'activité humaine. Mais rien ne bouge. Il déplace alors lentement son champ de vision vers la droite, vers la terre ferme, pour finalement s'arrêter sur une baraque de chantier. Éclairée, elle commande l'entrée d'une haute clôture renforcée de concertinas. Il compte à l'intérieur deux hommes en uniforme. Tout en se livrant à son inspection, il détaille à voix basse, lentement, afin de permettre à son voisin le plus proche de répercuter ces informations dans un portable.

Nul ne remarque leur manège : les hommes de bord sont occupés, qui à faire ranger les véhicules, qui à servir des cafés ; les routiers, passagers du soir, cherchent les fauteuils où ils vont achever leur nuit. Il n'y aurait que de la passerelle de commandement que l'on pourrait les observer, mais le commandant est tout à sa manœuvre. C'est sa dernière rotation de la semaine, et il va pouvoir aller goûter trois jours de repos dans son cottage du Devonshire. C'est d'ailleurs dans sa direction que le troisième homme a accroché son regard. Il scrute les silhouettes qui se découpent en sombre sur le fond lumineux du poste de commandement. Mentalement il enregistre, remuant doucement les lèvres, pour lui-même.

Sans doute satisfait de son inspection, l'homme à la lunette d'approche ne fouille pas le terre-plein des CNC. L'eût-il fait qu'il n'aurait sans doute pas remarqué la guimbarde pitoyable qui stationne à l'entrée du chantier. Dedans, un type emmitouflé dans une vieille canadienne somnole. Enfin, les trois hommes se retournent, presque d'un seul mouvement, et regagnent le ventre douillet du bateau. Sous leurs pieds, le bateau frémit, impatient.

## 85

« Je vous en prie, Zvi. »

Le « correspondant » du Mossad prend place dans le fauteuil Empire que lui désigne le directeur de la DST. Qui, pour bien marquer l'amitié de leur relation, vient s'asseoir à côté de lui.

« Alors, qu'est-ce qui vous tracasse ? »

Le ton est un rien ironique, mais le sourire, large comme la poignée de main qui vient d'être appuyée, est chaleureux. Rognard, c'est son nom, a mal choisi son patronyme. Tout en délicatesse et en courbettes, il a fait son chemin à force de cautèle et de fausse humilité, disent ses ennemis. Fin diplomate et psychologue redoutable, il possède tout son monde, dans l'intérêt supérieur du service, protestent ses amis. Préfet, comme il se doit, il est encore au commencement d'une carrière qui s'annonce brillante. Il le sait tellement qu'il fait semblant de ne pas s'en apercevoir.

Le visiteur se raidit un peu sur son siège inconfortable.

« C'est délicat. Mais enfin, je dois vous faire part de nos inquiétudes quant à une prochaine initiative qui pourrait venir de Saddam Hussein.

— Qui pourrait ?

— Je n'ai pas de certitude, mon cher directeur, et je me défie d'une interprétation un peu rapide ; pour tout vous dire, notre info n'est pas recoupée. Sauf par la DGSE. »

Un large et inhabituel sourire fend la trogne grincheuse de Rognard :

« La DGSE ? Alors, c'est du cousu main. Mais dites-moi, on peut savoir d'où vient cette info ? »

Zvi se sent mal à l'aise. Ses partenaires français ont toujours été très corrects, très coopératifs. Il réalise ce que ses investigations à Paris ont d'anormal, coup de couteau et non pas seulement de canif dans le contrat. Il tente de « baliser ».

« Oh, par hasard. Nous avons une source intéressante qui nous donne de temps en temps des tuyaux. (Il se précipite un peu pour ajouter :) Il réside habituellement en Israël.

— Ce n'est pas Tristhamac, par hasard ? »

Zvi soupire de soulagement. En évoquant malicieusement le financier avisé recherché par la justice française, Rognard montre qu'il ne lui tient pas rigueur de son éventuelle infidélité. Le directeur de la DST poursuit :

« C'est le même qui vous a livré le tuyau sur les projets de patrouilleurs rapides "nucléarisés" ?

— C'est bien lui.

— Dites-moi, c'est un homme précieux. Il faudra me le présenter. »

Nul ne pourrait dire s'il est sérieux ou s'il se gausse. Zvi ne se démonte pas.

« Ça tient debout. D'autant que cette fois, les choses se précisent.

— Et comment ?

— Des fonds arabes ont été versés en Suisse sur un compte secret des Chantiers navals du Cotentin, ceux qui précisément construisent ce type de bateaux.

— Je ne vous savais pas en si bons termes avec les banques suisses.

— Justement, elles ont beaucoup à se faire pardonner. Et puis, il y a autre chose. Il y a quelques jours, une mission est venue visiter le chantier des CNC.

— Je sais, mais ce n'étaient pas des Arabes.

— Pour la plupart, non. Mais il y avait le dénommé Cheir. »

Rognard vacille sous le choc. Les deux connards de l'antenne de Cherbourg n'ont rien vu, en tout cas, pas l'essentiel. Ils vont savoir de quel bois il se chauffe. Il biaise aussitôt :

« Bien sûr, mais nous ne savons pas grand-chose de ce Cheir. Si ce n'est qu'il connaît Laventure, notre ministre.

— Nous, si. »

261

Zvi extirpe de sa serviette une chemise cartonnée qu'il tend au directeur. Lequel remercie d'un hochement de tête et reprend l'initiative :

« Vous avez raison. Je mets tout de suite quelqu'un sur le coup. »

L'Israélien est tranquille, désormais. Il sait que la DST va faire son boulot. Et il est persuadé que tout cela fait les affaires de son pays.


## 86


Abou Kir secoue doucement l'épaule de Willy.

« Ça bouge. »

Effectivement, la petite troupe qu'ils surveillent ressort de l'hôtel. Ils sont plus nombreux qu'à leur entrée. Quatre hommes les accompagnent.

« Mais qu'est-ce qu'ils nous chient ? »

Le mot a échappé à Willy. Les nouveaux sont des officiers de marine koweïtiens pris en otages. Demi est toujours là, apparemment libre. Le pas est rapide. Passant devant les Mercedes, une dizaine d'hommes s'y enfournent. Le cortège démarre. Les trois types restés à pied les suivent à distance en pressant le pas. Du coup, ils gênent Willy et Abou Kir, qui ne peuvent plus suivre en voiture sans se faire repérer.

« Allez, on descend et on suit. De toute façon, ils n'iront pas bien loin. »

Effectivement, quatre cents mètres plus loin, le convoi stoppe à hauteur de la baraque qui commande l'accès au quai des CNC. Les deux compères voient distinctement un gardien sortir. La conversation doit être brève, car l'homme s'effondre, tandis qu'un des occupants de la première voiture se précipite à l'intérieur du poste de police. Abou Kir a bien vu l'éclair d'un coup de feu.

« Silencieux », commente-t-il sobrement.

Les trois Mercedes passent. Quelques secondes plus tard apparaissent les trois piétons, qui tirent le corps du premier vigile abattu à l'intérieur de la baraque. Willy et Abou Kir se consultent du regard. Ils ne peuvent plus passer sans être interceptés. C'est l'Algérien qui prend les choses en mains :

« J'y vais. Tu restes ici. Ils me laisseront passer.

— Comment ça ?

— J'ai mon idée. Retournons à la voiture. »

Dix minutes plus tard, la petite Clio stoppe devant le poste des CNC. Une tête moustachue paraît à la petite fenêtre. Le type est en uniforme de vigile. Il interpelle brutalement :

« Le chantier est interdit. Faites demi-tour. »

Abou Kir baisse la vitre de sa portière et lance sobrement :

« El Mismari.

— Quoi, El Mismari ?

— Tu ne connais pas ? poursuit Abou Kir dans son arabe le plus parfait. Appelle ton chef et demande-lui. »

Le faux gardien reste figé, soupçonneux :

« Tu te dépêches, j'ai pas de temps à perdre. »

À contrecœur, le type sort son portable, compose un numéro. Il parle français.

« Il y a ici un type du nom d'El Mismari. (Il ajoute à voix basse.) C'est bien un Arabe. »

C'est le pète-sec qui répond :

« C'est bon, qu'il vienne. »

Pendant ce temps, la petite troupe est parvenue à l'extrémité du quai, où les deux premiers patrouilleurs koweïtiens sont amarrés bord à bord. Les officiers s'avancent, apparemment sans contrainte. L'un d'eux tire un sifflet de sa poche, le porte à sa bouche. Le son strident perce la nuit. Apparaissent sur le pont de la vedette la plus proche deux matelots mal réveillés, un pistolet-mitrailleur au poing.

« Nous montons à bord. Placez la passerelle. »

Le commandant de la flottille s'est exprimé en arabe. Les deux matafs, embarrassés par leurs armes qu'ils passent en bandoulière, font glisser jusqu'au quai une sorte de planche métallique agrémentée d'une main courante. Sans souci de la hiérarchie ni des convenances, un immense moustachu la gravit prestement et, avant que l'un ou l'autre ait eu le réflexe de réagir, leur ajuste une balle en pleine tête. Les deux détonations claquent dans la nuit et roulent sur la mer.

« Espèce de con, rugit le pète-sec, tu veux réveiller tout le quartier, et jusqu'à l'amiral ?

— Quelle importance ? réplique l'autre, visiblement agacé. Nous avons ce que nous voulions, et dans quelques minutes, c'est nous qui revendiquerons la capture de ces deux bateaux !

— Tu oublies que moi, je repars, tonne encore l'Allemand, et que je n'ai pas envie de jouer au rodéo dans ce pays de vaches.

— Je dérange ? »

Le pète-sec sursaute et se retourne. Abou Kir est là qui le regarde fixement. Il ajoute d'un ton détaché :

« C'est bien ici, le rendez-vous ?

— En gros, oui, mais tu as failli être en retard.

— Désolé, mais j'ai eu des ennuis à Alger.

— Quelle sorte d'ennuis ?

— Ça ne te regarde pas. Des ennuis, c'est tout. »

C'était risqué. Abou Kir l'a joué au flan. Il ignorait si le pète-sec connaissait El Mismari ou l'avait vu en photo. Il est vrai qu'il fait nuit, que l'appontement n'est pas éclairé. Et puis, surtout, il a su que si El Mismari venait en France, c'était pour se rendre à Cherbourg, où manifestement il devait embarquer. Pour une fois, il a tout bon.

Himmler lui tend le logiciel.

« Tiens, c'est à toi de te débrouiller. Moi, j'en ai ma claque de cette histoire. Mission terminée. »

Il esquisse une volte-face. Abou Kir le rattrape au vol :

« Et cette fille, qu'est-ce que j'en fais ?

— Ce que tu veux. Si tu veux mon avis, tu t'en débarrasses vite fait. »

Demi, à trois mètres, sur le quai, bondit :

« Vous m'aviez promis, espèce de salaud !

— Oui, mais c'était avant que ce con (il désigne le grand gaillard qui a fait monter tout son monde à bord) ne foute le bordel en ameutant toute la ville. Allez, salut et bonne chance. »

Il s'éloigne rapidement, passe devant la baraque de surveillance. Un des trois types lui emboîte le pas. Les deux autres se dirigent vers les vedettes.

Cette fois, les rôles sont bien distribués.


## 87


Abou Kir est resté seul sur l'appontement avec Demi. Avant que les deux types qui reviennent de la baraque n'arrivent à sa hauteur, il s'approche de la jeune femme et lui souffle à l'oreille :

« Ami. Prête pour un sprint ?

— Impossible. (Et Demi dégage légèrement son poignet pour lui montrer un bracelet de métal.) Ils nous ont équipés »

Abou Kir comprend : les terroristes ont proprement piégé leurs otages avec des charges d'explosif probablement commandées à distance. C'est pourquoi ils se montrent si dociles, sachant qu'à la moindre tentative d'évasion ils voleront en éclats. Il ne reste plus au Manchot qu'à jouer le grand jeu.

« Commandant ! »

Le grand type, occupé à donner ses ordres et à répartir ses hommes sur les deux bateaux, se retourne d'un bloc. Il grogne :

« Qu'est-ce qu'il y a ?

– Il y a que madame et moi allons vous quitter. »

L'autre explose :

« Mais c'est pas prévu ! Tu dois nous accompagner ! Et je vous interdis…

– Walou ! On s'en va, point. Mais si tu veux récupérer ton logiciel, il va falloir reprendre ce joli bracelet que tu as offert à madame. »

Comme toutes les langues, l'arabe est riche de noms d'oiseaux qui s'envolent de la gueule vociférante du « commandant ». Abou Kir, qui n'en perd pas une miette, reste impassible sous l'avalanche. Il sait qu'il joue gros, qu'il s'est fourré dans un sacré pétrin pour sauver une femme flic, française de surcroît, qu'il ne connaît pas et dont il n'a rien à faire. Et comme toujours, dans ces circonstances où il joue avec sa vie, il retrouve ce sang-froid, cette maîtrise qui font perdre leurs moyens à ses ennemis.

De son côté, l'Irakien réfléchit. Il doit partir dans les dix minutes, sinon c'est toute la manœuvre qui coince. Après tout, qu'est-ce qu'il en a à foutre de cette fille ?

« D'accord, on échange. Je t'envoie un marin qui enlève le bracelet à la femme (il met tout le mépris qu'il peut dans le terme) et tu lui donnes le logiciel.

– C'est bon pour moi. Envoie ton homme. »

Demi, qui ne comprend pas un mot à ce dialogue en arabe, sait d'instinct que cela se présente plutôt bien. Secouée, exténuée par ces heures où elle n'a cessé de frôler le danger, elle serait tentée de se laisser aller, de s'abandonner à l'homme providentiel qui vient la tirer d'affaire. Mais une petite voix lui dit qu'il faut se méfier jusqu'au dernier moment, et elle concentre toute son attention sur les deux bateaux dont ronronnent déjà les moteurs. Une petite lumière fugitivement estompée puis réapparue la fait penser à un traquenard. Elle se concentre, comme un athlète prêt à l'explosion de l'effort.

L'homme venu du bateau est près d'elle. À l'aide d'une pince spéciale, il défait le bracelet, avec des gestes délicats. Manifestement, il ne tient pas à voler en morceaux de viande. Abou Kir lui tend le logiciel. L'homme s'en saisit, fait trois pas en direction de la passerelle, se jette subitement à terre comme un gardien de but. Demi s'attendait à quelque chose de ce genre.

Au moment précis où les pieds du marin décollent de terre, elle saisit rageusement la main d'Abou Kir et plonge dans la mer, du côté opposé aux vedettes. Si rapide qu'elle ait été, elle entend le miaulement des balles, qui ricochent sur le sol.

Même Abou Kir a été surpris par le plongeon de Demi. Déséquilibré, il tombe de côté dans l'eau glacée, coule à pic, avale une énorme goulée de liquide salé. Sa tête se peuple de drôles de petites bulles, une cascade immense submerge ses oreilles, c'est la première fois de sa vie qu'il se sent ainsi aspiré vers un néant liquide. Il ne se débat même pas, il laisse s'accomplir la volonté de Dieu. Il ne sait pas nager.

## 88

Le faux Berthaud et son compagnon contournent le parc de voitures qui jouxte les chantiers des CNC. Leur véhicule n'est plus qu'à une dizaine de mètres.

« *Halt ! Hände hoch !* »

Willy ne sait même pas pourquoi il a hurlé en allemand. Mais les deux hommes ont parfaitement compris. Ils s'immobilisent, mains en l'air, et voient surgir derrière le capot de la Mercedes qui stationne seule le long de la clôture un homme plus tout jeune, l'arme tenue à deux mains, bras tendus, concentré sur son objectif. La voix baisse d'un ton :

« Écartez-vous l'un de l'autre et couchez-vous à plat ventre, bras et jambes écartés. C'est bon. Maintenant, ne bougez plus. »

Il s'avance doucement, précautionneusement. Les deux hommes allongés sentent qu'il tourne au large autour d'eux, hors de portée d'une ruade, d'un bond. À ses côtés, un berger allemand, surgi on ne sait d'où.

Willy connaît son affaire, et comme à chaque fois qu'il interpelle un criminel, il se remémore la seule faute qu'il ait jamais commise et qui l'avait expédié pour trois mois à l'hôpital. « Surtout, se placer entre les jambes du suspect en les maintenant le plus écartées possible pour l'empêcher de se retourner. » C'est ce qu'il fait en s'intéressant d'abord au pète-sec, en lui appuyant le canon de son revolver non pas sur la nuque, comme dans les films policiers, mais au bas du dos, sur la colonne vertébrale. C'est son truc à lui, infaillible. Si le type bouge, il le paralyse instantanément, et pour la vie. Cela a l'avantage de voir venir un éventuel mouvement de bras, et surtout d'éviter de trop se pencher en avant :

« Le bras droit en arrière. »

Il cueille le poignet d'une menotte qu'il ferme d'un coup sec. À deux mètres, Juvénia s'est assise à côté de l'autre type.

« Maintenant l'autre, plus haut, plus haut. »

La seconde menotte enserre le poignet gauche de l'Allemand, et il va la fermer quand soudain éclate une fusillade, toute proche. Instinctivement, Willy tourne la tête. C'est la faute que le second terroriste met à profit en jaillissant sur lui.

Le pète-sec a compris dans l'instant et veut dégager son poignet du bracelet en le ramenant vers l'avant. Willy, qui voit arriver sur lui une montagne de muscles et se sent déséquilibré, a pourtant le temps de tirer dans le dos du faux Berthaud. Il chute aussitôt sur le côté, son revolver shooté à l'écart par la tatane du tueur.

La brute boule sur lui quand Juvénia, revenue de sa surprise, bondit à son tour, le déséquilibre et d'instinct cherche sa gorge. Le type est manifestement un expert en arts martiaux et sait comment se défaire d'un chien d'attaque. Mais Juvénia, folle de rage, lui fait perdre les quelques secondes qui permettent à Willy de se remettre sur pied.

Il est maintenant debout, face au gorille, lui-même débarrassé du chien qu'il a fusillé à bout portant. Sans un mot, l'homme fait feu sur le vieux flic.

C'est ce qu'il semble à Willy qui voit le type tournoyer sur lui-même et s'abattre comme une masse, la tête littéralement éclatée.

« Pas de mal ? »

La voix surgit de la nuit, un drôle de type à sa suite, un petit grassouillet, fusil à pompe à la main, l'air ravi de son carton, qui tend une main secourable à Willy pour l'aider à se relever.

« Ça fera un salopard de moins. Mais qu'est-ce qu'on fait de celui-là ? »

Il désigne du menton le pète-sec qui ne bouge plus et se contente de gémir.

Willy n'a pas le temps de répondre, cueilli par une énorme douleur à l'épaule droite et jeté à terre par une monstrueuse gifle. À côté de lui, le petit homme s'est agenouillé brutalement, la bouche ouverte, les yeux exorbités, un hoquet de sang le secouant avant qu'il ne s'abatte face contre terre.

Dans son malheur, Willy a de la chance. Il est tombé à portée de son revolver. Dans un ultime réflexe de survie, il l'agrippe et tire au hasard.

Le bruit mat de deux corps qui tombent. Herrmann devine que le ou les tireurs ont plongé par terre.

Rassemblant ce qui lui reste de courage et de rage de vivre, il rampe péniblement, traînant son épaule arrachée jusqu'à la Mercedes. La dizaine de mètres qui l'en séparent sont un effroyable élancement, chaque effort une horreur, mais il y parvient.

Le silence est retombé sur le terre-plein du port. Willy, très vite, fait le compte de sa nuit. Demi enlevée, Abou Kir parti à sa rescousse, une fusillade probablement tragique. L'interception des deux terroristes

269

ratée et lui coincé, bloqué, sur le quai encrachiné d'une ville qu'il ne connaît même pas. Il calcule ses chances. Elles sont bien minces. Les assaillants, ils sont au moins deux, puisque l'inconnu et lui ont été « tirés » en même temps, vont le contourner, sans prendre de risque. Cela va leur prendre cinq minutes, au plus. Et après, ce sera la fin. D'autant qu'il n'est pas gaucher et ne pourra guère se servir de son arme.

Alors que reste-t-il ? Une improbable intervention de la police, à une heure aussi avancée de la nuit, deux ou trois flics au plus devant assurer la permanence, ou bien un chevalier blanc surgissant de la nuit. Autant dire un miracle.

« C'est la fin, mon vieux Willy, se murmure-t-il. Pour un retraité, c'est quand même pas mal. »

Et il s'adosse à la portière avant de la Mercedes.

Un glissement près de lui, Juvénia, toute poisseuse de sang, vient s'asseoir près de lui pour faire le guet. Au moins, il n'est plus seul.


## 89


« Commandant, vous entendez ? »

Le vacarme d'une fusillade toute proche couvre pendant quelques secondes le grondement des machines de l'énorme mastodonte.

Puis plus rien. Le quai des CNC d'où paraissait venir le vacarme est désert. Une inspection aux jumelles le confirme au commandant du *Barfleur* qui réfléchit une seconde avant de se retourner vers son second :

« Combien de véhicules reste-t-il à embarquer ?

— Une dizaine de voitures particulières, commandant.

— Alors tant pis pour elles, paré pour le départ. Le plus vite possible. Je n'ai aucune envie de me retrouver au milieu d'une bataille navale. Allez, pressons ! »

Le second lance les ordres. La lourde étrave levée comme la visière d'un heaume commence à se baisser sous l'action de vérins puissants. Les amarres, comme d'énormes serpents, sont larguées et se tordent lentement sur les flancs luisants du bateau. Le bruit des turbines monte d'un cran quand la masse sombre du navire se détache de la passerelle. La sirène retentit, lugubre, comme un adieu définitif. Nul n'a entendu les coups de feu tirés plus loin autour de la Mercedes noire du pète-sec.

Les trois hommes du pont supérieur ont, eux aussi, entendu les détonations. Ils comprennent aussitôt qu'il y a du grabuge.

« Je vais essayer de savoir. »

Le plus âgé sort son portable, appuie sur une touche. Laconique, il se contente d'un :

« Nouvelles dispositions ?

— Non, dispositif maintenu. »

C'est le chef du commando qui, aux commandes de la première vedette, vient de lui répondre. D'ailleurs, du *Barfleur*, on aperçoit très distinctement les deux petits bateaux de guerre qui glissent doucement le long du quai, libérés de leurs entraves. L'homme au téléphone consulte sa montre.

« Compte à rebours commencé. Que tout le monde se tienne prêt. »

Simultanément, les bips des petits récepteurs des neuf moustachus sonnent discrètement. Deux des trois convoyeurs du camion-remorque entreprennent de redescendre dans la cale. Alors qu'ils parviennent devant la porte qui commande l'entrée des garages, un galonné les interpelle :

« Où allez-vous ?

— Nous avons oublié nos journaux dans nos camions.

— Trop tard. Le bateau part. Veuillez regagner le pont passagers, s'il vous plaît. »

Le malheureux ne connaîtra pas la fin de l'histoire.

271

Cueilli par une manchette sur la glotte, il s'effondre. Le plus costaud des trois s'approche du corps allongé, saisit la tête entre son bras et son avant-bras et lui fait faire un demi-tour. Un craquement. Ils peuvent tout à loisir pénétrer dans l'immense hall flottant. Seules les lumières timides des sorties de secours éclairent leur parcours. Cela leur suffit bien. Dans la pénombre, sans allumer de lampe torche qui les signalerait sur un des écrans de contrôle, ils retrouvent leur camion.

Deux ou trois minutes plus tard, revêtus de leurs combinaisons étanches, c'est à leur tour de signaler au pont supérieur qu'ils sont prêts à agir.

## 90

Une poigne vigoureuse l'agrippe par la ceinture et le fait remonter vers la surface. Quand l'air jaillit enfin, aussi noir que l'eau qui l'avait englouti, il le respire en goulées suffoquées, entendant dans la sorte de gargouillis qui lui tient lieu d'audition la voix d'un ange, ferme et impérative, qui lui commande : « Accroche-toi là et ne bouge pas ! » Les anges, c'est bien connu, ont un sexe, ce sont des femmes, et celle qui le tient, le soutient et présente à son unique main un lourd anneau rouillé ne fait pas mentir cette certitude.

Il s'agrippe, non pas désespérément, car il a retrouvé ses esprit, mais avec l'anxiété de son destin immédiat. Car la belle a replongé, rassurée sur le sort de son sauveur sauvé, engloutie dans la mer pour ce qui lui semble être un très, très long moment.

Au moment où elle lui paraît perdue, elle réapparaît derrière lui, traînant une bouée de liège rouge qu'elle lui passe autour de la tête, puis, faisant jouer les épaules, sous les aisselles.

« Comme ça, c'est bon. Tu ne peux plus te noyer.

Mais il faut bouger, sinon tu vas faire une hypothermie. Suis-moi, et nage comme tu peux. »

Elle repart, offrant à Abou Kir la trace sombre de sa chevelure. Lui, du mieux qu'il peut, rame plus qu'il ne nage, remontant lentement le long de l'appontement, espérant la terre ferme et des vêtements secs.

Dix, quinze, vingt mètres plus loin, Demi a rejoint l'échelle de métal qui, comme plantée dans l'eau, émerge de la mer. Un regard vers le brave quinqua qui, courageusement, se rapproche, et elle entreprend doucement la remontée. Quelques barreaux et, la tête au ras du quai, elle observe. À une centaine de mètres, les patrouilleurs ont disparu, mais, en prêtant l'oreille, elle peut entendre le clapotement régulier des diesels. Puis soudain, sur la droite des coups de feu, désordonnés, un cri horrible, encore un coup de feu, un seul, et le silence.

Une seule chose la rassure : le cri, elle le reconnaît, c'est celui de l'Européen, du chef du commando qui l'a enlevée. « Bien fait pour ta gueule. »

Abou Kir cabote de son mieux, parvient à saisir à son tour l'échelle.

« Ça ira ? »

Elle ignore qu'il est manchot.

« Oui », grimace-t-il, entreprenant une laborieuse sortie de l'eau.

Les voici accroupis sur le quai, peu pressés d'offrir leurs silhouettes debout, bien découpées sur le ciel, à la gâchette d'un bon tireur comme il semble y en avoir un dans le secteur ; enfin, elle lui tend une main très « virile » :

« Merci, dit-elle sobrement.

— Merci aussi.

— Que faisons-nous ? As-tu une idée ? »

Spontanément, elle le tutoie.

« Oui, je suis avec un flic français, il doit être là-bas.

— Bon, avec moi, ça fait deux flics. Et toi ?

— Algérien, mais ça fait rien. Il faut aller l'aider.

273

– T'as un flingue?

– J'avais, mais avec tout ça…

Il balance le menton en direction de la mer.

« Alors on va y aller quand même, on peut au moins se rendre compte et faire diversion. »

Elle n'a pas froid aux yeux, la petite.

« T'as raison. Tu vois la cabane, là-bas? C'est un poste de contrôle. "Ils" ont buté les gardiens, mais avec un peu de pot, on trouvera peut-être un revolver.

– Allons-y. »

À pas de loup, chacun sur un bord de l'appontement, ils s'avancent vers la baraque. Aucun signe de vie. D'autorité, Abou Kir va se coller contre la porte, l'ouvre brusquement pour laisser Demi y plonger dans un roulé-boulé presque immédiatement interrompu par le corps étendu qu'elle percute. Un regard la rassure. Rien, il n'y a rien que deux cadavres, dévêtus, dans des poses grotesques. Abou Kir est entré à sa suite. Sans échanger un mot, ils entreprennent de fouiller. Pas une arme, seulement un gros pistolet lance-fusées sur une étagère. Demi s'en saisit.

« C'est mieux que rien.

– Alors, allons-y. »

La nuit les engloutit de nouveau.

## 91

« Je vous emmerde! »

À défaut de livrer un combat égal, Willy laisse éclater sa rage. Il est foutu, il le sait et, en plus, il a mal. Alors tant pis, autant mourir vite. Péniblement, ramassant ses forces, il se remet debout et, machinalement, parce qu'il est devant une voiture, il actionne la poignée.

Miracle, la porte s'ouvre, second miracle, elle est blindée. Il en a trop vu, de ces chars d'assaut incommodes et patauds, pour se tromper. Comme il fallait s'y attendre, mais il ne s'y attendait pas, la Mercedes est à l'épreuve des balles. Il s'y enfourne, cherche à présent la fermeture des portières, puisque évidemment il n'a pas la clé de contact.

Une petite lumière s'allume dans son cerveau, celle de l'espoir.

« On ne peut pas m'avoir refilé cette voiture blindée pour me laisser abattre comme un chien. Non, mon petit Willy, tu as encore une chance de t'en tirer. »

Et il le trouve, ce putain de bouton, qui a le bon goût de faire entendre un clic de tous les bonheurs.

« Ah, bande d'ordures. Il va falloir me déloger, maintenant ! »

Il a compris que les tireurs, dehors, ne sont que deux. Ce sont les chauffeurs des deux autres Mercedes qui sont revenus sur leurs pas, pour une raison ou pour une autre, peut-être en l'entendant ordonner au pète-sec et à son acolyte de s'allonger sur le sol. Il aurait dû se méfier. Trop tard, en tout cas, pour gamberger.

Là-bas, à vingt ou trente mètres au plus, les types doivent hésiter. Ils l'ont forcément entendu claquer la portière. Alors, vont-ils l'attaquer ou bien se contenteront-ils d'emmener avec eux leur chef blessé ?

Un coup de feu, puis deux. Les balles se fracassent sur la vitre avant gauche avec un bel ensemble. Histoire de lui signifier qu'il n'a pas intérêt à la baisser. C'est plutôt rassurant. Il en sourit.

Brusquement, il sursaute. Quelqu'un toque à la portière de droite, derrière lui. Il se retourne. C'est le troisième miracle : le visage sévère de son vieux copain Abou Kir. Du coup, il ne sent plus sa douleur, déverrouille, lui fait signe d'ouvrir.

Ce ne sont pas des retrouvailles émues, car le présent défile à toute vitesse. De sa main valide, Willy tend le pistolet à son ami, sans un signe.

Le vieux félouze a compris. Il prend le calibre et s'éloigne après un chuchotement dans l'oreille de la jeune femme qui vient de surgir, elle aussi, de l'obscurité. Seuls les gémissements pitoyables du pète-sec meublent le silence. Quelques frottements, un bruit métallique loin vers la route du port, c'est tout, autrement dit, rien.

La jeune femme est restée près de Willy, qui recommence à souffrir. Sans un mot, d'une pression des doigts sur son avant-bras gauche, elle lui demande de rester tranquille, ressort, se coule vers l'avant du véhicule. Elle consulte à deux reprises sa montre, arme enfin son gros revolver d'une fusée, qu'elle tire en direction des terroristes.

La nuit se déchire d'un coup. Les deux chauffeurs sont agenouillés auprès du blessé, presque touchants dans leur sollicitude à le réconforter. Pour très peu de temps. Deux coups de feu claquent, ils tombent l'un par-dessus l'autre sur le gisant, auquel ils arrachent un nouveau cri. Raide comme la justice, nouvelle statue du commandeur, Abou Kir apparaît dans la fumée orangée qui retombe en fines particules. Posément, il ajuste la tête de l'un puis de l'autre et les fait exploser.

« Tu me dois deux gueuletons, mon vieux Willy. »

Le « vieux Willy » ne l'entend pas. Il a, comme on dit, tourné de l'œil.


## 92


Le *Barfleur* file à présent le long de la digue du large. Profitant du plan d'eau lisse et calme que lui offre le gigantesque ouvrage construit sous Louis XVI, il prend progressivement de la vitesse, sans forcer le cœur énorme qui bat dans ses cales monumentales. Il parvient à présent devant Querqueville, double le fort de l'Ouest et aborde la pleine mer, roulant régulièrement sous l'assaut conjugué des vagues et du vent qui font danser la coque ventrue sur un tapis moucheté d'écume blanche.

C'est le moment que choisit le chef du commando, là-haut sur le pont supérieur, pour lancer à ses troupes l'ordre de passer à l'action. La manœuvre se déroule comme à la parade. Il est vrai que nul ne s'y attend, et que l'équipage d'un car-ferry n'est pas celui d'une vedette d'assaut.

C'est d'abord, sur la passerelle de commandement, l'irruption de deux gaillards, à visage découvert, ce qui permet au commandant de voir de près la sale gueule des pirates. Un peu plus bas, sur le pont intermédiaire, c'est un autre duo qui force l'entrée de la salle de radio et s'installe au pupitre après avoir neutralisé les opérateurs du bord.

Les pirates ne se donnent même pas la peine de contrôler les salons ni la salle des machines, entièrement automatisée.

Ils occupent seulement la cabine de commande de la propulsion, après avoir froidement descendu un des officiers mécaniciens, comme ça, pour l'exemple, histoire de rendre dociles les deux autres mécanos qui, du coup, manifestent quelque zèle à leur obéir.

Assuré que le bateau lui appartient, le chef du commando, Cherif, appelle la salle des transmissions. Manifestement experts, ses hommes le mettent aussitôt en relation avec la préfecture maritime. À une heure aussi avancée de la nuit, il ne tombe évidemment que sur le planton de service, qui appelle l'officier de permanence. Le jeune lieutenant de vaisseau n'en croit pas ses oreilles quand Cherif lui annonce qu'un commando dit des « Martyrs de Bassorah » – il le précise expressément – s'est rendu maître du car-ferry *Barfleur* : « C'est une plaisanterie, et elle est de mauvais goût, monsieur. Je ne sais pas qui vous êtes, mais... »

L'officier s'arrête. Un midship affolé vient d'entrer dans son bureau sans même frapper et lui lance :

« Les patras du Koweït passent devant l'Arsenal, monsieur.

– Les patras ? »

Il n'a pas pu s'empêcher de s'exclamer à son tour, sans protéger le microphone du combiné. Là-bas en mer, Cherif a tout entendu :

« Je confirme. Nous nous sommes aussi emparés de deux bateaux destinés aux traîtres à la cause arabe. Alors, vous allez m'écouter bien attentivement, maintenant ; je veux parler à votre amiral dans trois minutes, montre en main. Cent quatre-vingts secondes. C'est parti. »

Cherif a coupé la communication. Il se retourne en souriant de ses impeccables dents blanches. Trois minutes, c'est le temps d'une cigarette.

Calmement, il l'allume.


### 93


La dextérité avec laquelle, de sa main valide, Abou Kir fouille les trois hommes qui mélangent leur sang sur le quai en une mare poisseuse et noire, est incroyable. Les morts d'abord, défigurés, qu'il déleste de tout ce que contenaient leurs poches, mais aussi de leurs gourmettes et de leurs chaînettes d'or. Il enfourne tout ce butin dans les poches de son pantalon. Le blessé n'échappe pas à l'opération, sans qu'Abou Kir prenne plus de précautions à le manipuler. Enfin, à quelques mètres de là, il aperçoit le corps du petit homme qui a payé de sa vie l'immense bonheur d'avoir sauvé celle de Willy.

Il se penche, fait la moue :

« Qui est-ce ? »

Demi hausse les épaules :

« Aucune idée. Mais il n'est pas des leurs. »

Et elle désigne les trois corps allongés.

« Tant pis, nous ne le saurons jamais », lance Abou Kir, qui ne peut bien entendu pas savoir que l'étranger appartient au Mossad.

Il se dirige vers la voiture.

« Et maintenant, on se tire, dit-il à Demi en s'installant près d'elle. Vous conduisez.

— Vous êtes fou ? Vous savez que je suis flic ? Qu'est-ce que je vais raconter, moi, avec tout ce carnage ?

— Justement, vous êtes flic, et il vaut mieux qu'on ne vous trouve pas ici. Allez, démarrez. Même s'ils sont durs d'oreille, les poulets du coin vont finir par rappliquer. »

Elle ne sait pas pourquoi, mais Demi obéit. La lourde voiture blindée gagne le boulevard maritime ; le premier panneau vert, indiquant « Paris », est le bon. L'essentiel est de mettre des kilomètres entre les cadavres et eux.

À l'arrière, sur la banquette où, sitôt son évanouissement, Demi et Abou Kir l'ont installé, Willy gémit. Sa perte de conscience n'a été que de courte durée, et le Phénergan que lui a fait avaler son ami le soulage un peu. Il commence même à s'inquiéter de la tournure des événements :

« Qu'est-ce qui s'est passé ?

— Rien, ricane Abou Kir, une demi-douzaine de morts, mais je te rassure, nous ne sommes pas sur la route du paradis. Alors on se dépêche de filer, avant que tes collègues, pardon, vos collègues, nous tombent dessus. Dès que c'est possible, on te fait soigner. Est-ce que tu peux tenir ? »

Willy n'a pas le choix. Bien sûr qu'il faut tenir. Lui et Juvénia, qui semble dormir à ses pieds. Si possible jusqu'à Paris. Là-bas, Verson arrangera le coup. Ici, en province, pour peu qu'ils tombent sur un procureur à la con, ils sont partis pour des emmerdes colossales.

« Oui, je crois. Foncez, ma chère…
– On m'appelle Demi, et je fonce. »
La Mercedes bondit rageusement.


## 94


L'amiral Boisec – il exige que l'on prononce Boizec – est de méchante humeur. Il flaire le canular et visse sur le malheureux lieutenant de vaisseau un de ces regards torves qui le font surnommer par ses subordonnés « Biglenbiais ». Néanmoins, on ne sait jamais, et ses deux étoiles sont suffisamment prometteuses pour qu'il n'aille pas les risquer dans quelque stupide aventure. Rien d'étonnant à ce que le ton soit des plus rogues quand le téléphone lui est tendu :

« C'est bien lui. Il rappelle à la seconde près. »

Boisec se saisit rageusement du combiné :

« Allô ! Qui êtes-vous ?

– Peu importe, répond l'Arabe, manifestement peu démonté par l'agressivité de l'amiral. Pour vous, je suis le commandant Salim. Et pour vous épargner des questions désagréables ou idiotes (l'amiral bondit sous l'outrage), je vous explique la situation :

« Nous sommes un commando des Martyrs de Bassorah. Nous venons de reprendre ce qui nous est dû, les deux premiers patrouilleurs rapides commandés par l'émir félon du Koweït et payés du sang de notre peuple. Nous avons à bord trois officiers koweïtiens qui seront exécutés à la moindre tentative de nous arraisonner. Par ailleurs, nous avons pris possession du *Barfleur* et nous tenons tous ses passagers en otage. Ceci n'est qu'un commencement, Amiral, car nous avons beaucoup mieux. Nous avons embarqué à bord du *Barfleur*, un camion bourré de barres d'uranium. Une simple cuve d'eau empêche cet uranium d'irradier tout le bateau et les alentours. Nous pouvons faire exploser ou simplement crever cette cuve à tout moment. Et vous aurez alors un Tchernobyl à votre porte, avec tout ce que cela représente pour la ville, ses habitants et même votre arsenal, dont toutes les installations seraient contaminées pour longtemps. Je crois bien que vous avez un sous-marin nucléaire tout prêt à être lancé, n'est-ce pas? Voici ce que j'exige : le plein de carburant et de munitions pour mes deux vedettes qui partiront pour une destination connue de nous seuls. Aussi longtemps qu'elles ne seront pas arrivées à destination, nous resterons à bord du *Barfleur*, que vous ravitaillerez aussi souvent qu'il le faudra. Bien entendu, nous croiserons dans les parages. Enfin, votre gouvernement devra diffuser toutes les deux heures sur ses chaînes de télévision un film sur les atrocités de la guerre d'agression contre le peuple arabe. »

L'amiral n'en croit pas ses oreilles. Il hasarde :

« Mais vous bluffez!

— Je bluffe. Alors vérifiez vous-même s'il manque à Areva un camion venant d'Allemagne. Envoyez un hélicoptère au-dessus du *Barfleur* pour vérifier si nous y sommes. Vous avez deux heures pour faire tous ces contrôles et me donner la réponse de votre gouvernement. Pas une minute de plus.

— Mais, à cette heure-ci…

— À cette heure-ci, nous sommes levés, vous et moi. Alors votre président n'a qu'à faire de même. »

Il raccroche brutalement tandis que, hébété, Boisec demeure un long moment le combiné à la main. Merde! une calamité pareille, c'est sur lui que ça tombe. Il n'a même pas de bateau à envoyer auprès du *Barfleur*, seulement deux vedettes de plongeurs-démineurs. Et qu'est-ce qu'ils feraient, de toute façon, ses bateaux, avec les deux patrouilleurs qui encadrent le car-ferry et surveillent les alentours? Il respire profondément, et demande, résigné :

« Passez-moi l'interministériel. »

## 95

Les flics ont fini par dépêcher un car de police sur le port. Les braves gardiens, habitués aux rixes entre ivrognes dans la fameuse « rue de la soif » ou aux femmes battues dans le quartiers de l'Amont-Quentin, n'en reviennent pas. Ils comptent les morts, quatre sur le terre-plein, plus un blessé qui ne va pas bien du tout, deux dans la baraque de surveillance des CNC, des douilles qui traînent partout, jusque sur le quai où, tout à l'heure, se trouvaient les vedettes. Les policiers les ramassent soigneusement, notent, photographient.

« C'est incroyable, aucun de ces types n'a de papiers ni d'objet personnel. C'est comme si on avait fait le ménage. C'est du boulot de pros. On veut nous faire patauger pendant des heures et louper le commencement de l'histoire. J'aime pas ça du tout. »

Le commissaire Bragade a tout de même quelque expérience et, surtout, un sens aigu de l'anticipation. Il adore les échecs et, ma foi, y gagne souvent.

« Il devait y avoir une troisième voiture, marmonne-t-il à mi-voix, en considérant les deux Mercedes identiques, garées un peu plus loin, ouvertes, sans occupant. Et je parierais bien que c'est aussi une Mercedes noire. Bougrat ! appelle-t-il, lancez-moi un avis d'interception pour une Mercedes noire.

— Et qu'est-ce que j'ajoute ? demande son adjoint un peu interloqué.

— Je sais pas, moi ! Inventez ! Tenez, immatriculée en 92, comme les deux autres.

— Avec ça, on n'est pas fauché !

— Ben, ajoutez qu'il y a deux ou trois personnes à bord.

— Deux ? ou trois ?

— M'en fous. Va pour trois. Trois hommes.

— C'est bon, patron. »

Bragade revient aux quatre types du terre-plein. Déjà

le blessé est parti pour l'hôpital Pasteur. Il ne bouge plus les jambes, tout laissant à penser qu'il a la moelle épinière sectionnée juste au-dessus du sacrum. Quant aux quatre morts, il n'en connaît aucun. Mais qui sont-ils, les trois costauds à la coupe militaire ? Apparemment des Européens, probablement de l'Est. Peut-être des Yougos ou des Allemands.

Le dernier ne leur ressemble pas du tout. Celui-ci est manifestement méditerranéen. Et il livre rapidement son secret, puisqu'il n'a pas été fouillé. Il se nomme Maurice Nataf, est né à Bordj Bou Arredj et habite Caen. Il est assureur mais ne doit pas rouler sur l'or, si l'on en juge par l'état de sa guimbarde, retrouvée à proximité.

« Qu'est-ce qu'un Juif vient faire dans cette bagarre ? s'interroge tout haut le commissaire.

– Il faudrait que les collègues de la DST viennent voir ça », propose-t-il au procureur Grivois, lui aussi attiré par le sang autant qu'appelé par les devoirs de sa charge.

Le magistrat hausse les épaules :

« Si vous croyez que ça sert à quelque chose. »

Et il lui tourne le dos, soucieux d'aller prendre son petit déjeuner avec les croissants chauds qu'à cette heure-ci le boulanger de la rue Gambetta va sortir du four.

## 96

Autour de la grande table du salon Carnot, au ministère de l'Intérieur, c'est peu dire que règne la consternation. Le Premier ministre Glaireux, qui n'a pas voulu que la réunion se tienne à Matignon, est pourtant là, en personne. Comme de juste, il préside. Cohabitation oblige, le président de la République s'est fait représenter par le secrétaire général de l'Élysée, Godillot de la Brioche. Laventure, le ministre de l'Intérieur, Moulant, celui de la Défense, les généraux, amiraux, préfets, directeurs font bourdonner la salle de leurs commentaires catastrophés.

L'un après l'autre, les responsables censés savoir quelque chose s'appliquent à cacher leur parfaite ignorance du sujet par des considérations vagues et même vaseuses, d'où il ne ressort qu'une chose : c'est tout à fait dans la manière de Saddam Hussein, c'est son dernier coup de folie, et on va payer cher le mépris dans lequel l'hôte de l'Élysée le tient depuis la guerre du Golfe.

Mais il faut en revenir à des considérations plus immédiates. Le Premier ministre interroge le ministre de l'Industrie :

« Laurent, est-ce qu'un camion de Areva a réellement disparu ?

— Malheureusement oui, monsieur le Premier ministre. Et je peux même te, vous dire (il bafouille un peu) que ce n'est pas de l'uranium que transportait ce convoi, mais du Mox.

— Qu'est-ce que ça change ? »

C'est le ministre de la Santé qui a osé cette question saugrenue.

« Ce que ça change ? Rien, si on veut oublier qu'il y a aussi du plutonium, et que le dégagement radioactif est cent fois plus élevé que celui de l'uranium normal.

— Par rapport à Tchernobyl ?

— Cela fait cent Tchernobyl. »

La tour Eiffel s'abattant sur le Champ-de-Mars ne ferait pas davantage d'effet. Certains en ont comme la nausée, d'autres se sentent pris de vertige.

« Ils vont pas faire ça, tout de même ?

— Allez savoir. »

Glaireux est d'une pâleur effrayante. Il veut encore se rassurer :

« Enfin, est-ce si sûr, qu'ils ont ce Mox ? »

Une voix s'élève au fond de la salle :

« Monsieur le Premier ministre, si je puis me permettre ? »

Glaireux jette un regard interrogateur à Laventure, qui lui chuchote à l'oreille :

« C'est Rognard, le directeur de la DST.

— Monsieur le directeur, je vous en prie.

— Monsieur le Premier ministre, nous avons été mis en garde très récemment par les services israéliens quant à une initiative d'une organisation arabe. Pour être précis, à propos des vedettes de Cherbourg.

— Et c'est aujourd'hui que vous le dites ? s'étrangle le Premier ministre. Vous vous rendez compte des conséquences ? Bon sang, ça sert à quoi un service comme le vôtre ?

— Si vous permettez, nous n'étions pas sûrs à cent pour cent de notre renseignement. Et nous ne sommes pas sûrs que l'Irak soit derrière tout ça.

— Mais qu'est-ce qu'il vous faut, bon sang ! Les Martyrs de Bassorah, c'est pas une signature, ça ?

— Ça peut être une provocation, une manipulation, monsieur le Premier ministre. »

Glaireux, à cette mise en garde d'un simple subordonné, se fait cinglant :

« À force de coups tordus, vous perdez tout bon sens, monsieur le directeur. Une provocation ! Et de qui, s'il vous plaît ? Des Américains, peut-être, ironise-t-il, ou des Israéliens ? »

Il détourne le regard du malheureux préfet et, se tournant vers le reste de l'assemblée, qui applaudit secrètement à la mise à mort du patron de la DST :

« Maintenant, nous allons examiner, car le temps presse, quelles réponses nous allons apporter au diktat des amis de monsieur le directeur de la DST. »

Dûment chapitré depuis des mois par la DGSE, le chef du gouvernement se souvient des dénonciations répétées de l'attitude jugée amicale de la DST envers le Moukabarat irakien.

Les jambes flageolantes, Rognard s'est rassis. Il sait que mercredi prochain il va gicler, comme un noyau de cerise pressé entre deux doigts. On ne lui a même pas laissé expliquer qu'une info, cela se vérifie, qu'il sait fort bien que le Mossad, comme tout bon service, ne répugne pas à intoxiquer les amis, qu'il serait follement imprudent de se lancer dans une opération de grande envergure sur une simple supposition. Mais il sait aussi que les réactions des politiques sont spontanées, irréfléchies, égoïstes.

Pour sa part, Glaireux contient sa fureur. Surtout, il sait qu'il ne faut pas altérer l'image et la réputation de parfaite maîtrise de soi qu'il cultive et sait faire passer dans les médias. Alors, le plus froidement qu'il peut, il reprend les prétentions des pirates et donne des instructions pour qu'elles soient scrupuleusement exécutées. Il sait le risque immense et ne veut pas porter la responsabilité d'une bavure qui serait cataclysmique. Une fois le dispositif mis au point, il se tourne vers le ministre des Affaires étrangères et le questionne :

« Avez-vous convoqué l'ambassadeur d'Irak ?

— Le chargé d'affaires, rectifie l'Excellence, oui. Il doit m'attendre au Quai, depuis dix minutes.

— Il nous doit des explications. Alors, soyez ferme. »

Et comme quelques sourires, en dépit du tragique de la scène, se dessinent dans la salle, il complète :

« À votre manière, bien entendu. »


## 97


Willy a tenu. Allongé sur la table d'opération de la clinique Blomet, il regarde, son calme retrouvé, le chirurgien et son assistante s'activer sur son épaule. L'anesthésie locale l'a immédiatement soulagé, et il écoute le praticien décrire à voix haute ses gestes et annoncer ses constatations :

« Projectile sous l'omoplate droite dans la cavité glénoïde, à proximité de l'artère. Vous avez de la chance, mon vieux. Je le retire doucement. Ah, l'acromion est quand même fracturé, sans déplacement. Je cautérise. Pansements, s'il vous plaît. Là, voilà. Finalement, c'est sûrement douloureux, mais pas trop méchant. »

Le chirurgien déroule la bande, qu'il tresse savamment autour du buste de Willy. Il fait lui-même ses pansements, surtout quand il s'agit d'un vieux copain. Et puis, moins il y aura de monde au courant, mieux cela vaudra. La canonique Léontine qui l'assiste est une tombe. Aucun danger qu'elle parle.

Willy se sent mieux, un peu « dans le coltar » à cause des calmants qu'il a ingurgités, mais parfaitement lucide. On le glisse sur une table roulante, vêtu d'un simple caleçon. Il interroge son ami :

« Je peux sortir, maintenant ? »

L'autre répond simplement :

« Je suppose que si je te disais "non", tu partirais quand même ? 

— Tout à fait.

— Eh bien vas-y, dans deux heures, mais au moins, ne conduis pas. »

À la mine soulagée du trio qui l'attend dans sa chambre, Mathilde, Demi et Abou Kir, Willy sait que l'épreuve est terminée. Enfin presque. À peine réinstallé dans son lit, c'est lui qui interroge :

« Il faut que je voie Verson, tout de suite. Ne serait-ce que pour lui expliquer ce que tu faisais avec moi, Abou. Mais avant, il faut que nous nous mettions d'accord sur le récit des événements.

— Alors, je vous laisse. »

Mathilde a tellement l'habitude des cachotteries de son mari qu'elle a dit cela spontanément, naturellement.

« Non, reste, nous allons débriefer tout de suite. Et tu n'es pas de trop. »

La belle brune n'en croit pas ses oreilles. C'est, depuis plus de trente ans, la première fois que Willy la laisse, non, la prie de pénétrer dans l'espace secret où il enferme son métier, ses aventures, ses peines et ses joies. Les larmes lui montent aux yeux. Avec dix ans de plus, elle est aussi désirable que Demi qui, gentiment, lui prend la main.

« Asseyons-nous. »

Willy trône sur sa couche qui, après tout, peut bien servir à cet usage. Les autres se disposent autour de lui. Mathilde occupe le pied du lit et masse doucement les orteils de son héros.

Willy commence. Il raconte le double concours de circonstances qui lui a fait revoir à quelques jours d'intervalle Alexandre, le père d'Hélène, et Abou Kir, à la recherche d'une mystérieuse adresse. Et comment il s'est trouvé que les deux affaires trouvaient leur jonction en la personne de Marion, la jolie call-girl – « Non, Mathilde, je ne l'ai même pas touchée » – amie et protégée de Demi.

Or, Marion était la maîtresse du mari d'Hélène et, accessoirement, sa collaboratrice en espionnage.

Demi intervient alors :

« Oui, je me doutais que Marion travaillait en douce pour un service français. C'est la DRM, je le sais, maintenant. Comme je l'aime bien (elle rougit un peu), je l'ai protégée dès que je l'ai sentie menacée.

— Menacée par quoi, par qui ? interrompt Mathilde qui se prend au jeu.

— C'est le maillon qui manque, avoue Willy, et j'espère bien qu'elle s'en tirera pour nous le raconter.

— Je peux peut-être vous aider, reprend l'Algérien. Regardez ce que j'ai trouvé.

— Trouvé ?

— Enfin presque. Emprunté, si tu préfères. Deux gourmettes en argent marquées Kurt et Helmut.

— C'est pas vraiment arabe.

— Non, pas vraiment. Des cartes d'identité allemandes aux noms de Joachim Fischer, Wolfgang Schmeichel et Gerhard Strumpfhosen.

— Pas de Kurt, ni d'Helmut ?

— Non, et c'est déjà bizarre.

— Un passeport israélien. Un diplomatique, au nom de Moshé Eliazar.

— Qui c'est, celui-là ?

— Le petit gros qui t'a sauvé la vie. Mais il avait aussi des papiers français, que je lui ai laissés. Et puis des portables. Avec des numéros préenregistrés.

— Alors là, ça devient passionnant.

— Oui, surtout si on s'aperçoit qu'il y en a plusieurs à l'étranger.

— Où donc ?

— Syrie, Maroc, Jordanie. »

Il oublie de dire qu'il y en a un en Algérie. Celui-ci, il se le garde pour plus tard. Et s'il l'a effacé du portable, il le conserve par-devers lui.

Willy reprend la main.

« Si je résume, Marion s'est fait enlever une première fois par ces mêmes types qui ont recommencé parce qu'ils voulaient à tout prix récupérer les logiciels de commandement et de tir des deux vedettes. Ils y sont parvenus et, à présent, ont piqué les deux bateaux.

— Et le *Barfleur*, ajoute Mathilde.

— Le *Barfleur* ? Qu'est-ce que c'est ?

— Il faut écouter la radio, mes chéris. C'est un car-ferry qui va de Cherbourg à Southampton et qui a été détourné ce matin par des terroristes. Un journaliste, bien informé comme ils le sont tous, a ajouté qu'ils ont embarqué un camion plein de déchets radioactifs, et qu'ils se réclament d'un mystérieux groupe des Martyrs de Bassorah. On suspecterait la marine irakienne.

— La marine irakienne ! (Abou Kir part d'un énorme éclat de rire.) La marine irakienne ? Mais il y a belle lurette qu'il n'y a plus de marine en Irak, ni de guerre

289

ni marchande. C'est bizarre, ce truc ! Je vais vérifier, si vous voulez bien.

— Fais-le. Quant à moi, je vais aller voir Verson. (Willy regarde alors Demi et tente de la décrypter.) Je crois qu'il vaut mieux vous laisser en dehors de tout ça, Demi. Ces histoires ne sentent pas très bon, et vous avez pris suffisamment de risques.

— Je n'osais pas vous le demander. Je vais trouver une explication à mon absence ce matin, et puis, tranquillement, nous nous retrouvons tous ensemble ce soir. Chez moi.

— Je ne refuse jamais l'invitation d'une jolie femme », badine Willy.

Abou Kir et Demi se lèvent. Simplement, en vieux copains qui se sont mutuellement sauvé la vie, elle propose de le raccompagner.

« Je vais à l'ambassade, dit-il, je dois utiliser le téléphone crypté.

— Va pour l'ambassade. »

Mathilde et Willy sont restés seuls. Willy se dispose à se lever pour aller s'habiller.

« Attends un peu. Qu'est ce que ça veut dire, ce "je ne refuse jamais l'invitation d'une jolie femme" ?

— Ça veut dire que… mais ? »

Mathilde a glissé une main experte sous la chemise d'hôpital de Willy.

« Toi, tu as envie de moi », susurre-t-elle.

## 98

C'est bon signe. Marion, enfin, gémit doucement. Demi lui prend la main, la caresse doucement, glisse ses doigts entre les phalanges, cherche à lui communiquer ce désir charnel qui constitue encore la meilleure thérapeutique. Elle embrasse à présent le front, les lèvres desséchées, glisse doucement la langue.

Elle se redresse ; elle voit maintenant le regard vide de Marion se fixer d'abord sur la perfusion qui pendouille d'une potence chromée, puis glisser doucement vers elle. Elle la voit, Demi en est sûre. Elle lui sourit, la blessée gémit un peu plus fort.

Elles sont à présent joue contre joue. Le parfum délicat de Demi se mêle aux âcres odeurs de pharmacie qui enveloppent Marion. Elles n'en ont cure, ni l'une ni l'autre, émues comme deux gosses qui se retrouvent après une chamaillerie. Et quand Demi sent une larme glisser entre leurs visages, elle ne sait pas tout de suite si c'est elle ou son amie qui pleure. C'est bien Marion. Elle est sauvée, la commissaire le sait dans l'instant.

Elle lui parle, à présent :

« Je ne te quitte plus, ma chérie, personne ne te fera plus de mal. Tu vas voir, on va partir en vacances toutes les deux. Des vraies vacances, avec des mecs qu'on se choisira. Ou bien sans. Comme tu voudras. »

Elle s'arrête, se mouche un peu, reprend :

« Tu as le droit de savoir la suite. Tu sais, ton sale type qui te poursuivait, il s'est fait descendre. Par un ami à moi, un vieux flic, encore pas mal du tout. Tu sais ce qu'il a fait ? Il lui a collé une balle en pleine colonne vertébrale. Ton type, il est pas mort, il est tétraplégique. C'est pas beau, ça ? Quant aux gorilles, je sais pas combien ils étaient, mais trois sont morts. Maintenant, Marion, j'ai besoin de savoir pourquoi on t'a enlevée et poursuivie avec tant d'acharnement, toi et ce pauvre Jean-Louis de Tavernon. Car il est mort, lui aussi. »

Les yeux de Marion s'emplissent à nouveau d'effroi.

« Alors, qui te menaçait ainsi ? des Arabes ? »

Marion dodeline de la tête pour faire non.

« Des Allemands ? »

Toujours non.

« Pas des Français, quand même ? »

Non et non.

291

Elle hasarde :

« Des Américains ? »

Marion essaie d'articuler. Demi se penche. Elle entend distinctement :

« Sais pas. Possible. »

La dernière pièce du puzzle est entre ses mains.

Patiemment, Demi attend que Marion se rendorme. Elle ne veut pas que l'angoisse reprenne place dans le cœur encore fragile de son amie. Quand enfin elle est assurée que son sommeil est profond, elle se lève et, sur la pointe des pieds, sort de la réanimation.

Dans le couloir, mince, élégant, sérieux, Abou Kir l'attend. Elle sourit en le voyant, le prend par le bras, le gauche, et lui glisse malicieusement :

« À votre avis, général, qu'est-ce qui se glisse derrière tout ce pataquès ? Vous y croyez, vous, à la manip fomentée par l'Irak ? »

Abou Kir la fixe :

« Non seulement je n'y crois pas, mais je sais.

— Vous savez quoi ? et comment ?

— Je vais d'abord vous dire comment : par mes amis irakiens. Figurez-vous qu'ils avaient repéré, il y a deux ans environ, un terroriste reconverti, dénommé El Mismari. Ce type a été recruté par la CIA, avec une mission bien précise : aider à la déstabilisation de l'Irak en organisant des attentats qu'on mettrait sur le dos des Irakiens. Assassinats, enlèvements, on s'arrange pour énerver les Saoudiens et les émirats du Golfe en mettant en avant de fausses organisations qui prônent la revanche des pauvres Irakiens sur les riches émirs. Le bouquet, ça devait être ce commando à Cherbourg avec le détournement des vedettes. Mais il y a eu quelques grains de sable, d'abord l'arrestation d'El Mismari à Alger.

— Comment ?

— Complètement par hasard.

— Je ne vous crois pas.

— Croyez ce que vous voulez. Et puis, Marion.

— Comment ça, Marion ?

— Votre amie travaillait pour un service français, et non seulement, grâce à elle, les logiciels volés à l'ambassade du Koweït ont été récupérés, mais, en plus, en s'évadant une première fois, elle a obligé ses ravisseurs à se découvrir.

— C'est tout ?

— Non, il y a un troisième grain de sable. C'est vous qui avez, sans le savoir, embrouillé, compliqué, la tâche des ennemis de Marion, et surtout nous avez conduits jusqu'à Cherbourg.

— Mais ce type, ce pète-sec ?

— Un Allemand, un ancien de la Stasi recruté par les Américains, avec quelques-uns de ses anciens.

— Et ces Arabes ?

— Je ne sais pas au juste. En tout cas, pas des Irakiens. Un gosse de Bab el-Oued vous l'aurait dit. Ils n'ont pas l'accent irakien. Je crois plutôt que ce sont des Syriens et des Jordaniens, recrutés pour les besoins de la cause. Qui n'est pas belle, d'ailleurs.

— Alors que nous reste-t-il à faire ?

— À nous ? rien du tout. C'est à votre gouvernement de se débrouiller. Mais à mon avis, c'est très facile.

— Comment cela ?

— Il y a sûrement pas mal de preuves de l'implication de vos amis d'outre-Atlantique. Il faut laisser faire votre police. N'oubliez pas les portables que je leur ai refilés. Il y en a un que j'ai récupéré dans la poche de Wolfgang Stein, votre ami.

— Le pète-sec ?

— Lui-même. C'est celui qui se faisait appeler Berthaud. Je sais juste qu'il avait mémorisé le nom d'un certain Tom Smith, un des officiers de la CIA à Paris.

— Alors, c'est la CIA ?

— Pas si simple. Disons que certains officiers de l'agence sont mouillés jusqu'aux yeux. Mais ça ne veut pas dire que la CIA soit réellement impliquée. Je pencherais plutôt pour l'OSI*, un super cabinet noir installé auprès du président des États-Unis.

— Oh, là, là! mais ça devient trop compliqué pour moi.

— Patience… Nous en saurons sans doute davantage quand toutes les vérifs auront été faites.

— Vous êtes génial, général!

— Génial, non. Mais galant, oui. Voici pour m'avoir sauvé la vie. »

Et il lui tend un paquet délicatement ficelé.


## 98


Blachon s'est mis en planque dans sa voiture au début de l'avenue Gabriel, à proximité du Crillon. Il bout intérieurement, inquiet de la tournure des événements; il sait qu'un commissaire de la Crim, un certain Verson, est en train de remonter la pelote. S'il arrive jusqu'à Cheir, et c'est inévitable, et si Cheir le balance, il est foutu. Il a donc décidé de prendre les devants. Il va descendre l'Arabe et le chargera de tous les péchés. Après tout, c'est Cheir qui le payait et lui seul sait comment.

« Il va sortir, ce con? murmure-t-il à voix basse, en calant son revolver dans sa paume, il va sortir que je le bute?

— C'est toi le con », lui répond comme un écho.

Dans le rétro, un visage jeune, presque un gamin. Mais un gamin qui, posément, place le canon de son arme sur le cou de l'ancien du CIII. Il a à peine le temps d'en sentir le froid. Sa tête explose.

Le gamin descend en sifflotant de la voiture. Deux bonds de chat et il sera hors de vue. Il sent dans sa

* Office of Strategic Influence.

poche la grosse enveloppe aux 100 000 dollars qu'il a honnêtement gagnés, en volant la sacoche du Boche rue de Rivoli et puis, maintenant, en butant un ripou.

Mais la vie n'est pas si facile. D'un immeuble de l'avenue Gabriel que l'on jurerait être l'ambassade des États-Unis s'échappe comme un miaulement que le ronronnement de la place de la Concorde absorbe. Le gamin boule comme un lièvre cueilli en plein vol. Là-bas, au second étage, une fenêtre se ferme. Le crâne rasé pose son fusil à lunette sur une table de marqueterie, indifférent au talent de l'artisan qui l'assembla voici deux siècles.

« Ces cons d'Arabes, ricane-t-il à l'adresse du géant qui l'observe, nous, les marines, on les aura toujours. »

C'est bien ce que se dit Tom Smith en redescendant à son bureau. La manœuvre est en train de réussir et, quoi qu'il arrive, il va sortir gagnant de la plus gigantesque partie de trompe-couillon de l'histoire des services secrets.

Devant la porte de son bureau, sa secrétaire, Mary Plumfol, l'attend. Complètement inhabituel. Comme la vision qu'il a, quelques mètres plus loin, dans le couloir, du directeur de la DST, Rognard. Jamais au grand jamais un patron du contre-espionnage français ne s'était aventuré en ces lieux. Tom adopte dans la seconde cette cordialité débonnaire qui lui va si bien :

« Monsieur le directeur, enfin Jacques, quel honneur et quel bonheur.

— Pas pour moi. Je veux vous voir.

— Entrez, vous êtes chez vous. Je vous en prie. Oh, je comprends, cette vilaine affaire irakienne vous contrarie.

— Irakienne mon cul, monsieur Smith (jamais il ne l'a appelé comme ça), américaine, oui. Vous pouvez vous vanter de nous avoir foutus dans une sacrée merde. Alors je n'ai qu'une chose à vous dire. Vous nous en sortez et j'essaierai d'oublier. Sinon, je déballe tout. »

Tom est sidéré par la violence de l'attaque. Mais il en a vu d'autres.

« Attendez, pas si vite. Vous êtes en train de m'accuser froidement d'avoir monté le coup de Cherbourg. Vous rendez-vous bien compte de ce que vous dites ? Et à qui ? Jamais les États-Unis ne joueraient contre la France, en tout cas pas en France. Je veux bien admettre votre émotion, mais c'est un peu gros.

— Et ça, c'est un peu gros ? »

Rognard jette sur la table des photographies que Tom Smith prend comme à regret, regarde, avant de lever un œil candide vers son visiteur :

« Qui est-ce ?

— Ce sont vos agents, tout un réseau de la Stasi que vous avez récupéré. C'est vrai qu'ils n'ont pas bonne mine. »

Les yeux vides des trois hommes laissés sur le quai de Cherbourg ne regardent que le néant ou l'enfer qui les attend. La quatrième photo, c'est celle du pète-sec, sur un brancard.

« Des communistes repentis ? Jamais de la vie !

— Et ça, alors ? »

Il lui tend une feuille de papier sur laquelle figurent des numéros de téléphone. Tom, cette fois, les regarde à peine : le sien est en haut de la colonne.

« Qu'est-ce que ça signifie ? D'où cela sort-il ?

— Ce sont des numéros préprogrammés de portables. Ceux des complices des pirates soi-disant irakiens qui ont été descendus à Cherbourg. Ce sont vos numéros, à vous en particulier ; alors comment ces Arabes les ont-ils obtenus ? En faisant le 12 ? Et pourquoi sont-ils préprogrammés ? »

« Les cons », pense très vite l'Américain, qui rétorque cependant :

« Vous appelez ça des preuves ? C'est un peu facile, non ?

— Je peux continuer, reprend Rognard, refaire l'histoire depuis le début, vous raconter comment un agent de chez vous, de la CIA, a obtenu les plans de l'ambassade du Koweït, l'a cambriolée, comment vous vous êtes fait avoir par un service frère, comment vous avez enlevé une call-girl que vous avez ensuite essayé de descendre, je continue ? »

Tom Smith a un geste las de la main.

« Tout ceci me consterne, parce que je crois que nous sommes tous deux victimes d'une manipulation montée par nos ennemis communs. D'ailleurs, si je vous mentais, pourquoi les Israéliens vous auraient-ils, de leur côté, signalé les projets irakiens ? »

Cette fois, Rognard, mis en forme par un début de partie tonitruant, bondit sur l'imprudence :

« Et comment le savez-vous ? Comment les Israéliens ont-ils obtenu ce renseignement ?

— Je l'ignore.

— Je vais vous le dire. Par un jeune Beur, un ado de Mantes-la-Jolie que vous avez recruté pour voler la sacoche d'un de vos propres informateurs qui allait remettre à qui de droit, je saurai bientôt qui, un rapport sur les projets irakiens. Celui que le Mossad m'a refilé ensuite. Et que j'ai fait analyser. »

Il s'arrête pour jouir de son effet. Cette fois, il a gagné, le colosse se décompose à vue d'œil.

« C'est du beau travail, et je vous félicite. Mais il y a un hic. Des petites fautes que les Irakiens ne commettent pas.

— Ah bon, et lesquelles ?

— Si vous me demandez ça pour la prochaine fois, je chargerai nos amis du Moukabarat de vous l'expliquer. »

« Les salauds, peste Tom Smith, ils en ont parlé au Moukabarat ! C'est un comble ! »

Il tente une ultime contre-attaque.

« Je crains que, encore une fois, on ne vous ait abusé. Je suis certain que nous n'avons jamais utilisé les services d'un Beur, comme vous dites. Ces types ne sont pas fiables.

– Voulez-vous sa photo ? La voici.

– Connais pas. Et je maintiens que je suis sûr.

– Eh bien, je vous le présenterai quand vous voudrez. Il est dans nos bureaux, sous bonne garde. En ce moment même. »

Tom Smith ne comprend plus rien. Et alors ? Sur qui le marine au crâne rasé a-t-il tiré, il y a quelques minutes ?

Il est cette fois totalement désemparé.

« Écoutez, je vais voir ce que je peux faire pour vous aider.

– C'est ça, donnez-nous un coup de main. Mais très vite. »

Rognard se lève. Il a gagné une manche, et Glaireux, qui l'a si vite accusé, l'aura dans le baba. Moyennant quoi, il sera quand même viré.

« Il faudra que je remercie ce Verson qui m'a si bien renseigné et ce Magdeleine qui tient si bien son Momo. »

Dans le parc, en contrebas, un attroupement s'est fait autour d'un ado maghrébin, étendu sur l'herbe, une arme à la main. Le meilleur ami de Momo.

## 99

« Cheir, je dois vous voir. C'est plus qu'urgent. »

La ligne directe de Cheir ne laisse à Tom que la possibilité de laisser un message. Cette fois, il est dans la merde, totale ; s'il ne retrouve pas son « allié » qui, maintenant que Wolfgang est inopérant, a seul le contact avec les pirates du *Barfleur*, comment va-t-il faire ? Les Français le tiennent, comme ils tiennent son ancien de la Stasi, et ils vont continuer à accumuler les preuves. Jusqu'à ce qu'apparaisse une main nourrie au pop-corn et au Coca-Cola, énorme, pataude.

Tant pis, foutu pour foutu, il va y aller.

Deux minutes plus tard, il est au Crillon, monte directement à l'étage de Cheir. Il n'a pas besoin de frapper, la porte s'ouvre. Très urbain, un barbu s'incline :

« M. Cheir va vous recevoir. Il vous prie de patienter. Désirez-vous un café ? »

Tom se laisse tomber dans un fauteuil de cuir, spacieux et profond comme les aiment les Américains. « C'est curieux qu'un Arabe apprécie ce genre de garniture, eux qui ont un penchant pour les étoffes. » Le café lui est cérémonieusement servi. Un long moment s'écoule, très long, même, avant que Cheir en personne apparaisse.

« Je vous attendais.

— On ne dirait pas, rétorque impoliment l'Américain.

— Si, je vous attendais pour vous dire, en le regrettant, que nos conventions sont dangereusement menacées.

— Comment ça, menacées ? Qu'est-ce que cela veut dire ?

— Cela veut dire que vous n'avez pas tenu vos engagements, que votre Stein s'est fait avoir comme un enfant de chœur, que la fille, cette Marion, est toujours vivante, qu'El Mismari a trahi une fois de plus, et que tous vos terroristes si bien formés à Peshawar ont lamentablement échoué.

— Attendez, ce n'est pas si simple.

— C'est biblique, vous voulez dire. Je note que la toute-puissante Amérique ne vaut pas un pet de lapin et qu'on ne peut décidément se fier à personne. Karadjic me l'avait d'ailleurs dit.

— Karadjic ?

— Nous avons tous nos mauvaises fréquentations.

— Mais j'ai honoré mes engagements, s'indigne Tom. Tenez, j'ai fait éliminer ce Momo.

— En êtes-vous sûr ? Et puis, tirer un gamin depuis une ambassade, cela fait désordre.

299

— Le plus simple est parfois le plus sûr.

— Admettons ce point. En attendant, vos erreurs vont finir par être connues des Français, et alors…

— Alors ?

— Alors, les Irakiens aussi vont le savoir. »

« Ils le savent déjà, connard », pense Tom Smith dont, décidément, ce n'est pas le jour de chance. Il reprend, tout haut cette fois :

« Je vous propose quelque chose. Car il faut bien en sortir, n'est-ce pas ?

— Je vous écoute.

— Nous arrêtons tout à Cherbourg, et nous demandons l'arbitrage d'un négociateur arabe…

— Qui serait ?

— Vous.

— Vous n'y pensez pas ! Je suis un homme d'affaires, pas un politique, et je ne veux à aucun prix apparaître dans cette affaire, pas plus que dans n'importe quelle autre.

— Alors que me proposez-vous ?

— Moi ? mais rien du tout. J'ai obtenu ce que je voulais et ce que voulait mon commanditaire, vous brouiller avec vos amis français. Car imaginez-vous que nous avons toutes les preuves de votre machination, et que, désormais, si vous ne filez pas droit, la communauté internationale tout entière connaîtra la duplicité américaine. »

Le ciel tombe sur la tête de Tom Smith. Il est foutu, parce que jamais « on » ne lui pardonnera cet échec monumental.

Il veut tout de même savoir qui l'a ainsi piégé :

« Vous me parlez de votre commanditaire, mais qui est-il ?

— Vous avez entendu parler de Ben Laden ? »

Tom sent sa vue se brouiller, il vacille, se retient au mur qui se dérobe brusquement. Nul ne saura jamais quel pacte démoniaque il a passé avec Cheir.

300

## 100

Le *Barfleur* attire tous les regards. Croisant au large de la grande digue, il arpente la mer de long en large, sans souci des moutons blancs qui annoncent le mauvais temps. À bord, la vie s'est organisée, tant bien que mal, sous l'épouvantable menace que renferment les entrailles du bateau. Les chauffeurs routiers, résignés ou angoissés, se sont rués sur la buvette et descendent la cargaison de bière ; les touristes, britanniques pour la plupart, s'attaquent au whisky détaxé. De temps à autre, ils croisent les pirates qui, par prudence, circulent par deux.

La cale aux camions est fermée. Seuls deux fantômes, dans leur combinaison étanche, se reposent dans la cabine la plus spacieuse qu'ils ont trouvée à bord d'un semi-remorque néerlandais. Ils sont seuls.

Du moins le croient-ils. Car le transport routier recèle parfois d'insultantes surprises. Et celle d'une jeune femme dans cet univers de tôle et ces relents de gazole en est une de taille. Matouba, c'est son nom, est une prostituée cubaine qui passe le plus clair de son temps, si l'on ose dire pour une travailleuse de la nuit, à vendre des fellations et des passes, au cœur de ce garage gigantesque, aux chauffeurs, qui tuent ainsi les dix heures de traversée. Elle ne sort pratiquement jamais, habile à se cacher, durant les escales, avec la complicité des hommes de cale qu'elle récompense à sa manière.

Cette fois encore, elle est restée tapie dans le local à incendie lorsque les routiers ont abandonné leurs bahuts, attendant le retour furtif de la demi-douzaine d'habitués qui viendraient soulager leur libido. Elle a donc failli venir miauler entre les jambes des deux Orientaux qu'elle a vus revenir peu après le départ. Mais un je-ne-sais-quoi l'a retenue. Et quand elle les a vus revêtir des combinaisons et des coiffes blanches, elle a compris que quelque chose de bizarre se passait. Souple comme un chat, elle a eu tôt fait de monter dans la cabine d'un de ses clients et de brancher la radio.

Elle prend la nouvelle en pleine poire. Elle est dans la gueule du loup, là où se noue le drame. La cargaison maudite est à quelques mètres d'elle, avec deux abrutis qui, au premier signal, vont faire exploser la cuve. Elle n'est pas experte en radioactivité, mais elle en sait suffisamment pour comprendre que son cher bateau va être salopé pour longtemps.

Matouba a amassé durant sa clandestinité un pécule qu'elle n'entend pas perdre aussi facilement. Son gros défaut, son vice, même, c'est l'avarice, et l'attachement à cet énorme tas de ferraille. On veut lui voler son *Barfleur*, son gagne-pain. Elle ne va pas se laisser faire.

D'abord, éliminer la cause de ses malheurs. Ce maudit camion, elle va le flanquer à la mer. Oui, mais comment? Très simple à dire, ouvrir la porte d'étrave du car-ferry, qu'elle sait parfaitement manœuvrer pour l'avoir vu faire mille fois. Il n'y a qu'un ennui, de taille : les deux types, dans la cabine, qui ne seront pas forcément d'accord.

Matouba ne doute de rien. Elle va les tuer, l'un après l'autre. Comment? Elle ne sait pas trop. Elle imagine seulement qu'elle va se cacher, et comme dans une cale de bateau les endroits isolés se résument aux toilettes, elle pénètre dans ce lieu aujourd'hui désert. Après tout, ce n'est pas si bête, il y a bien des chances qu'un des deux types vienne s'y soulager.

Comme elle a appris la patience, ce petit chat sauvage, elle ne trouve pas le temps bien long avant que claque une portière de camion et que soit poussée la porte des toilettes. C'est un des fantômes blancs. L'homme, avec la grâce d'un plantigrade, se dirige vers le petit réceptacle blanc et, pour satisfaire son besoin, dégrafe la combinaison qu'il est obligé de laisser glisser jusqu'à mi-cuisse. Ainsi empêtré, il offre son postérieur dénudé à la petite Cubaine, un cul poilu, volumineux et brun. C'est vraiment un ours des Pyrénées, d'une espèce inconnue dans les bidonvilles de La Havane.

À peine le chant joyeux de l'urine sur la tôle laquée a-t-il commencé d'égrener ses premières notes qu'elle se précipite, la hache haute. Le type, qui n'était pas sur ses gardes, n'a que le temps de tourner la tête et d'esquiver un geste de retrait. La lame d'acier le prend de profil et lui brise le poignet droit, qui tenait le précieux témoignage de virilité. Il pousse un hurlement qu'on doit entendre jusqu'au pont supérieur. Mais, déjà, la vaillante Jeanne Hachette a retrouvé son équilibre et repris la bonne distance pour lui enfoncer son arme improvisée dans la poitrine. Un craquement sec, celui du sternum fendu par le milieu, et la cavité béante vomit un long jet de sang. Matouba croit même voir quelque chose qui bouge dans cet antre rougeâtre. « C'est le cœur », pense-t-elle en extirpant la hache, qui plonge encore une fois dans la cage thoracique.

Le type est encore debout, les yeux exorbités d'incrédulité. Il lève un bras dans sa direction et, d'un coup, tombe bien droit, la tête atterrissant sur les pieds de la jeune femme. Comme l'a écrit Alexandre Dumas, « il est complètement mort* ».

Matouba, elle, est bien vivante, maculée du sang de sa victime. Ce n'est pas grave, elle a toute sa garde-robe à bord. Et surtout, maintenant, elle est presque à égalité de forces avec l'autre pirate qui, là-bas dans sa cabine, n'a rien entendu. Elle n'a plus qu'à l'attendre à son tour.

Cette fois, il faut qu'elle change de tactique. Elle n'a ni le temps ni la force de faire disparaître le corps et les traces du carnage. Elle choisit alors son arme préférée,

---

* « Le garde avait la tête fendue. Il était complètement mort. »

un mince filin d'acier lesté d'un plomb de cinq cents grammes qu'elle porte toujours sur elle et qui, à deux reprises déjà, lui a sauvé la vie.

Pour guetter sa proie, elle s'est assise à cheval sur la cloison qui sépare les cabinets particuliers. Cette position élevée lui offre le double avantage de permettre un lancer parfait et de n'être pas découverte au premier coup d'œil. Elle a bien calculé, la petiote, et encore une fois, elle attend. Tout se déroule comme elle l'espérait.

Quand le bruit lourd de la portière résonne dans le garage, Matouba sait que le second chauffeur est à la recherche de son copain. Elle commence à faire tourner le filin au-dessus de sa tête, lançant un peu plus vite à chaque tour la masse de plomb. On entend comme un chuchotement, plus discret que celui de deux vieilles bigotes à la messe.

La porte s'ouvre, le type paraît sur le seuil, s'arrête ; Matouba ne voit pas son visage, mais le devine, incrédule devant la masse sanguinolente étendue à ses pieds. Il enlève son heaume pour mieux voir. Erreur fatale. Au moment où la jeune Cubaine l'interpelle d'un « hep » qui lui fait lever instinctivement la tête, le plomb du filin lancé à toute vitesse frôle son cou, va jusqu'au bout de la ligne et revient comme un boomerang pour tourner à toute allure autour de sa gorge. Elle tire de toutes ses forces, comme elle le faisait pour tuer un toucan ou un pélican.

Mais le type est d'un autre gabarit. Assurément, il suffoque, porte les mains à sa gorge, tente de desserrer l'étreinte d'acier. Mais il est debout, bien vivant, dangereux. Matouba jaillit donc une seconde fois la hache à la main. Profitant de ce qu'il a découvert son ventre en levant bras et mains, elle frappe au-dessous de la ceinture. La toile caoutchoutée de la combinaison amortit le coup. Le type vacille, mais se reprend et se rue vers elle. D'un bond de côté, elle évite la charge, d'extrême justesse, ce qui lui interdit de le frapper de nouveau. Il se retourne, hurle dans une langue qu'elle ne connaît pas et fonce de nouveau.

Matouba a derrière elle des années de bagarre sauvage, à mort, dans les immondices de sa ville natale, pour un peu de nourriture ou un vieux vêtement. Elle plonge dans les jambes du pirate, qui pivote sur lui-même et tombe. Elle s'est rapidement roulée sur le côté et d'un coup sec et précis de sa hache providentielle, elle lui brise la jambe. Le craquement du fémur la fait même frémir.

Le type est à terre, incapable de se redresser, à moitié dégagé du filin dont le bout libre traîne à deux mètres de lui. Elle se précipite, s'en saisit et tire, tire.

Lentement, les yeux saillent, jaillissent de la tête. Un gargouillis sort de la gorge où perlent des gouttes de sang. Il bat des bras, s'immobilise enfin, pour toujours.

Pour lui éviter la tentation de se relever, tout de même, Matouba le décapite, d'un seul coup.


## 101


Comme convenu, ils se sont retrouvés tous les quatre chez Demi. Ou plutôt, tous les cinq, car Barzi est de la fête. Comme de vieux compagnons de chambrée, ils se racontent leurs émotions, se confient leurs commentaires sur la gigantesque manœuvre qu'ils ont tout simplement fait échouer. Dans un coin du salon, la télévision, le son coupé, s'agite de jeux télévisés où un pitre échevelé exhibe un sourire de gamin malicieux.

Ils en sont à supputer les chances d'un règlement en douceur de l'affaire quand apparaît sur l'écran le président de la République.

« Demi, pouvez-vous mettre le son, s'il vous plaît?

– Ainsi, poursuit le président, le visage crispé et les lèvres tremblantes, l'odieuse agression dont nous sommes victimes de la part d'un gouvernement hostile sera impitoyablement vengée. Je mets aujourd'hui même nos moyens militaires, aériens et maritimes à la disposition du commandement international qui exercera toutes les actions de représailles nécessaires. Cette lâcheté du dictateur qui, de Bagdad, menace la paix du monde doit être et sera la dernière. »

Ils n'ont pas besoin d'en entendre davantage, se regardent, atterrés. Serait-il possible qu'« il » ne sache pas ? Qu'on lui ait caché le rôle joué par certains agents, plus ou moins contrôlés, d'une grande puissance amie ? La télévision répond pour eux.

C'est d'abord un communiqué du Quai d'Orsay qui déclare sobrement que l'ambassadeur d'Irak, convoqué, a démenti avec indignation l'implication de son pays dans le vol d'une cargaison de Mox et le détournement d'un navire marchand et de deux bâtiments militaires. Ensuite apparaît le Premier ministre Glaireux qui, rompant avec l'habitude, ne fait pas de surenchère sur le président de la République et affiche une prudence exemplaire. Manifestement, il sait quelque chose.

Décidément, le sujet, dans sa tragique réalité, inspire les journalistes. Ce sont les images du *Barfleur* qui défilent en direct, avec son énorme masse, inquiétante dans la pénombre. Soudain, alors que l'hélicoptère qui emporte le cameraman vire devant l'étrave du géant, on voit distinctement bouger la proue. Lui-même surpris, le journaliste qui commente en direct le film lance à son cameraman : « Reviens sur la porte d'étrave ! C'est incroyable, elle s'ouvre ! »

C'est effectivement la sensation. Matouba, qui connaît comme personne les manœuvres d'abordage, a déverrouillé le système de sécurité qui interdit de relever l'énorme proue du navire pendant qu'il progresse. Lentement, inexorablement, le *Barfleur* ouvre une énorme gueule.

L'hélicoptère plonge presque au niveau de la mer.

306

La camera fouille les entrailles du navire, repère un camion qui avance dangereusement au bord du vide. Un balancement du bateau, et la cabine bascule dans le vide. Elle pend, retenue par l'attelage de la remorque.

La France entière retient son souffle quand on voit la portière du camion s'ouvrir, une petite forme en sortir péniblement et entreprendre de remonter sur le plancher du bateau. « C'est une femme ! » hurle le commentateur qui l'encourage, comme si elle pouvait l'entendre : « Vas-y, petite, accroche-toi ! » La petite doit être sensible à ces encouragements, car elle réussit à reprendre pied sur le pont.

La suite se perd dans un cri que poussent en même temps des millions de téléspectateurs. Le *Barfleur* vient de prendre une lame en pleine gueule. Comme déséquilibré par cette énorme goulée, il pique de l'avant, plonge dans la mer et roule d'un coup sur le côté. Le car-ferry vient d'embarquer des centaines ou des milliers de tonnes d'eau salée. Quand il se relève péniblement, le semi-remorque a disparu de la plate-forme, et deux autres camions, un peu plus loin, s'enfoncent lentement dans l'eau noire.

La caméra ne quitte plus le monstre où, curieusement, aucun mouvement, aucune agitation n'est visible. Et pourtant, il est évident qu'il s'enfonce doucement, lourdement, dans cette mer qu'il a si souvent traversée de port en port. Il n'est qu'à quelques encablures de la grande digue.

La mer, comme excitée par le drame, s'enfle de vagues de plus en plus grosses, se creuse d'inquiétants abîmes, manifestement décidée à avaler sa proie. Une vague plus gigantesque encore que les autres s'engouffre dans la gueule béante du *Barfleur* dont la poupe se relève d'un coup, sortant ses énormes hélices qui battent dans le vide. Un moment qui semble s'éterniser, plus rien ne bouge, puis, d'un coup, le car-ferry plonge comme un sous-marin, en face de l'arsenal.

Des cinq convives, aucun n'a bronché. Ils se regardent en silence, conscients d'avoir vécu en direct un drame presque aussi lourd que celui du *Titanic*. Et pourtant, quelque part, ils réalisent qu'en plongeant au fond de la mer le *Barfleur* vient de sauver Cherbourg d'une bien plus épouvantable catastrophe.

Ils reprennent enfin leur conversation, mais le cœur n'y est plus. Avoir vécu ce qu'ils ont vécu depuis quelques jours puis, à présent, cette nouvelle tragédie, c'est sans doute trop. Le dîner, succulent, avalé, les Maier prennent prétexte de la blessure de Willy pour prendre congé. Barzi les suit.

Demi vient s'asseoir sur le canapé à côté d'Abou Kir, les jambes repliées sous elle. Elle lui sourit :

« Mon sauveur, c'est à présent que je dois vous dire merci. »

Elle glisse sa main derrière le cou du vieux combattant, lentement se penche vers lui. Il se laisse faire, s'abandonne, mais lorsqu'elle pose sur sa bouche des lèvres fines et douces, il explose d'un coup, prend sa langue, l'aspire, l'enroule dans une explosion de désir.

Le chemin n'est pas bien long jusqu'à la couche où il l'attend, totalement dévêtu sous les draps. La porte de la salle de bains s'ouvre, Demi apparaît, simplement nue, sa belle poitrine tendue vers l'extase, sa soyeuse toison humide de contentement. Elle ouvre le lit, se coule auprès de lui. Il frémit longuement au contact de sa peau.


## 102


Matouba s'est longuement débattue dans l'eau glacée sans même savoir où elle se trouvait. Quand enfin elle a pu s'agripper à une roche luisante surgie du néant, elle a compris qu'elle était sur la digue du large.

Progressant malaisément de bloc en bloc, s'arrachant les mains et les genoux sur les aspérités rugueuses de l'enrochement, elle finit par gagner la longue trace de béton qui dessert les trois forts de l'ouvrage.

Elle élit domicile dans celui qui commande l'entrée ouest du port, attendant dans l'agitation qui s'est emparée de cette parcelle d'océan que quelque secours lui parvienne. Indifférents ou ignorants de la dangereuse cargaison qui gît par quarante mètres de fond, bateaux et hélicoptères vont et viennent, en effet, comme des mouches sur une charogne, agrippant de-ci de-là un homme, une femme – elles sont rares – qui appelle à l'aide en anglais ou en espagnol. Les pirates sont peut-être là aussi, parmi ces victimes innocentes, à l'exception des deux auxquels Matouba a réglé leur compte.

La jeune femme est désespérée. Elle se croit naufrageuse alors qu'elle est une héroïne. Nul, d'ailleurs, ne le sait, ni ne le saura jamais. Elle a perdu son gagne-pain, son logis et même son paradis, avec cette énorme boîte de ferraille. Que va-t-elle devenir?

Son avenir immédiat s'éclaire brusquement. C'est une lampe torche qui la fixe dans son pinceau et qui demande – il arrive que les lampes torches parlent :

« Qui êtes-vous? Que faites-vous là? »

Dans son mauvais français, elle répond :

« Passager, espagnol. »

Elle ne va évidemment pas avouer qu'elle est cubaine. Elle serait refoulée. Tandis qu'espagnole, ça passe comme une lettre à la poste. Les gendarmes maritimes qui la font descendre dans une petite embarcation se contentent de l'explication. Certes, elle n'a pas de papiers, mais dans un tel tohu-bohu, qui le lui reprocherait?

Matouba est à présent dans un gymnase transformé en salle de secours. Chaudement et proprement vêtue, réconfortée, nourrie, elle se voit même proposer un viatique de 5 000 francs. Bien entendu, elle accepte. Et comme rien ni personne ne la retient à Cherbourg, elle décide de rester en France, d'entrer enfin dans ce pays qu'elle n'a fait qu'effleurer durant des mois.

Pendant que Matouba vit ses premières heures de vraie liberté, les événements s'accélèrent à Paris.

Rognard, bien entendu, a mis sous le nez de Laventure les preuves accablantes de la machination américaine. Le ministre de l'Intérieur est fine mouche. Il ne se presse pas trop d'en prévenir Matignon, et encore moins l'Élysée. Une allusion à Glaireux, son camarade de parti, dissuade celui-ci de suivre le président sur le chemin de la bravade. Pour autant, il entend bien monnayer sa discrétion et fait appeler le responsable local de la CIA, un certain Tom Smith. La demande en forme de convocation tombe en plein drame. L'Américain vient de mourir, terrassé par une crise cardiaque en pleine place de la Concorde. Son chef direct ne prononce qu'une phrase en guise d'oraison funèbre :

« C'était un homme d'initiatives. Parfois heureuses. »

La DST s'en contente, Rognard n'est pas si mauvais bougre. Et puis, on en dit tellement sur ce fameux « bureau de l'influence stratégique », l'OSI, aussitôt dissous que créé, qu'il faut en faire la part du feu.

C'est aussi ce que pense Zvi Elleg, qui a tout de même perdu un de ses bons agents dans la bagarre. Tel-Aviv ne sait s'il doit en rire ou en pleurer.

S'il ne restait au fond de la mer une réserve impressionnante de Mox, inoffensive pour aussi longtemps que la Manche ne n'asséchera pas, si Willy ne ressentait une raideur au niveau de l'épaule droite, si Marion n'agrémentait son dos soyeux d'une longue cicatrice, si Hélène n'était veuve, qui pourrait témoigner de ce qui vient de se passer ? Un homme, seul à jamais, un tétraplégique, Wolfgang Stein, cloué à jamais sur un lit de souffrance qui, avec application, en s'arrachant chaque mot, écrit l'histoire de son infortune.

Curieusement, c'est à Willy qu'il l'a confiée, Willy Maier, qui vient le voir presque chaque jour.

Photocomposition *CMB* Graphic
44800 Saint-Herblain

Achevé d'imprimer en janvier 2003
sur les presses de Firmin-Didot
(Mesnil-sur-l'Estrée)
pour le compte des Éditions Calmann-Lévy

*Imprimé en France*
Dépôt légal : janvier 2003
N° d'édition : 13489/01 – N° d'impression : 62506